15.95

**LES ENQUÊTES DE MAUD DELAGE, VOL. 2**
*est le quatre cent soixante et onzième livre
publié par Les éditions JCL inc.*

**Catalogage avant publication de Bibliothèque et Archives nationales du Québec et Bibliothèque et Archives Canada**

Dupuy, Marie-Bernadette, 1952-

   Les enquêtes de Maud Delage : romans policiers

(Collection Couche-tard ; 26)

Sommaire: t. 2. Les croix de la pleine lune ; Drame à Bouteville.

ISBN 978-2-89431-471-5 (v. 2)

I. Titre. II. Titre: Les croix de la pleine lune. III. Titre: Drame à Bouteville. IV. Collection: Collection Couche-tard ; 26.

PQ2664.U693E56 2012   843'.914   C2012-941167-1

# Les Enquêtes de
# Maud Delage

I – *Les Croix de la pleine lune*
II – *Drame à Bouteville*

Collection
Couche-tard

**Les éditions JCL inc.**
930, rue Jacques-Cartier Est, Chicoutimi (Québec) G7H 7K9
Tél.: (418) 696-0536 – Téléc.: (418) 696-3132 – www.jcl.qc.ca
ISBN 978-2-89431-471-5

**Cet ouvrage est aussi disponible en version numérique.**

# MARIE-BERNADETTE DUPUY

# Les Enquêtes de
# Maud Delage

*I – Les Croix de la pleine lune*
*II – Drame à Bouteville*

Romans policiers

LES ÉDITIONS JCL

*Je tiens à remercier tout spécialement
mon cher papa, Franck Drugeon,
qui a été le premier, dans notre famille,
à prendre la plume pour écrire
des nouvelles policières.*

## Note de l'auteure

C'est en 1995, à une époque où les techniques d'investigation étaient beaucoup moins sophistiquées, que j'ai créé cette série policière, tout d'abord par goût du suspense et des intrigues, mais aussi pour le plaisir de parcourir au fil des pages ma terre natale, la Charente. Département riche en sites préhistoriques, parsemé de châteaux ou de ruines romantiques, doté de paysages variés, il y avait là matière à emballer mon imagination.

Ainsi, par le biais des enquêtes de Maud Delage, mes lecteurs de l'époque ont pu se pencher sur l'histoire de la région, son patrimoine, découvrir des lieux méconnus. En quelque sorte, faire un peu de tourisme sur les traces de mon héroïne.

Je tiens à préciser qu'aucun des événements relatés ne s'est réellement produit et que ces textes, hormis les références historiques et touristiques, sont de pures fictions.

Marie-Bernadette Dupuy

*I — Les Croix de la pleine lune*

## 1

*Angoulême, été 1997*

— Écoutez, commissaire, c'est bien simple. Je vous le répète: quand je suis entrée dans l'église, je n'ai rien vu du tout. J'apportais un bouquet de lys pour décorer l'autel. Je les avais cueillis ce matin. Chaque année, au mois de juillet, je viens faire un peu de ménage à la place de madame Boyer, qui part chez sa fille. Alors, vous savez, je connais l'endroit, je ne regarde pas toujours à droite ou à gauche. C'est un peu plus tard que j'ai aperçu ces pieds nus qui sortaient du confessionnal, et, comme je vous l'ai dit, ça m'a fait un choc.

La femme qui faisait face au commissaire Valardy reprit son souffle, jeta un œil angoissé derrière elle et continua à parler:

— Vous vous rendez compte, faire une découverte pareille, en plein jour! Je ne vois pas comment on a pu amener ce pauvre homme ici. Il y a des voisins, quand même…

Irwan passa une main nerveuse dans ses cheveux châtains. Ses yeux clairs de Breton avaient une expression songeuse, celle d'une intense réflexion. Assis à côté de son supérieur sur un des bancs de l'église Saint-Ausone, il venait de noter rapidement l'essentiel de la déclaration de madame Roux, qui avait eu la mauvaise surprise, une heure plus tôt, de découvrir le corps d'un homme, mort depuis la veille. Le cadavre était calé à demi sur le siège du confessionnal, vêtu d'une sorte de bure rudimentaire, et cette sinistre mise en scène avait tout de suite déconcerté les deux policiers.

L'Identité judiciaire avait déjà fait son travail, et la dépouille de l'inconnu était maintenant en route vers la morgue de Girac, la procédure habituelle, avec autopsie à la clef. Les premières constatations avaient révélé une blessure à l'arme blanche au niveau du cœur, qui avait probablement entraîné le décès de la victime, mais le plus étrange demeurait la marque que le commissaire avait observée sur la poitrine de l'individu, un signe tracé sans doute à l'aide d'un fard noir, et qui représentait la célèbre croix des Templiers.

— Si tu veux mon avis, Irwan, nous voici confrontés à une drôle d'histoire. Du jamais vu à Angoulême.

— Je suis d'accord avec vous, patron, et je n'aime pas ce genre de choses. Je comprends l'émotion de madame : on ne s'attend pas à un tel événement dans un lieu saint.

— Vous pouvez le dire, inspecteur. J'en ai encore des frissons. Heureusement que je n'avais pas ma petite fille avec moi. Je l'ai envoyée jouer au Jardin vert, mais elle n'est pas toute seule, une camarade l'accompagne. Je n'ai pas trop confiance, vous savez, car on lit tant de choses bizarres dans le journal. Et puis, il y a des gens peu recommandables qui traînent parfois autour des gamines...

Comme si ces paroles lui faisaient prendre conscience du temps écoulé, madame Roux se leva en serrant son sac contre elle. On la devinait pressée de quitter l'église. Pourtant, elle scruta le visage des deux policiers, car elle n'osait pas clore aussi vite l'entretien.

— Avez-vous encore besoin de moi, commissaire? Je crois que je vous ai dit tout ce que je savais.

— Vous pouvez rentrer chez vous, madame, déclara aimablement le commissaire. Vous avez effectivement fait au mieux en nous prévenant aussitôt. Vous serez sûrement appelée à faire une seconde déposition à mon bureau. Vous recevrez une convocation. Je vous remercie. Nous allons attendre le prêtre ici. Nous lui avons téléphoné. Il était à l'évêché. Il ne devrait pas tarder.

Elle leur serra la main en souriant, l'air gêné, jetant des regards apeurés vers le confessionnal, comme si le corps de l'homme s'y trouvait toujours.

— Je me demande bien qui a fait une chose pareille. J'en suis malade. Tenez, à peine rentrée chez moi, je vais me mettre à pleurer. Je ne peux pas oublier ce que j'ai vu en tirant le rideau.

Irwan hocha la tête, plein de compréhension. Il avait vu, lui aussi, et le spectacle n'était pas très agréable. De plus, on avait grimé le visage du mort, de manière outrageuse, à l'aide de larges traits rouges qui pouvaient évoquer des peintures de guerre propres aux Amérindiens.

Par chance, sa collègue Maud Delage, une charmante jeune femme qui avait gagné il y a presque dix mois ses galons d'inspecteur principal, était absente lors du coup de fil qui les avait fait se précipiter vers l'église Saint-Ausone. Elle aussi d'origine bretonne, ce qui avait créé très vite entre eux une grande complicité. Maud, bien que consciencieuse et courageuse, faisait parfois preuve d'une vive sensibilité et n'aurait guère apprécié le côté particulièrement macabre de cette scène.

Une fois seuls, le commissaire et son adjoint restèrent silencieux. Malgré la chaleur extérieure, ils avaient un peu froid entre ces murs séculaires qui conservaient une fraîcheur de cave. Ce n'était pas un endroit où discuter longuement de cette nouvelle affaire, mais ils devaient attendre le prêtre pour l'informer des faits. Irwan rompit le silence le premier :

— C'est un été qui commence sur les chapeaux de roue, vous ne trouvez pas, patron ? L'hiver s'est passé assez tranquillement, mais là, j'ai l'impression que nous allons avoir du pain sur la planche. Ceux qui ont fait ce coup ne doivent pas être bien nets, comme personnages.

— Oui, ça m'inquiète, tu sais. Remarque, il faut garder la tête froide, et surtout rester logique. Tout ceci n'est peut-être qu'une ignoble mascarade destinée à semer le trouble, à brouiller les pistes. Cet homme déguisé en moine du Moyen Âge, ces traces bizarres sur sa figure, le signe sur la poitrine, ce cinéma de mauvais goût ne doivent pas nous faire oublier le principal : cet inconnu a bel et bien été assassiné d'un coup de couteau. Tu viendras à l'autopsie, ce soir?

— Bien sûr, je brûle de curiosité et j'ai hâte de savoir qui est la victime.

Le commissaire haussa les épaules, pessimiste.

— Il n'avait pas de papiers sur lui. J'ai peu d'espoir de l'identifier rapidement. Si c'est un vagabond ou un clochard, nous allons chercher longtemps. Il va falloir étudier la dentition, les empreintes, etc.

Un bruit de pas les fit se retourner : c'était le prêtre de Saint-Ausone. Une discussion animée les retint encore une demi-heure dans l'église, tandis que les paons du Jardin vert lançaient des appels sonores, de l'autre côté de l'avenue du Président-Wilson. Sur un des bancs, non loin de l'autel, les lys de madame Roux gisaient, abandonnés à leur sort, mais dégageaient cependant une douce et grisante senteur qui s'accordait à l'atmosphère de ces lieux consacrés à la religion. Nul n'aurait cru que ce paisible sanctuaire venait de servir de décor à une sourde et mystérieuse machination.

En roulant vers la place du Champ-de-Mars, le commissaire et Irwan échangèrent leurs idées. La voiture dépassa la cathédrale, longeait à présent le rempart Desaix.

— Chaque fois que je prends cet itinéraire, commenta Philippe Valardy, je ne peux pas m'empêcher de songer au dernier Circuit des Remparts[1].

— Ouais, répondit l'inspecteur en soupirant. Encore une sale histoire, où Maud a failli laisser des plumes.

— C'est vrai. Notre chère petite Bretonne l'a échappé belle.

À l'hôtel de police, la recrue en question les attendait en faisant les cent pas dans le couloir, un gobelet de café à la main. Dès qu'elle les aperçut, elle se précipita, silhouette mince mais énergique, qui faisait battre plus d'un cœur au sein de cette administration bien organisée.

— Patron, j'étais sur les charbons ardents. Salut, Irwan. Alors, dites-moi vite. Qu'est-ce qui s'est passé à Saint-Ausone?

Ils la regardèrent en retenant un sourire amusé. Maud était fidèle à elle-même, passionnée de préférence par les événements de choc et toujours partante pour les enquêtes les plus difficiles. Pour l'instant, plantée en face des deux hommes, elle les fixait de ses yeux d'un bleu vert, et, auréolé d'une chevelure blond foncé, coupée au carré de manière un peu fantaisiste, son ravissant minois affichait une expression impatiente.

— Ce qui s'est passé à Saint-Ausone, répéta

1. Voir *Un circuit explosif*, du même auteur.

Irwan d'un ton ironique. Tu es déjà au courant? Les nouvelles vont vite. On a trouvé un homme poignardé, mort depuis peu.

— Oui, c'est Antoine qui m'a dit que vous aviez reçu un appel d'une certaine madame Roux, qui avait trouvé un corps dans le confessionnal.

— C'est bien ça. Nous avons consigné la déposition de cette dame tout de suite. Élisabeth va la taper, ajouta l'inspecteur divisionnaire en se dirigeant vers son bureau.

— Ah! oui, cette chère Élisabeth que tu as jugé bon de m'imposer du matin au soir, sous prétexte que c'est une stagiaire de valeur, et qu'entre femmes, on se comprendrait mieux…

Le commissaire fronça les sourcils, surpris par la réflexion de Maud, qui trahissait une vague irritation. Soucieux de l'harmonie générale, souvent difficile à obtenir au sein d'une équipe nombreuse, il demanda d'une voix ferme :

— Vous avez des problèmes avec Élisabeth, ma petite Maud? C'est un élément sympathique. Elle arrive de Limoges; il faut lui laisser le temps de s'adapter ici.

— Aucun problème, patron. Tout va bien. Seulement, depuis six mois, j'étais habituée à travailler en compagnie de Xavier. Avouez qu'il y a de fortes différences entre Élisabeth et lui.

Le commissaire et Irwan éclatèrent de rire, imités par Maud, dont la mauvaise humeur s'était envolée. Bientôt, elle les écouta raconter les circonstances de la découverte, les points troublants de cette affaire peu banale et, très vite, se montra captivée.

— Et on a dessiné une croix sur la poitrine de cet homme? C'est absurde.

— Pourtant, conclut Irwan, c'est ainsi. Maintenant, l'autopsie nous en apprendra peut-être plus...

— Bien, je vous laisse, les enfants, coupa le commissaire. Je vais passer quelques coups de fil. Irwan, tu me rejoins dans une heure. On est attendus à Girac.

— D'accord, le temps de confier ce carnet à notre jolie Élisabeth, de discuter avec Maud de son enquête, et j'arrive.

Irwan, un petit sourire malicieux au coin des lèvres, entraîna sa collègue dans son bureau.

— Dis-moi où tu en es de ton côté. Pas de trace de tes disparus?

— Aucune. Mais, je n'ai pas pu en parler au commissaire, il y a autre chose... Je ne sais pas pourquoi, ça m'intrigue et je me demande si les deux affaires ne sont pas liées.

— Explique-toi.

Irwan alluma une cigarette, se servit un verre d'eau sans quitter Maud des yeux. Elle semblait nerveuse, indécise:

— Voilà, Irwan, une femme est venue ici tout à l'heure. Antoine me l'a envoyée, parce qu'elle voulait absolument parler à un inspecteur. Je l'ai donc reçue. Je croyais que ce ne serait pas long. En fait, cette personne, madame Darmon, venait signaler la disparition de sa fille Annie et, bien sûr, lancer un avis de recherche. Remarque, c'est peut-être une fugue.

— Pourquoi?

— La jeune fille était dans un centre de vacances, une institution privée assez coûteuse, et il paraît qu'une autre adolescente manque à l'appel. Comme par hasard, l'amie de la première. Il se peut donc que ces deux demoiselles aient eu envie de prendre la clef des champs, on ne sait jamais. La directrice du centre penche pour cette solution, d'après madame Darmon, qui, elle, reste convaincue qu'on a enlevé sa fille.

Irwan soupira, haussa les épaules en levant les yeux au ciel.

— Ça devient bizarre, ces gens qui se volatilisent. Je me demande si la Charente n'est pas victime d'une attaque d'extraterrestres.

— C'est malin de plaisanter sur un sujet aussi grave! Moi qui comptais sur ton aide, je suis très inquiète. D'abord, ces trois hommes, en l'espace d'une semaine, puis deux jeunes filles. Je consulte les statistiques des disparitions en France chaque année, mais là, nous allons bientôt battre le record. Et je n'ai aucun indice, rien.

Maud se leva, alla jusqu'à la fenêtre, observa un instant l'agitation caractéristique de la place du Champ-de-Mars, le va-et-vient des bus, les cohortes d'étudiants plus ou moins agitées. Puis elle déchira d'un geste vif le bout de papier qu'elle tenait à la main.

— Qu'est-ce que c'est? interrogea Irwan.

— L'adresse du centre aéré. Ne fais pas cette tête, je l'ai notée sur mon agenda. J'y vais demain matin à la première heure. C'est du côté de Villebois-Lavalette. Xavier doit m'accompagner.

— Ce devrait être Élisabeth. Qu'est-ce que tu reproches à cette jeune femme?

— Rien de précis. Le courant ne passe pas, et je me sens plus performante avec ce brave Xavier.

— Pourtant, c'est à toi de veiller à sa formation. Enfin, vu que tu es une vraie tête de mule, parlons d'autre chose. De nos disparus, par exemple.

— Oui, justement, le seul élément que j'ai pu trouver en ce qui concerne ces trois hommes, et je ne sais pas s'il a de l'importance, c'est celui-ci : ces messieurs sont tous des historiens, enfin, deux sont professeurs d'histoire, et Villeret, lui, était féru d'archéologie et d'histoire ancienne, sans enseigner cependant. Un retraité, fort érudit, connaissant bien le passé de la région.

Irwan, qui se concentrait sur les propos de Maud, ne dit rien. Une petite sonnette d'alarme résonnait dans ses méninges, comme pour lui signaler un indice non négligeable.

— Attends une minute! s'exclama-t-il. Tu dis trois historiens, dont l'un passionné par le passé du département. Et nous venons de retrouver un corps déguisé en moine de jadis, portant la croix des Templiers sur la poitrine. Ça pourrait coller. Il faut fouiller la vie privée de ces disparus et chercher du côté des sociétés secrètes. Tu sais, il y a des illuminés partout.

— Tu penses à une secte?

— Pourquoi pas? Ce serait le bouquet. Bien, si tu veux, on en reparlera ce soir. Je file chez le patron. Nous avons rendez-vous à la morgue vers 19 heures. Tu veux venir?

Maud roula des yeux effarés. Ses nerfs, tendus à l'extrême, la firent tressaillir. Se reprenant vite, elle bredouilla:

— Non, j'ai trop de travail ici. De toute façon, ce n'est pas ce que je préfère dans ce métier, tant que je ne suis pas obligée d'y assister.

— O. K., je te laisse bosser. Et qui sait, avec un peu de chance, je vais peut-être te ramener des renseignements intéressants.

Maud fixa un instant Irwan, puis fronça les sourcils, indécise.

— Que veux-tu insinuer? Tu penses que l'homme de Saint-Ausone pourrait être un de mes disparus?

— Et pourquoi pas? Ça ne m'étonnerait pas, vois-tu. C'est mon fameux flair de policier, fit-il avec un clin d'œil.

— On verra ça, Irwan. Ne t'attarde pas, le patron va s'impatienter.

Une fois seule, Maud quitta à regret le bureau de son collègue pour pousser la porte du sien. Élisabeth tapait à la machine, et ce n'était pas l'arrivée de l'inspecteur principal Delage qui la ferait s'interrompre. Au contraire, la jeune stagiaire feignit une profonde concentration et travailla avec encore plus d'acharnement. Ses longs cheveux bruns étaient attachés en catogan sur la nuque, et, dans son visage étroit, aux traits harmonieux, ses beaux yeux noirs, langoureux et maquillés à l'orientale, semblaient briller davantage, comme si le texte qu'elle recopiait la passionnait. Mince, grande, cette « nouvelle recrue », selon les propos d'Irwan, avait vite réussi à semer la zizanie sur son passage grâce à des numéros de charme très savants. Seul le commissaire Valardy avait droit à une attitude sérieuse et dénuée d'œillades enjôleuses.

— Tout va bien, Élisabeth? lança Maud en s'installant à son bureau pour tenter un effort de conciliation.

— Oui, pas de problèmes de mon côté. J'ai bientôt fini les rapports d'enquête.

— Bien, je te laisse terminer.

Maud ouvrit un dossier encore mince, le feuilleta, s'attarda sur trois photographies. Troublée, elle étudia attentivement les traits de ces hommes qui avaient disparu récemment sans que leur famille y trouvât une explication logique.

*Louis-Marie Muller, trente-deux ans, professeur d'histoire résidant à Villebois-Lavalette, vivant avec Hélène Thomas, sans profession, pas d'enfant.*

Maud relut attentivement ces quelques notes prises lors des déclarations faites par les proches un ou deux jours après la disparition.

*Gérard Villeret, historien, retraité, soixante-deux ans, domicilié à Angoulême, rue de Bélat. Célibataire. Roger Ozon, quarante-quatre ans, divorcé depuis six ans, deux filles. Il vivait chez sa mère, à Soyaux, et c'est elle qui a lancé un avis de recherche.*

La jeune femme réfléchit, mordilla son stylo. Quelque chose la dérangeait dans cette affaire. Elle ne savait pas ce que c'était, mais gardait la pénible impression d'avoir commis une petite erreur. À contrecœur, elle ferma le dossier, chercha une feuille dans les papiers rangés près du téléphone. C'était la déclaration de madame Darmon, la femme, d'ailleurs peu sympathique, qu'elle avait reçue en fin d'après-midi.

— Élisabeth, tu étais là quand cette dame est venue déposer au sujet de sa fille. Que penses-tu de cette personne?

La jeune fille parut surprise que Maud lui pose une telle question. Elle leva enfin le nez de sa machine à écrire, hésita une minute avant de répondre.

— Je ne sais pas. Elle avait l'air d'une mère inquiète, un peu sévère. Froide de caractère. C'est ce que j'ai ressenti, du moins.

— Oui, moi aussi, et pas vraiment coopérative. Elle n'a pas parlé de son mari, ni de son autre fille. J'ai envie de la rappeler, histoire de vérifier un détail. L'inspecteur Vernier parle souvent de ses intuitions ou de son flair. Je ne sais pas si c'est le métier qui rentre, mais ce soir j'éprouve cette sorte de réaction irraisonnée et je vais vérifier tout de suite.

Élisabeth sourit, ce qui changea toute sa physionomie et la rendit charmante. Maud s'en aperçut et se reprocha sa mauvaise humeur des jours précédents. Elles pourraient bien devenir amies ou, dans un premier temps, apprendre à se connaître.

— Tu te plais ici? interrogea-t-elle alors, une main sur le combiné du téléphone. Ce n'est pas toujours facile de se retrouver dans une ville où l'on n'a aucune relation.

— Je m'habitue, et Xavier met un point d'honneur à me faire visiter Angoulême et ses restaurants. Irwan aussi. Il m'a invitée à dîner dimanche soir à La Cigogne, et j'ai passé une soirée super. Ne t'inquiète pas. Tes collègues sont adorables avec moi. Ils ne veulent pas que je sois dépaysée ou solitaire.

Cette fois, Maud accusa le coup et renonça à ses tentatives de fraternité. Elle venait d'apprendre que ses deux plus fidèles amis sortaient sans l'en informer en compagnie de cette ravissante personne, et la moutarde lui monta au nez sans qu'elle pût s'en avouer la raison. De sombres pensées, dont elle avait un peu honte, la bouleversaient, et il lui sembla capital de se ressaisir.

*Allons!* songea-t-elle en soupirant. *Ils sont libres et n'ont pas de comptes à me rendre. Je suis stupide d'imaginer qu'ils ne se préoccupent que de moi. Et puis, quand j'ai débarqué ici, ils m'ont aussi emmenée à droite et à gauche. Ce doit être une tradition de l'hôtel de police. Je suis jalouse, voilà, jalouse, et je ne devrais pas.*

Consciencieuse, elle mit de côté ces considérations personnelles. Elle composa enfin le numéro de madame Darmon et attendit avec impatience. Au bout de cinq sonneries, une voix de femme qu'elle reconnut aussitôt se fit entendre.

— Madame Darmon? Inspecteur Delage.

— Ah! Vous avez du nouveau?

— Non, madame, pas encore, et j'en suis navrée, mais j'ai oublié de vous poser une question, nécessaire à mon enquête.

— Je vous écoute, inspecteur.

— Vous êtes divorcée, n'est-ce pas? Mais vous ne m'avez pas donné le nom de votre ancien mari. Il faut envisager une possibilité : votre fille a pu se rendre chez son père. Je dois le contacter, de toute façon.

— Annie n'aurait jamais eu l'idée d'aller voir son père. Il ne s'est jamais occupé de ses enfants. De plus, elle n'avait aucun intérêt à le joindre. Croyez-moi, inspecteur, je sais quand même ce que je dis.

— Bien, pouvez-vous *quand même* me dire son nom? Je tiens à lui parler. C'est dans l'ordre des choses, madame.

La voix d'ordinaire aimable de Maud avait pris une inflexion autoritaire qui trahit sa détermination et un début d'agacement. Cette mère au verbe haut, qui lui parlait comme à une incapable, l'exaspérait autant au téléphone qu'en chair et en os.

— Mon ancien mari se nomme Roger Ozon, inspecteur. Je ne vous en dirai pas plus. J'ignore où vit ce monsieur désormais. Vous m'entendez?

— Oui, balbutia Maud en songeant à une vitesse étonnante à tout ce qu'impliquait la déclaration de son interlocutrice.

— C'est tout? Vous n'avez plus besoin de moi? pérora madame Darmon.

— Pas pour l'instant, merci.

Elle raccrocha, en proie à une intense excitation. Ainsi, son intuition ne l'avait pas trompée. Elle mourait d'envie d'appeler Irwan pour lui annoncer la nouvelle. Élisabeth fit les frais de sa jubilation.

— Et voilà. J'avais raison, Élisabeth. Je me demandais s'il ne fallait pas chercher un lien entre les adolescentes disparues du centre aéré et mes trois hommes. Cette idée me trottait dans la tête et elle se révèle. Annie Darmon, recherchée par sa mère, est la fille d'un des professeurs dont on n'a plus aucune trace. On peut donc envisager plusieurs solutions : soit la jeune fille s'est enfuie avec son père, qui avait préparé leur départ, soit il l'a enlevée.

— Avec une de ses camarades ? intervint Élisabeth avec une moue sceptique.

— Pourquoi pas ? Une façon de brouiller les pistes, de donner le change. Ou bien Annie et Nadia sont inséparables… Je le saurai bientôt. Il est également possible que le père et la fille soient visés par quelqu'un qui s'attaque à la famille.

— Et les deux autres hommes, tu en fais quoi ? Ils n'ont rien à voir dans cette histoire, en ce cas. Pourtant, ils ont disparu aussi.

— Exact, Élisabeth. Il y a là un problème, mais, malgré cela, j'ai l'impression d'avancer un peu, d'avoir au moins un élément sur lequel baser mes recherches. Maintenant, je vais pouvoir foncer.

— Quel tempérament de feu! s'exclama la jolie stagiaire en riant. Irwan m'a dit que tu avais du caractère. C'est vrai. Remarque, il s'inquiète aussi pour toi, Maud.

— Ah! Et pour quelles raisons? interrogea froidement l'inspecteur Delage qui, une fois de plus, éprouva une oppression désagréable en imaginant Irwan et Élisabeth en train d'échanger des confidences à une table de restaurant.

— Il te trouve justement trop sensible pour ce métier, et trop impulsive. Il regrette que tu ne sois pas plus posée, plus dure. Ne te vexe pas, surtout.

Maud ne se vexa pas. Elle se mordit les lèvres, se levant pour ranger un annuaire dans son placard. Pour un peu, elle aurait pleuré de rage. Elle se maudit de réagir aussi violemment. Ce qui la choquait le plus, c'était l'attitude d'Irwan, capable de parler d'elle à une autre femme, en des termes aussi peu flatteurs, qui ressemblaient à une trahison. Soucieuse de paraître indifférente, elle répliqua en souriant:

— Irwan n'est jamais content. Il aime se faire valoir auprès de ses conquêtes. Méfie-toi, Élisabeth, c'est un redoutable séducteur.

— Lui. Tu es sûre? Bof. Ce n'est pas grave, je n'ai pas peur.

Heureusement, Xavier, une mèche brune en bataille sur son front carré, la moustache arrogante, le regard malicieux, fit son apparition, un livre à la main, et mit ainsi fin à une discussion qui aurait pu s'envenimer.

— Salut, mesdemoiselles, me voici. À votre service. Je vous propose un petit café crème, vu l'heure tardive. Vous êtes pâlottes.

Maud le foudroya de ses yeux bleus, que la colère avait foncés. L'inspecteur Boisseau ne s'y trompa pas et s'approcha à pas prudents.

— Tu as des ennuis, Maud?

— Pas du tout. Je vais très bien.

Sidéré par le ton peu amène de cette repartie, Xavier se tourna vers Élisabeth:

— Et toi, tu veux bien venir boire un café?

— Bien sûr. Je suis libre comme l'air.

La mine furibonde, Maud les regarda sortir du bureau. La sonnerie du téléphone la fit sursauter. Elle décrocha.

— Je suis à Girac, dit Irwan. On vient d'identifier le cadavre de Saint-Ausone. Il s'agit de Roger Ozon, professeur d'histoire. Ça ne te dit rien, par hasard?

— Si, bien entendu. C'est un de mes disparus. Tu en es sûr?

— Complètement sûr et certain. Tout concorde. Tu sais que j'y avais déjà songé?

Maud fit un trait imaginaire sur ses rancœurs. Son sens du devoir et son instinct de flic reprirent le dessus.

— Irwan. Viens vite, je t'en prie. Moi aussi, j'ai du nouveau. L'affaire me semble bien compliquée. Je t'attends ici.

— J'arrive tout de suite.

## 2

Irwan et Maud étaient tous deux assis en face du commissaire Valardy et lui exposaient les faits dans leur ensemble. Ils avaient dressé un rapport succinct qui énonçait les points forts de l'affaire.

— Voilà, patron, nous avons l'impression d'être confrontés à une seule et même affaire : Roger Ozon avait disparu de son domicile. On l'a retrouvé mort dans un confessionnal, grimé et marqué d'un signe étrange. Sa fille Annie a elle aussi disparu, en compagnie d'une autre adolescente.

— Bon, et vous souhaitez prendre l'enquête en main, comme d'habitude. Remarquez, vous formez une bonne équipe. Allez-y. Je vous donne le feu vert. Maud, tu es au courant, je suppose : Ozon est mort la nuit de dimanche à lundi. Il avait été drogué avec une forte dose de tranquillisants avant d'être poignardé.

— Oui, Irwan me l'a appris. Comment expliquer ce modus operandi ?

— Difficile de savoir. Mais toi et Irwan, vous devez mettre la main sur ces deux jeunes filles, et vite. Je n'ai pas envie d'avoir les honneurs de la presse, si par malheur on fait d'autres découvertes macabres dans la ville. Surtout des jeunes et innocentes créatures. Vous imaginez les conséquences.

— Oui, cela pourrait créer un climat de panique, conclut Irwan en allumant une cigarette d'un geste nerveux.

— Il ne faut pas se plaindre : jusqu'à maintenant, les disparitions sont passées à peu près inaperçues, ajouta Maud d'un air absent.

— Soyons pratiques ! lança le commissaire Valardy. Il faut interroger cette madame Darmon et toutes les personnes concernées. Demain matin, Maud, tu vas comme convenu au centre de vacances, et là tu tâtes le terrain. Avec les autres jeunes filles, sois prudente, on affabule beaucoup à cet âge-là. Et il ne faut pas les effrayer.

— Compris, patron.

— Bien. Il n'est que 20 heures. Je vous conseille d'aller dès maintenant chez la mère d'Annie pour lui annoncer que son ancien époux est décédé. Observez sa réaction. Elle pourrait fort bien être suspecte. Je vous attendrai ici vers 22 heures. Pour le moment, je vais dîner.

Irwan et Maud se regardèrent, puis sortirent en silence. Ils avaient faim, eux aussi, mais n'y firent aucune allusion.

— On y va, dit Irwan. Tu as l'adresse de madame Darmon ?

— Oui, elle habite la résidence du Jardin vert.

Durant le trajet, ils n'échangèrent pas un mot. Ce genre de comportement était surprenant de la part d'Irwan, mais Maud ne s'en soucia pas. Perdue dans ses pensées, elle contempla la ville, illuminée par un soleil plus tendre qui dispensait une lumière dorée, où jouaient des nuances roses. Il faisait doux. La chaleur de l'après-midi s'était estompée avec le soir, et l'air semblait parfumé. Ils descendirent vers la route de Bordeaux, contournèrent la Colonne, et, un peu plus bas, le long du parapet, des massifs de fleurs offrirent leurs vives couleurs estivales.

— Nous y voici, dit bientôt Irwan qui manœuvra pour se garer sous les arbres du parc de la résidence.

Lorsque madame Darmon découvrit les deux policiers sur le pas de sa porte, elle poussa un petit cri de terreur, puis pâlit brusquement en chuchotant :

— C'est pour Annie? Il est arrivé un malheur, c'est ça, n'est-ce pas?

— Non, madame, calmez-vous. Nous n'avons pas de nouvelles d'elle, ni bonnes ni mauvaises, s'empressa de déclarer Maud.

— Tant mieux. Je préfère espérer encore. Entrez. Ne parlez pas trop fort. Léna est dans sa chambre. Elle est très inquiète pour sa sœur.

Ils s'installèrent dans le salon, et tous deux hésitèrent à aborder le sujet qui les avait conduits dans cet appartement cossu, décoré avec goût, où régnait une atmosphère paisible. Irwan choisit d'être direct, car il avait horreur des faux-semblants.

— Madame Darmon, si nous sommes venus ce soir, c'est pour un autre problème. Il s'agit de monsieur Roger Ozon. Il est mort.

— Comment? Roger est mort? Un accident?

— Non, un meurtre. Il avait disparu depuis quelques jours, et sa mère, chez qui il vivait, avait lancé un avis de recherche. Nous l'avons retrouvé dans l'église Saint-Ausone dans de singulières conditions.

Irwan hésita, mais son interlocutrice, qui roulait des yeux autoritaires, s'écria :

— Continuez, je peux tout entendre.

— Bien. Il était vêtu d'une bure de moine, portait sur la poitrine une croix des Templiers, tracée au crayon-feutre noir, et son visage était grimé à la façon des Amérindiens. On l'a drogué, puis poignardé en plein cœur.

— Quelle fin étrange! Lui qui était passionné par le Moyen Âge et son climat envoûtant. J'emploie ses propres termes, inspecteur.

Maud fixa intensément les traits réguliers de cette femme qui parlait si froidement d'un homme qu'elle avait dû aimer jadis. Madame Darmon aurait été assez jolie sans cette expression méprisante qui la caractérisait et durcissait sa bouche mince. Les cheveux d'un châtain lumineux, les prunelles noisette, elle devait être une jeune fille ravissante malgré sa figure étroite et ses formes menues.

— Vous devez me trouver bien insensible, dit-elle enfin à Irwan, mais Roger et moi avions rompu tout contact. Et avant ça, nous étions enclins à de vives querelles à longueur de journée. Je suis navrée de ce qui lui est arrivé, bien sûr, mais je vous avoue que je n'éprouve rien de plus.

Irwan fit la moue, lança un regard vers le couloir, puis marmonna d'un ton ironique:

— Et vos filles? Prendraient-elles les choses avec autant de sang-froid? En principe, les enfants gardent un peu d'affection pour leur père, même en cas de divorce.

Madame Darmon réfléchit. Enfin, elle se leva et appela d'un ton sec.

— Léna, viens là, ma chérie.

Une adolescente, manifestement d'une quinzaine d'années, accourut dans le salon. Elle tenait un walkman, et les écouteurs du casque lui faisaient une sorte de collier d'une conception très originale.

— Oui, maman?

Léna vit dès son entrée les deux visiteurs et les salua poliment.

— Tu as des nouvelles d'Annie, maman?

— Non, pas encore, mais cela va sans aucun doute s'arranger. On va la retrouver, ma chérie. Ces gens sont des policiers qui la recherchent, mais ils m'ont appris autre chose. Ton père est mort.

— Papa est mort? Et comment?

— Je t'en parlerai plus tard. Tu peux retourner dans ta chambre. Tu n'es pas trop triste?

— Non, pourquoi? Au revoir, madame, au revoir, monsieur.

Maud et Irwan furent abasourdis par cette scène brève qui ressemblait à un mauvais rêve. Léna n'avait pas marqué une seule émotion en écoutant les paroles de sa mère, et cela leur parut incroyable.

— Vous voyez, insista madame Darmon. Ma fille se moque de son géniteur et l'estime à sa juste valeur. Elle ne savait rien. Convenez qu'elle n'a pas pu jouer la comédie.

Irwan se tut pour ne pas exploser, révolté qu'il était par la conduite dénuée de toute délicatesse de cette femme dont il commençait à se méfier.

— C'est merveilleux de voir à quel point vous avez su détourner vos filles de leur père, madame. Je vous félicite. De plus, ça m'encourage à pousser plus loin notre conversation. Je suis désolé, mais je veux en savoir plus sur vos rapports avec monsieur Ozon, le divorce, les droits de garde, la pension alimentaire.

— Vous me soupçonnez de l'avoir tué? Très bien, inspecteur, je vous répondrai sans peine. Je n'ai jamais perçu la moindre pension de mon ancien mari, et le juge n'a pas cru bon de lui accorder de droit de visite, ni de garde. Roger était violent, alcoolique, homosexuel et sans aucune tendresse pour ses deux petites. Cela vous suffit?

Maud sentit la colère l'envahir, le doute aussi. Discrètement, elle demanda où étaient les toilettes.

— Là-bas, au fond du couloir, à gauche.
— Merci.

Elle se leva et s'éloigna dans la direction indiquée. Elle s'enferma un instant, ouvrit son sac, sortit un petit flacon de lavande et respira avidement le tonifiant parfum, avant d'en poser quelques gouttes sur son front. Ce geste l'apaisa. Madame Darmon avait l'art de la faire sortir de ses gonds, et Maud était prête à la croire coupable de bien des exactions.

Cinq minutes plus tard, elle reprit sa place sur le canapé, alors qu'Irwan achevait de noter des renseignements sur un carnet.

— Bien, ce sera tout pour ce soir, madame. Je suis navré de vous dire que vous êtes assignée à résidence et que vous ne pouvez en aucun cas quitter la ville. Je vous tiendrai cependant au courant de l'enquête, pour votre fille surtout. J'ai son signalement précis, deux photos. Nous allons faire de notre mieux pour la retrouver le plus rapidement possible.

— Je vous remercie, inspecteur, et je ne vous tiens pas rigueur de vos soupçons. Je suppose que, dans votre métier, on se méfie de tout le monde.

— Parfaitement, chère madame, mais on attend quand même d'avoir des preuves avant de sévir.

Irwan accompagna ses paroles équivoques d'un sourire narquois qui alluma une lueur mauvaise dans ses prunelles claires. Maud n'avait plus qu'une hâte : s'en aller de cet endroit qu'elle jugeait sinistre, à présent. Dans la voiture, un soupir de soulagement lui échappa, et, fait exceptionnel, elle demanda une cigarette à son collègue.

— J'ai faim, dit-elle.

— On a une bonne heure devant nous avant d'aller voir le patron. On va manger un morceau tous les deux. D'accord?

— Oui, je veux bien. Une pizza?

— O. K. pour la pizza. Et dis-moi vite ce qui cloche.

— Si je suis allée aux toilettes, c'était un prétexte pour prendre l'air et vérifier quelque chose. Je suis passée devant trois portes, dont l'une devait être celle de la chambre de Léna. J'ai distinctement entendu pleurer quelqu'un, de gros sanglots d'enfant. Je t'assure, je n'ai pas rêvé. J'ai vérifié: c'était fermé à clef.

— Tu crois que c'était Léna?

— Léna, ou peut-être Annie…

— Annie? Dans ce cas, sa propre mère la séquestrerait. Je ne vois pas pourquoi, et elle me semble sincèrement inquiète pour sa fille. Sur ce plan au moins, à mon avis, elle ne joue pas la comédie.

— En supposant que la petite Léna n'a pas pris à la légère la mort de son père, elle a vraiment une sérieuse dose de sang-froid.

— Ou bien elle le savait déjà.

— Mais comment l'aurait-elle su, Irwan? C'est théoriquement impossible. De toute façon, voilà une famille à surveiller de près, car il y a anguille sous roche. Pour madame Darmon, tu as raison: elle me déplaît. C'est le genre de femme capable de tout.

Ils étaient arrivés dans le vieil Angoulême.

Irwan gara la voiture place Francis-Louvel pour rejoindre les rues étroites qui s'enchevêtraient derrière le palais de justice et l'église Saint-André. À la pizzeria, contents de cette pause en tête-à-tête, ils s'installèrent en terrasse.

Irwan regarda Maud, adorable avec son teint hâlé, ses cheveux plus clairs comme chaque été. Elle portait un pantalon de toile beige et un débardeur noir qui mettait ses épaules rondes en valeur. À son cou brillait une fine chaîne d'or.

— Tu es ravissante.

— Irwan, parlons d'autre chose que de mes charmes, bien modestes comparés à certains.

— Mais tu es enragée, ce soir. Qu'est-ce qui se passe, tu peux m'expliquer?

Les yeux de l'inspecteur Vernier reflétaient une grande tendresse, une affection sincère.

— Écoute… Tu as toujours été un ami formidable et je…, je ne comprends pas. Tu es libre de sortir avec Élisabeth, de l'emmener dîner, mais pourquoi lui parler de moi, me dévaloriser à ses yeux en lui confiant des appréciations sur mon compte? Tu lui as dit que j'étais trop émotive pour ce métier. Tu pouvais me le dire en face, j'aurais été moins choquée.

Irwan ne répondit pas immédiatement, ne rit pas, parut ennuyé:

— Élisabeth t'a dit ça et, bien sûr, tu l'as crue? Sans hésiter, sans penser une seconde qu'elle déformait peut-être mes paroles. Maud, ne sois pas sotte. Je t'admire beaucoup, et ce n'est pas un hasard si tu as été nommée inspecteur principal l'année dernière. De plus, je n'ai pas emmené dîner cette demoiselle, c'est elle qui m'a invité. Je ne pouvais pas refuser.

Maud baissa la tête, confuse. Elle comprenait enfin qu'elle s'était laissé prendre à un piège bien grossier. Élisabeth lui sembla de plus en plus détestable, et c'est d'un bon appétit qu'elle commença à déguster sa pizza. Irwan n'était pas menteur, on pouvait lui faire confiance, et sa réaction avait été très naturelle : il n'avait pas protesté ni plaisanté. Pourtant, elle le trouva bizarre, comme troublé. Une idée farfelue la traversa et, d'une voix changée, elle demanda soudain :

— Irwan, quand on est jaloux, d'après toi, cela signifie-t-il qu'on est amoureux ?

L'inspecteur divisionnaire Vernier ouvrit des yeux effarés, avala une gorgée d'eau fraîche, puis sourit gentiment.

— Ça dépend des cas. Il y a les jaloux pathologiques, et les autres, ceux qui souffrent de voir l'être aimé s'intéresser à une autre personne. Pourquoi cette question ? Tu es amoureuse ?

— C'est possible…

— J'espère que c'est un Breton, quand même.

Cette réplique, dite d'un ton volontairement lugubre par Irwan, provoqua une crise de fou rire chez Maud, et, bientôt, ils rirent tous les deux, ce qui les libéra de la tension nerveuse insolite dont ils souffraient depuis le début de la soirée.

Ils terminèrent le repas dans une atmosphère détendue et s'observèrent mutuellement avec une curiosité nouvelle.

— Dis donc, le patron va s'impatienter, dit Irwan. Tu prends un dessert?

— Oh! oui, je voudrais une glace. Je me sens soudain encline à la gourmandise. Pour une fois, tant pis pour l'heure.

— Je vais t'imiter pour fêter ta mystérieuse histoire d'amour.

En disant ces mots, Irwan chercha la main de Maud et l'emprisonna dans la sienne. Il était grave maintenant:

— Dis... Ne fais pas d'erreur. Choisis un type bien, sinon je me fâche. Tu es avec nous depuis deux ans, et je comprends que tu en aies assez de la solitude, mais je ne voudrais pas te voir malheureuse.

— Ne t'inquiète pas, c'est un type correct, et, de toute façon, il n'est pas encore dans la confidence.

Cette fois, Irwan soupira, sans lâcher la main de sa collègue et amie. Il ne savait plus ce qu'il devait penser, et, comme par hasard, les jolies prunelles bleues de Maud avaient pris un éclat fascinant. Lorsque le serveur leur apporta deux coupes glacées, ils lui prêtèrent à peine attention et souhaitèrent chacun de leur côté, tout en l'ignorant, que le temps s'arrête un peu pour prolonger ces instants grisants.

Dix minutes plus tard, ils étaient dans la voiture, silencieux. Pour la première fois depuis des années, l'inspecteur Vernier maudit les impératifs de sa profession et rêva de partir à l'aventure sur une route de campagne, afin de garder Maud pour lui seul.

— À quoi penses-tu? lui dit-elle d'une voix douce.

— À toi, à cet homme dont tu es amoureuse. Tu sais, je suis curieux de nature, je me demande qui c'est. Xavier est hors jeu, à mon avis, Antoine aussi.

— Pourquoi travaillerait-il avec nous? Il y a d'autres hommes à Angoulême.

Maud le fixa intensément, moqueuse. Jamais elle n'avait eu cette expression, et il devina enfin ce qu'elle tentait de lui cacher.

— Approche un peu, tu es toute pâle. La pizza était mauvaise?

— Non, pas du tout, je vais bien.

Sans préambule, Irwan la prit dans ses bras, déposa un petit baiser tiède dans son cou, sous ses cheveux. Puis il chercha ses lèvres, l'embrassa avec une ardeur qui ne devait rien à l'amitié. Elle ne se débattit pas, au contraire, et il abandonna cette étreinte inattendue à regret. À voix basse, il lui demanda:

— Alors, comme ça, tu étais jalouse d'Élisabeth. Si j'avais su que j'avais la moindre chance auprès de toi, je ne l'aurais même pas regardée.

— Irwan, tu le savais.

— Non, je t'assure.

— N'en parlons plus. Au travail. Je connais un commissaire qui doit nous croire disparus à notre tour.

— Tu as raison, mais c'est dommage, vraiment dommage.

Cinq minutes plus tard, ils furent à l'hôtel de police après un bref trajet où, un peu gênés par ce qui s'était passé, ils avaient évité toute conversation. Maud craignit de gâcher leur relation jusqu'à présent basée sur la complicité et regrettait déjà ce baiser dont le souvenir l'obsédait. Irwan, plus philosophe, s'étonna d'être si heureux, comme s'il attendait depuis longtemps ce délicieux incident. Il s'avoua enfin, également, qu'il n'avait jamais été insensible au charme et à la séduction de la jeune femme, et que ce qui devait arriver était arrivé.

Ni l'un ni l'autre ne voulut voir au-delà, et, quand leur patron, agacé par leur retard, les reçut, ils furent de nouveau des policiers en pleine enquête, exaltés par les difficultés qui s'annonçaient.

Le commissaire écouta attentivement le récit de la visite chez madame Darmon, haussa les sourcils, soupira en concluant d'un ton fataliste:

— Il faut fouiller le passé de ce couple, surveiller la résidence. Ce que vous me racontez m'intrigue. La vérité sur Roger Ozon doit être établie rapidement, surtout cette histoire d'homosexualité. Sa femme a peut-être dit cela pour le charger davantage, on n'en sait rien. Vous allez devoir aussi vous pencher sur cette fameuse croix des Templiers. Le dessin a été relevé. Voici des photocopies. À vous de chercher ce que ce signe peut indiquer, quitte à interroger le clergé. Faites vite. De mon côté, je vais envoyer des enquêteurs chez les relations d'Antonin, chez sa mère. Il y a sûrement des indices à récolter.

Irwan approuva, Maud fit de même. Le commissaire les observa, car il leur trouvait un air singulier. Pourtant, préoccupé par l'affaire, il ne s'attarda pas à ce détail.

— Bien. Vous pouvez aller vous reposer un peu ou continuer. Il y a une patrouille qui part tout à l'heure pour les deux petites, Annie et sa copine. On espère les dénicher vivantes.

Dans le couloir, Xavier les attendait, l'œil inquisiteur, une tasse de café à la main.

— Tiens, vous revoici. Alors, quoi de neuf? Tu as l'air fatiguée, Maud.

— Oui, je sais, la journée a été longue. Ne t'inquiète pas, je vais aller au lit.

— N'oublie pas: on part à 8 h 30 précises demain matin. Je passe te prendre aux aurores.

— O. K., Xavier. À demain. Bonsoir, Irwan, je suis épuisée, j'arrête pour ce soir.

— Bien, bonne nuit.

Elle s'éloigna vivement, se retourna quelques secondes pour le voir disparaître derrière une porte. Irwan, dont le sourire ironique pouvait se faire si doux… Irwan et sa silhouette mince, ses cheveux châtains qu'elle avait eu souvent envie de toucher, son visage un peu marqué, aux traits virils et familiers… Ses yeux clairs, enfin… Maud se dit qu'elle avait assez patienté. Un soir prochain, elle se promit d'inviter Irwan à dîner, un repas de qualité, avec chandelles et champagne. S'il restait toute la nuit, tant mieux. Elle était amoureuse et ne voulait plus lutter.

Un quartier de lune éclairait son lit quand elle s'y blottit enfin, à demi nue, et cette lumière blême effleura son épaule. D'étranges songeries troublèrent Maud, qui ne put s'empêcher de frissonner, mais elle s'endormit assez vite, rassurée par le ronronnement frénétique de son chat Albert.

## 3

— Et voici à l'horizon les murailles du château de Villebois, prestigieux vestige de la puissance passée des ducs d'Épernon. Il y avait là jadis deux ailes entourant un corps de logis surmonté d'un dôme d'où l'on pouvait voir à des kilomètres à la ronde.

L'inspecteur Boisseau, assez content de ses dons de guide, jeta un œil fanfaron à Maud qui lui sourit distraitement.

— Mon cher Xavier, tu ne changeras jamais. Dès que l'on sort d'Angoulême, tu t'évertues à me donner des leçons d'histoire ou de géographie. Comment fais-tu pour savoir toutes ces choses?

— C'est bien simple, je suis un pauvre célibataire et je passe de longues soirées en solitaire. Alors, je lis, je me documente. Quand j'ai su que j'aurais le plaisir de venir en ta compagnie à Villebois, j'ai fait ma petite enquête pour t'épater un peu avec mes connaissances.

Sensible comme toujours à la bonne humeur de Xavier et à sa gaîté communicative, Maud éclata de rire. Avec lui, difficile de jouer les rêveuses ou d'être stressée. C'est ce qu'elle pensait tout en observant les alentours. Ils longèrent une rue qui montait doucement vers le cœur de la petite ville, parée à l'occasion des prochaines réjouissances locales. Le soleil matinal jouait sur les drapeaux aux vives couleurs accrochés d'une façade à l'autre; devant certaines boutiques, des géraniums roses s'épanouissaient.

— C'est charmant ici, chuchota Maud alors qu'ils arrivaient sur la place des Halles.

— Regarde! s'écria Xavier. Ces anciennes halles, elles sont très connues en Charente, et le marché se tient toujours là. Il y a des piliers en pierre datant du Moyen Âge, des étals aussi. C'est superbe, non?

— Oui, c'est vrai, et la charpente est magnifique. J'ai l'impression de faire du tourisme. Le centre aéré est encore loin?

— Non, pas vraiment. Il faut ressortir de Villebois, prendre la direction de Fontaine. En fait, ma chère enfant, nous n'étions pas obligés de traverser la ville, mais cela me faisait plaisir de te la présenter de si bon matin.

— C'est gentil, on reviendra tout à l'heure. Tandis que nous sommes dans le secteur, j'ai envie d'aller interroger Hélène Thomas, l'amie de Louis-Marie Muller, l'un de mes disparus. Elle habite rue André-Bouyer, en face du chemin de l'Enclos-des-Dames. Un joli nom.

— Oui, un nom poétique, comme tant d'autres au cœur de nos jolies provinces. Pas de problème, on revient et on déjeune au restaurant du Commerce... en tête-à-tête. Ça fera enrager Irwan. Il m'a téléphoné ce matin pour me dire de rentrer le plus tôt possible. Il avait besoin de nous, un prétexte pour nous séparer.

Maud ne dit rien, se contentant de sourire d'un air moqueur qui déconcerta Xavier. La rue étroite qu'ils suivirent contournait l'église et débouchait sur une hauteur d'où ils pouvaient contempler un vaste panorama de champs et de collines boisées, à perte de vue.

— On pourrait se croire en avion, au décollage, constata Maud, conquise par ce paysage ensoleillé.

— Oui, comme beaucoup d'anciens bourgs, Villebois s'est construit sur un promontoire. On voyait mieux arriver l'ennemi. Tiens, on approche, nous allons devoir affronter cette directrice à qui les gens confient leurs gamines bien à tort.

— Ne juge pas si vite, c'est un établissement privé, mais agréé et même réputé. De plus, Annie a pu fuguer avec sa copine, tu sais. Ce n'est pas toujours facile de surveiller des adolescentes. C'est l'époque des rébellions en tous genres.

— Justement, il faut plus de discipline.

Ils se garèrent enfin devant un portail en bois, souligné de ferrures noires. Un jardinier qui grattait mollement une plate-bande releva la tête pour les observer.

— Et un suspect, un, plaisanta Xavier qui ferma la voiture à clef.

— Arrête. S'il t'entend, cet homme va s'enfuir. Pas de climat de panique, a dit le patron.

Ils longèrent une allée de gravillons blancs tout en détaillant les lieux. Sur leur gauche, l'eau bleue d'une piscine miroitait sous la clarté vive de cette belle matinée. Plus loin se trouvait un court de tennis où s'agitaient des silhouettes gracieuses, vêtues de blanc. La maison en elle-même avait des allures de petit manoir, avec son toit d'ardoises, ses balcons ornés d'une balustrade en pierre. Le parc était charmant, en vérité. C'était un endroit de rêve où tout semblait étudié pour rendre le séjour des pensionnaires plus qu'agréable.

— Eh bien, grogna Xavier, ça ne doit pas être donné, une journée ici. Madame Darmon a les moyens!

— Sans doute, mais je me demande pourquoi seule Annie bénéficiait de ce traitement. Léna aurait pu accompagner sa sœur.

— La cadette était peut-être punie en raison de mauvais résultats scolaires…

La cinquantaine élégante, les cheveux courts d'un gris argent, ses formes sveltes moulées dans un jogging de luxe d'un vert mousse, une femme vint à leur rencontre.

— Vous êtes les personnes de la police? dit-elle à voix basse en leur tendant la main.

— Oui, madame. Inspecteur Maud Delage et inspecteur Boisseau, déclama Xavier un peu trop fort au goût de sa collègue.

— Venez dans mon bureau. Nous serons plus tranquilles pour discuter.

Ils s'élancèrent derrière elle, gravirent le perron et découvrirent bientôt le hall de dimensions imposantes. Un large escalier occupait une partie de l'espace; le bois des marches était lustré comme une patinoire. La directrice les fit entrer dans une pièce claire, aux meubles anciens, et prit place à une table de style Louis XV après avoir ajusté sur son nez une paire de lunettes.

— Vous allez, je suppose, m'interroger sur cette pauvre petite Annie et son amie Nadia. Je suis complètement bouleversée par leur disparition, mais, franchement, je crois qu'elles ont fait une fugue. Ce sont les manières de Nadia qui m'ont inspiré cette conclusion, que vous jugez probablement hâtive.

— En effet, madame, et, sans certitude, nous ne pouvons rien déterminer, rétorqua Maud en souriant gentiment. Dites-moi d'abord comment les choses se sont passées. Quand vous êtes-vous rendu compte de leur absence?

— Le matin, hélas. Elles sont parties la nuit, d'après moi. Le soir, le coucher est programmé vers 23 heures, pour les plus grandes. Elles peuvent regarder la télévision ou jouer à des jeux de société. Par contre, je ne tolère pas que l'on fume à l'intérieur, et celles qui ont cette déplorable manie sortent faire un tour le soir dans le jardin, mais un quart d'heure seulement. Ensuite, elles rentrent, et au lit! Justement, Nadia fumait et entraînait Annie dehors tous les soirs. J'ai protesté, mais elles riaient en se lançant des regards complices.

Maud, qui écoutait attentivement, l'interrompit soudain :

— Elles n'étaient sans doute pas les seules à agir ainsi?

— Non, bien sûr. Deux autres jeunes filles faisaient de même. Parfois, je les rejoignais pour prendre le frais et bavarder. C'est très familial ici, vous savez.

— Et la veille de la disparition, Annie et Nadia sont sorties?

— Oui, mais je peux vous affirmer qu'elles ont regagné leur chambre à 23 h 20. Je les ai vues. Par contre, le matin, pour le petit-déjeuner, il n'y avait plus personne.

— Et leurs affaires, en manquait-il? Vous avez vérifié?

La directrice se troubla, fixa Maud d'un air gêné avant de répondre.

— Non, et je ne sais pas exactement ce qu'elles avaient dans leurs sacs. De plus, j'étais affolée. Nous avons perdu beaucoup de temps à les chercher dans le parc et dans la maison. Ensuite, j'ai dû prévenir les parents.

— Et pourquoi êtes-vous persuadée qu'il s'agit d'une fugue?

— À cause de Nadia, je vous l'ai dit. Elle était assez vive de caractère et s'ennuyait. Elle voulait sortir, faire du vélo, téléphoner à ses copains. D'après moi, elle a convaincu Annie de la suivre pour faire une virée avec d'autres jeunes.

Maud hocha la tête, sceptique. Les deux jeunes filles avaient disparu la nuit de mardi à mercredi, elles n'étaient pas majeures, et des patrouilles les avaient cherchées en vain toute la nuit.

— Madame, reprit l'inspecteur Delage, nous sommes jeudi matin. En gardant l'hypothèse d'une escapade amoureuse ou amicale, elles auraient dû rentrer ou se manifester auprès de leur famille. Les parents de Nadia sont en vacances sur la Côte d'Azur; ils ont été avertis et rentrent aujourd'hui. Je dois les rencontrer en fin de journée.

La directrice trembla, puis se cacha le visage avant de sangloter nerveusement.

— C'est une véritable catastrophe, inspecteur, balbutia-t-elle. Je suis désespérée par cette histoire. C'est la première fois que j'ai des ennuis en dix ans de métier.

— Parlez-nous un peu d'Annie! lança brusquement Xavier. Avait-elle le même comportement que Nadia?

— Non, pas du tout. Cela fait trois ans qu'elle vient chez moi. Elle adore le tennis, et, avant de sympathiser avec Nadia, c'était une jeune fille charmante, un peu réservée, très polie. Je la reconnaissais à peine cette année.

— Excusez-moi, la coupa Maud. Je voudrais voir la chambre d'Annie et de son amie et, ensuite, j'aimerais avoir un bref entretien avec chacune de vos pensionnaires, ainsi qu'avec le personnel de l'établissement. C'est possible?

— Oui, bien entendu. Suivez-moi. Les chambres sont au premier étage.

Les deux policiers fouillèrent la pièce minutieusement après avoir demandé à la directrice de les laisser seuls. Sur une des tables de nuit, une photo attira le regard de Maud: celle d'un homme jeune aux cheveux clairs et au sourire mélancolique. Il était assis à une table et faisait mine d'écrire, ses yeux clairs fixés cependant vers l'objectif. Malgré l'ancienneté du cliché, Maud le reconnut. C'était Roger Ozon, le père d'Annie, le mort de l'église Saint-Ausone.

— Xavier, voici un élément intéressant. D'après madame Darmon, l'ex-épouse de ce monsieur, ses filles n'éprouvaient plus aucun sentiment pour leur père.

— Ouais, bizarre. On ne met pas à côté de son lit la photo d'un homme qu'on méprise. Moi, j'ai trouvé ça dans les affaires de Nadia. Jette un œil. C'est une adresse notée sur un bout de papier.

— Fais voir.

Maud lut rapidement les quelques mots griffonnés à la hâte. *Clément, 4 bis, rue de la Tourgarnier, Angoulême.* Dérisoire, un petit cœur dessiné près du prénom masculin semblait signifier une grande histoire d'amour.

— On sait où s'arrêter en rentrant! s'écria Xavier. Et on aura au moins retrouvé une de ces jeunes écervelées. Je ne serais pas étonné que Nadia ait fait le mur pour retrouver son bien-aimé.

— Ce serait trop beau. N'oublie pas le meurtre du père d'Annie. Mais il faut tout de même envoyer quelqu'un là-bas tout de suite. Va appeler le Central de la voiture et envoie Antoine et Élisabeth à cette adresse. Si le dénommé Clément est là, seul ou non, ils l'interrogent gentiment et le surveillent. Qu'ils lui donnent une convocation pour 17 heures dans mon bureau. Va vite, j'ai presque terminé ici. Il y a des sacs, beaucoup de lingerie. Apparemment, elles n'ont rien emporté.

Subjugué par l'autorité froide de Maud, Xavier sortit de la chambre sans un mot. Quand elle était en plein travail, elle se métamorphosait et devenait d'un sérieux peu engageant. L'inspecteur Boisseau dédia une pensée coquine à la riante Élisabeth, dont les prunelles noires commençaient à l'obséder.

*De toute façon*, songea-t-il en descendant vivement l'escalier, *comme me l'a dit et redit ce brave Irwan, Maud n'est pas pour moi. Entre Bretons, le courant passe mieux.*

Il croisa trois adolescentes en maillot de bain qui, à sa vue, pouffèrent de rire en se donnant des coups de coude complices.

— Bonjour, m'sieur Columbo! s'écria la plus grande d'un air moqueur, ce qui provoqua des gloussements convulsifs chez ses camarades.

Amusé, Xavier leur fit un sourire enjôleur, indulgent aussi. Ensuite, il fila exécuter les ordres de l'inspecteur Maud Delage, qui, là-haut, devait continuer à chercher sa moisson d'indices.

Il se trompait. Elle avait déjà rejoint la directrice dans son bureau. Là débuta une série de va-et-vient instructifs, car chacune des pensionnaires avait son mot à dire sur Annie et Nadia, et Maud dut faire le tri entre les suppositions les plus folles et les crises de larmes irraisonnées. L'une des jeunes filles, prénommée Maria, fit pourtant une étrange déclaration. L'adolescente, brune, très bronzée, avait de jolis yeux verts, mais empreints d'une profonde tristesse. Elle parla à Maud d'une voix à peine audible, visiblement gênée qu'elle était par la présence de Xavier, qui était là maintenant depuis une bonne demi-heure et aurait préféré avoir de nouveaux coups de fil à donner, car l'atmosphère du bureau était devenue étouffante. Le soleil avait envahi la petite pièce, un air chaud s'était engouffré par la fenêtre, et le défilé des pensionnaires, leur agitation inquiète, rappelait au malheureux inspecteur ses années de lycée, dont il n'avait guère apprécié les contraintes.

— N'aie pas peur, Maria, continue, lança Maud à la jeune fille d'un ton chaleureux. Tu me dis savoir où sont parties Annie et Nadia, et pourquoi. Peux-tu m'expliquer avec précision ce qui s'est passé?

— Oui, mais j'avais promis à Annie de ne rien dire à personne.

— Elle est peut-être en danger, Maria. Tu m'as révélé aussi que, normalement, elles auraient dû rentrer le matin ici, avant l'heure du petit-déjeuner.

— Je sais. C'est vrai. Je ne comprends pas ce qu'il y a eu. Pourquoi elles ont disparu.

— Pourquoi sont-elles sorties? Je t'en prie, dis-moi toute la vérité. Tu peux les aider.

Maud se fit patiente, persuasive. Guidée par son intuition, elle devina Maria à bout de nerfs et lui prit la main en l'encourageant d'un regard bleu vibrant de compassion. L'adolescente bredouilla enfin :

— Annie, elle voulait voir son père et, chaque année, il venait à la pêche pas loin du centre. Quand on faisait du vélo, elle le rencontrait au bord de l'eau. Il lui donnait de l'argent, et après on s'achetait des biscuits et du coca, des cigarettes aussi. On organisait des petites fêtes au fond du parc. Cet été, il y a eu Nadia. Annie et elle ne se quittaient plus. Monsieur Ozon n'est venu qu'une fois à la pêche, il y a quinze jours. Je n'ai pas voulu accompagner Annie, parce qu'il y avait Nadia, toujours... Elle m'agaçait. Je sais qu'il avait promis de revenir, et, d'habitude, il téléphonait la veille pour lui dire à quelle heure ils pourraient se voir. Là, pas de nouvelles. Annie était inquiète. Elle a essayé d'appeler chez sa grand-mère, où son père habitait.

— Oui, je sais, murmura Maud pour ne pas perdre de temps en explications inutiles.

— Et sa grand-mère a dit que monsieur Ozon avait disparu, que la police le recherchait. On en a parlé des heures toutes les trois. Annie pleurait le soir, mais elle n'a rien dit à sa mère qui lui interdisait d'avoir des contacts avec son père. Une vraie vache, celle-là.

Maud esquissa un petit sourire discret, mais Maria, qui garda la tête baissée, ne s'en aperçut pas.

— Et puis son père l'a appelée, lundi vers 16 heures. On goûtait. Pour une fois, la directrice n'a pas pris en premier la communication. C'était madame Montigaud, la cuisinière. Annie était folle de joie d'avoir des nouvelles, et elle nous a dit que son père lui donnait rendez-vous vers minuit, sur le chemin du lavoir. C'est tout près du tennis; il faut juste grimper le mur. On est habituées: il y a une vigne; on peut escalader.

Xavier observa Maud, qui était restée maîtresse d'elle-même. Tout au plus avait-elle un peu pâli. Il y avait de quoi: Roger Ozon était déjà mort, d'après le rapport d'autopsie, lundi à 16 heures. Son décès remontait à la nuit de dimanche à lundi. Ce ne pouvait pas être lui qui avait téléphoné à Annie.

— Tu es sûre que c'était son père, Maria? Elle a bien reconnu sa voix?

— Mais oui, elle connaît son père, quand même! Par contre, il ne lui a pas parlé longtemps, et elle était déçue. Elle a dit: « Papa a l'air fatigué. Il doit avoir des problèmes. »

— Et ce rendez-vous nocturne, cela ne lui a pas paru bizarre, risqué? Elle ne lui a pas posé de questions sur sa prétendue disparition? De plus, la directrice pouvait la surprendre.

— Ah! ça, non, sûrement pas. Madame Descoureaux se couche à 23 h 30 exactement. Elle a la télé dans sa chambre et met un casque pour regarder tranquillement ses émissions. Elle ne se lève plus. Après, on peut faire ce qu'on veut. Il y a deux surveillantes, mais elles sont couchées aussi, et, quand on redescend, même si on en rencontre une, elle nous laisse sortir, à condition qu'on ne quitte pas l'enceinte du parc, c'est tout.

— C'est sérieux, comme surveillance! explosa Xavier qui, comme Maud, avait compris qu'Annie et Nadia avaient été victimes d'un piège inquiétant.

— Et Annie t'a-t-elle dit pourquoi son père venait la voir si tard? demanda Maud.

— Non, elle ne savait pas. Ça l'étonnait un peu, c'est vrai, mais elle était contente quand même. Elle pensait qu'il lui expliquerait tout. Nadia a voulu l'accompagner à tout prix; moi, je devais faire le guet. J'ai attendu un moment, puis je suis allée voir dans le jardin. J'ai cru que monsieur Ozon les avait emmenées faire un tour de voiture et je suis allée me coucher. Je voulais les attendre, mais je me suis endormie. Là où j'ai paniqué, c'est le matin en voyant leurs lits vides.

— Et tu n'as pas jugé bon d'avertir la directrice de ce que tu savais, ni la nuit ni le matin?

— Non, je ne l'aime pas, j'avais peur.

— Je comprends. Écoute, tu as bien fait de me dire tout ça. Ça va nous aider. Une dernière question: sais-tu qui est Clément?

— Clément, ben oui, c'est le petit ami de Nadia. Il a une moto et vient la voir la nuit. Elle en est folle.

— D'accord, je te remercie, tu peux t'en aller.

— Salut, dit la jeune fille avec un soupir avant de quitter la pièce d'un pas rapide.

— Pas joyeuse, cette gamine, conclut Xavier. Dis, il en reste beaucoup?

— Dix, plus le personnel. Je vais être plus rapide. Je crois que nous avons appris des choses importantes, non?

— Oui. Maintenant, nous sommes au moins certains que ce n'est pas une fugue.

Maud s'essuya le front avec un kleenex, attacha ses cheveux en arrière. Elle avait chaud et rêvait d'un plongeon dans la piscine. Ce serait pour plus tard, et, d'ailleurs, plus l'enquête se compliquait, plus elle brûlait d'avancer dans ses méandres tortueux.

— Xavier, d'après toi, le coup de fil du père, c'est un trucage ou une excellente imitation?

— Je ne sais pas. En tout cas, une chose est sûre: ce n'était pas Ozon, à moins que nous ayons affaire à un fantôme.

— Très drôle. Tu ne peux pas me donner une explication rationnelle?

— Si, bien sûr, une bande magnétique, enregistrée spécialement pour attirer la gosse et l'enlever. Il y en avait deux au rendez-vous; ils ont pris le lot. Je suis très inquiet pour ces petites.

— Moi aussi, Xavier. Je crains le pire. Surtout depuis qu'Irwan m'a parlé des sectes et de leurs pratiques. Pourtant, nous sommes en plein brouillard, vu le nombre de gens qui ont disparu. Quatre personnes que l'on risque de retrouver dans l'état de Roger Ozon.

L'interrogatoire se poursuivit jusqu'à midi, heure à laquelle des odeurs de cuisine envahirent l'établissement. Maud était lasse. Elle n'avait rien appris de nouveau : le jardinier, la secrétaire et la femme de ménage avaient confessé ne pas vraiment s'intéresser aux multiples occupations et activités des jeunes pensionnaires. Quant à la cuisinière, les deux inspecteurs la retinrent plus longuement, puisque c'est elle qui avait répondu à l'appel du soi-disant Ozon.

— Comment était la voix ? Faites un effort, dites-nous tout ce que vous avez pu remarquer, insista Maud avec conviction.

— Je ne sais pas. Je n'avais jamais entendu ce monsieur au téléphone. Alors, je ne peux pas vous dire. Je ne travaille ici que depuis un mois.

— Qu'a-t-il dit exactement, madame ?

Xavier avait pris un air froid qui ranima la mémoire paresseuse de la cuisinière :

— Il a demandé sa fille, d'un ton assez dur, après s'être présenté. « Bonjour, c'est monsieur Ozon, je voudrais parler à Annie. » C'est tout ce que j'ai entendu. Après, j'ai appelé la gosse.

— Semblait-il fatigué, la voix lointaine ?

— Non, pas du tout, je vous dis, c'était une voix ferme et très nette.

Maud poussa un petit soupir songeur et congédia la femme.

— Tu avais raison, Xavier : quelqu'un a dû appeler ici, puis, dès qu'Annie a été au bout du fil, il a fait passer une bande magnétique. Ce qui m'étonne, c'est que ces gens, Ozon, sa fille ou son ex-femme, n'ont rien d'exceptionnel. Ni grosse fortune ni rang politique. Pourquoi un enlèvement ?

59

— Pour en faire des cadavres grimés et déguisés… Nous n'avons pas de temps à perdre.

— Oui, il est évident qu'Annie et Nadia sont entre les mains de ceux qui ont tué Antonin, et nous n'avons aucune piste, rien. C'est décourageant.

Maud était tendue. Elle se sentait particulièrement impuissante, comme si on la confrontait à une armée d'ombres maléfiques. La directrice choisit ce moment pour réapparaître et les observa tous deux d'un œil curieux avant de demander, anxieuse :

— Alors, inspecteur, des résultats positifs?

Xavier se chargea de répondre, dardant un regard noir sur son interlocutrice :

— Des petites choses instructives, madame, et je vous conseillerais à l'avenir de ne plus dormir sur vos deux oreilles. Devant la télé, par exemple. Les parents vous paient assez cher pour prendre soin de leurs gamines; vous pourriez éviter qu'elles aient toute la nuit devant elles pour courir se jeter dans la gueule du loup.

— Mais…

— Mon collègue a raison, madame. La surveillance laisse à désirer chez vous. Nous devons partir. Vous recevrez une convocation pour déposer à l'hôtel de police. En attendant, rassurez vos pensionnaires. Elles sont angoissées par la disparition de leurs camarades.

# 4

Dix minutes plus tard, la voiture de Xavier roulait à vive allure vers Villebois. Ils étaient assoiffés et affamés, tenaillés également par une anxiété grandissante au sujet des jeunes filles. Ils déjeunèrent au Café du commerce tout en commentant la matinée, et l'inspecteur Boisseau oublia ses plaisanteries habituelles devant la gravité de la situation. À leurs yeux, les deux adolescentes étaient encore des enfants vulnérables qu'il fallait sauver à tout prix.

Maud mangea sans plaisir. Elle se décida même à boire un peu de vin blanc pour se réconforter. La salle du restaurant était fraîche, paisible, tandis qu'au-dehors la petite ville semblait sommeiller sous la chaleur de juillet. Ils prirent un café avant de passer chez Hélène Thomas et de filer vers Angoulême.

— Tu l'as déjà vue, cette Hélène Thomas? dit brusquement Xavier qui alluma un petit cigare.

— Non, c'est Élisabeth qui avait pris sa déposition. Moi, je l'ai eue plusieurs fois au téléphone. Elle appelle tous les jours, espérant avoir des nouvelles de son ami. C'est quelqu'un d'angoissé, d'assez nerveux. Tu connais le principe: les personnes majeures qui disparaissent, on ne sait pas si c'est de leur plein gré ou non. Au début, elle a pensé qu'il avait agi sur un coup de tête, suite à une querelle. Mais il n'avait pas emporté d'affaires de rechange, et ça l'a alarmée. En fait, il faut être prudent, car ces disparitions n'ont peut-être aucun point commun, même si les trois hommes étaient tous des historiens en puissance.

— Et que l'on a retrouvé l'un d'eux poignardé et habillé en moine médiéval, marmonna l'inspecteur Boisseau d'un air songeur.

— Oui, je sais bien. Par contre, si je passe voir cette jeune femme à l'improviste, c'est pour la surprendre, analyser ses réactions, technique recommandée par le patron dans cette enquête où rien ne se tient. Je ferais sans doute mieux de la prévenir, mais tant pis.

— Comment se nomme le disparu?

— Louis-Marie Muller, un beau brun d'après les photos. En pleine force de l'âge. Hélène Thomas en est très amoureuse, et elle m'a avoué qu'elle ne le jugeait guère sérieux, le genre coureur de jupon, tu vois?

\*

La petite ville, du côté plein sud, était frappée d'une lumière crue qui faisait paraître d'un blanc dur les façades claires des maisons. Tous les volets étaient accrochés, et les jardins s'offraient au soleil. Situé en contrebas de l'église et des remparts du château, ce quartier agréable évoquait déjà la campagne toute proche.

Maud frappa plusieurs fois à la porte d'Hélène Thomas et enfin le battant s'entrouvrit sur une jeune femme blonde, mince et longue, qui les dévisagea avec une expression inquiète.

— Oui, c'est pour quoi?

— Inspecteur Maud Delage, inspecteur Boisseau. Nous voudrions vous parler, déclara Xavier.

— La police! Mais je me reposais, je ne savais pas, entrez.

Hélène tremblait nerveusement et leur jetait des regards effrayés. D'une démarche hésitante, elle les conduisit dans un salon sombre et frais, où elle se blottit sur un canapé.

— Excusez-moi, je tiens à peine debout, c'est mon dos. Avec toutes ces émotions, je déprime. Asseyez-vous. Il n'y a rien de grave? Louis-Marie n'est pas mort, dites?

— Non, non, s'empressa de répondre Maud, vu la sensibilité exacerbée de leur hôtesse.

Pourtant, volubile, Hélène se perdit en explications sans les quitter des yeux, des grands yeux clairs qui trahissaient son malaise. Elle respirait vite et leur raconta bientôt les raisons de son attitude dolente:

— J'ai trop marché ces derniers jours, et j'ai fait beaucoup de voiture. J'ai un problème au dos, cela me gâche la vie, je vous assure. Vous serez peut-être surprise, mademoiselle, dit-elle à Maud, mais je dois ce handicap à un gendarme et, depuis, je les évite. Vous, vous êtes de la police, ce n'est pas pareil, je sais bien.

— Non, ce n'est pas pareil du tout, renchérit Xavier en réprimant un sourire.

— Oui, reprit Hélène, un gendarme m'a poussée dans un escalier. Je suis tombée en arrière en me retenant tant bien que mal et j'ai ressenti une douleur violente au bas du dos. Ça se passait dans une grande surface. J'étais venue au secours d'une de mes amies qui souffrait de kleptomanie et était interrogée dans le bureau de contrôle. Je voulais juste la rejoindre, l'aider à se défendre, mais ce type ne voulait pas me laisser passer, et, comme j'insistais, il m'a repoussée violemment, d'où la chute dont je vous ai parlé. Je me suis relevée en pleurant de souffrance et en lui criant que j'allais porter plainte. Vous savez ce qu'il m'a répondu? « Ce sera votre parole contre la mienne, moi, je suis assermenté. » Il ricanait, il m'a même fait un bras d'honneur. Je vous passe les détails. La suite de l'histoire est trop longue, mais ce monsieur étant en effet assermenté, il était inutile que je porte plainte, malgré le constat d'un médecin et les radios. Voilà, depuis, j'ai des crises de douleur et je dois prendre des anti-inflammatoires tous les quatre matins.

— C'est navrant, je vous comprends, affirma Maud. La brutalité ne devrait jamais être permise dans ce genre de situations, mais il y a toujours des gens qui abusent de leurs droits. Bien, pouvez-vous, maintenant, nous parler de votre ami, nous redire les circonstances de sa disparition?

— C'est très simple. Louis-Marie, vu ses connaissances en histoire et sa passion pour le sujet, s'occupait des spectacles qui sont organisés chaque été au château. Il vérifiait les textes, assistait aux répétitions. Le soir de sa disparition, il est parti là-haut à pied, comme d'habitude. Souvent, je l'accompagne; là, je ne pouvais pas, je suis restée ici, allongée. À 22 heures, j'ai eu un coup de fil, quelqu'un de l'association « Les amis du château », parce qu'on l'attendait et qu'il n'était pas arrivé. Je ne comprenais pas et, sur le coup, j'ai pensé qu'il m'avait menti, qu'il était ailleurs, en bonne compagnie… Il a une certaine réputation sur ce plan; c'est pour cette raison qu'on se disputait fréquemment. Quand je l'ai connu, je le plaçais sur un piédestal. Un savant, un homme loyal et vertueux. L'image s'est vite ternie, mais je l'aimais tant, si fort, j'ai tenu bon, je suis restée.

— Bref, vous l'avez cru chez une autre femme et vous n'avez pas prévenu la police tout de suite, intervint Xavier, qui ne prisait guère les trop longs discours.

— J'ai prévenu la police dès que j'ai vu qu'il n'avait rien préparé, qu'il était parti en sandales de cuir, en chemise. Tout son linge est là, sa voiture. Ça m'a terrorisée, surtout quand j'ai su que son ami, monsieur Gérard Villeret, avait disparu aussi.

— Pardon? s'écria Maud en se redressant. Vous avez dit Gérard Villeret?

— Oui, il venait parfois au château. C'était un vieil ami du père Deschamps, notre doyen, et du docteur Norbert, le maire. Il avait présenté Louis-Marie à Noël Peneau, le comédien. C'est une des personnalités bien connues de la région.

— Et un homme très aimé en Charente, coupa Xavier à l'adresse de Maud. Le château lui appartient, et il y vient en vacances ou en week-end. Il appartient à une ancienne famille, très honorable.

— J'ai fait également sa connaissance l'été dernier! s'exclama Hélène avec un sourire mélancolique. C'est un hommé charmant, si aimable, son épouse aussi. Ils viennent au son et lumière en spectateurs. Tout le monde les apprécie à Villebois.

Stupéfaite par ce qu'elle venait d'apprendre, Maud écourta la discussion: ainsi, Muller et Villeret se connaissaient. Elle avait eu beau lire et relire les dépositions, ce détail n'y figurait pas, elle en était certaine. Son esprit travailla à toute vitesse, et, bientôt, elle demanda:

— Madame, comment avez-vous appris que monsieur Villeret avait disparu?

— Au château, par une des personnes de l'association dont je viens de vous parler. Quand ils ont su que Louis-Marie était introuvable, Alain, un des éclairagistes, a fait la remarque pour monsieur Villeret en précisant qu'il n'était pas venu non plus ce soir-là. J'ai téléphoné chez lui, et ça ne répondait pas. Ensuite, j'ai contacté sa nièce, que je connais. Elle était très inquiète, car son oncle avait pris la voiture pour aller à Villebois justement, vers 8 heures du soir, et avait disparu. Elle a décidé d'aller déposer, lancer un avis de recherche. Vous avez dû la voir…

— Non, ce n'est pas moi, mais une stagiaire. Je n'ai pas fait tout de suite le rapprochement entre ces divers avis de disparition. Ce sont des choses qui arrivent. Il faut attendre quelques jours, parfois, et tout rentre dans l'ordre.

Hélène soupira, essuya discrètement une larme. Elle avait dû beaucoup pleurer, et on la sentait seule, éperdue devant ce drame qui visiblement la dépassait.

— Nous vous laissons tranquille, madame, dit Maud gentiment. Vous pourrez venir déposer à Angoulême. Demain matin, par exemple, vers 10 heures.

— Oui, bien sûr. Vous savez, vous pouvez m'appeler Hélène.

— D'accord, à demain, Hélène, et courage. On va le retrouver, votre ami.

— Merci, murmura la jeune femme en se levant. Merci.

Dehors, près de la voiture, Xavier souffla à Maud :

— Tu es optimiste, ma chère. Si elle savait comment on a récupéré Ozon, ça lui ferait un choc.

— Ce n'était pas le moment de lui faire peur, Xavier. On peut rester humains, quand même. Tu as bien vu combien elle est dépressive et triste.

L'inspecteur Boisseau ne répondit pas, mais il s'installa au volant avec un haussement d'épaules. Il jugeait ces précautions dérisoires et de toute façon inutiles, car, par expérience, il savait que, dès le lendemain, la presse ferait ses gros titres de l'affaire de l'église Saint-Ausone. Peut-être, avec un peu de chance, Hélène Thomas ne ferait-elle aucun rapprochement avec la disparition de son bien-aimé. Ou est-ce que Maud, avec son grand cœur, l'avait convoquée de bon matin pour avoir le temps de la préparer à certaines éventualités?

Ils reprirent la route d'Angoulême, assez moroses, déçus aussi de ne pas avoir pu rencontrer le docteur Martial Norbert, maire de Villebois-Lavalette, qui, par malchance, était absent pour l'après-midi. La secrétaire de mairie leur donna un rendez-vous pour le lendemain, à 15 heures, et ils quittèrent la paisible bourgade perchée sur sa colline. Xavier alluma un deuxième cigarillo. Il s'en était acheté une nouvelle boîte au bureau de tabac de la petite ville, ainsi qu'un quotidien.

— Sympa, le buraliste, et, pour une Maison de la Presse, ils sont bien achalandés. Ce n'est pas toujours le cas au fond de nos campagnes. Tiens, je t'ai pris tes chewing-gums préférés. Et, mine de rien, j'ai demandé à ce monsieur s'il ne connaissait pas Louis-Marie Muller.

— Et alors?

— Oui, il voit qui c'est. « C'est quelqu'un de bien », m'a-t-il dit sans entrer dans les détails.

— C'est vague. Merci pour les chewing-gums.

Ils passèrent devant l'étonnant château de la Mercerie, charmant manoir que le député Raymond Réthoré avait voulu transformer en un Versailles charentais. Seule subsistait de ce rêve fou la longue façade blanche, harmonieuse et grandiose, dont les fenêtres et les arcades ornementales s'ouvraient de part et d'autre sur la nature, faisant du site une curiosité locale. Maud contemplait d'un œil amusé l'étrange construction, lorsque le téléphone de la voiture sonna. Elle décrocha vite, certaine d'entendre la voix d'Irwan. C'était bien lui.

— Maud, Xavier. Il y a du nouveau, rejoignez-moi vite rue de Bélat, chez Villeret. On vient de retrouver son corps, dans son propre jardin. Une drôle d'histoire. Je vous attends, l'Identité judiciaire va arriver pour les constats.

— Irwan! s'écria Maud. Une minute, dis-en un peu plus long. Comment est-il?

— Mort, comme Ozon, poignardé et vêtu de la même tenue, avec le même signe sur la poitrine. C'est une voisine qui a vu un paquet insolite de sa fenêtre, sous un hortensia. Ça ressemblait à un énorme sac-poubelle. On l'avait mis dans un plastique. Comme elle était au courant de sa disparition, la chose l'a intriguée. Elle a appelé la police tout de suite. Tu en sauras plus sur place.

Xavier avait déjà accéléré. Il secoua la tête, catastrophé. L'affaire prenait des proportions inouïes, et, si tout cela s'ébruitait, une vraie psychose risquait de naître à Angoulême, voire en Charente.

— Qu'est-ce que tu dis de ça, Maud? Sale coup pour nous. Si on retrouve Muller et les gamines dans le même état, on est bons pour les foudres populaires.

— Oui, tu as raison, il faut arrêter ce massacre et vite! Mais je ne sais vraiment pas comment. C'est un cauchemar. Quand je pense à Annie, à sa camarade, j'en ai des sueurs froides. Roule plus vite, je t'en prie.

— Je ne peux pas faire mieux. T'inquiète pas, dans dix minutes, on est en ville.

Ils ralentirent dans la traversée de Torsac, et, malgré tout, Xavier ne put s'empêcher de faire ce commentaire, qui lui était propre:

— Regarde, Maud, comme c'est joli ici. Ce château tapi dans sa vallée, qui accroche les rayons de soleil, ses créneaux, ces vieux murs et ce beau marronnier, gardien du carrefour.

— Je connais, Xavier. Ne te vexe pas, mais je suis venue dîner à l'auberge du château avec... ma maman... de passage chez moi.

— Bien, bien, je ne joue plus les guides. Tant pis pour toi.

Rue de Bélat, l'agitation était extrême. Cette voie où prédominaient les hautes maisons bourgeoises n'était guère pratiquée par les piétons, car elle était située à l'écart des commerces en tous genres fleurissant sur le plateau, de la rue des Postes à la place de la Bussate. Pourtant, les riverains et quelques automobilistes s'attardaient, à cause des deux voitures de police stationnées sur le trottoir de gauche, non loin de la tour de guet qui se dressait encore là, vestige des anciens remparts.

Maud descendit en premier, tandis que l'inspecteur Boisseau cherchait une place pour se garer. La porte de Gérard Villeret étant restée entrouverte, la jeune femme entra et se précipita vers une autre porte qui donnait sur le jardin. C'était plutôt une courette envahie de végétation : lauriers, hortensias et lilas. Irwan, le commissaire Valardy et les hommes de l'Identité judiciaire étaient là, ainsi qu'Élisabeth et Antoine. À leurs pieds gisait le corps d'un homme de taille moyenne : son visage était couvert de suie, d'estafilades et de fines coulées de sang, à présent sombres et sèches. Une bure sale l'habillait, et ses pieds étaient nus.

Maud frémit, bouleversée par cette vision. Ce n'était pas tellement la vue du cadavre – sa profession l'avait accoutumée au pire –, mais la mise en scène et l'outrage à la personnalité du défunt qui la choquaient. On pressentait derrière ce geste des gens qui prônaient mal et vice en recherchant le scandale.

Xavier les rejoignit. Il devint lui aussi livide de rage. Maud et lui eurent à cet instant une même pensée, cruelle et angoissante : ils imaginaient une jeune fille dans ce triste accoutrement, sacrifiée à d'obscures pratiques. Le commissaire ne tenait pas en place et marmonnait des imprécations que l'on devinait virulentes. Puis, plus haut, il lança à Irwan :

— Vernier, tu dois mettre la main sur les salauds qui ont fait ça. Il n'y a plus une minute à perdre. Le corps va partir pour la morgue, on file au Central faire le point, et plus de temps libre jusqu'à ce qu'on ait au moins une piste valable.

Après, on met le paquet. Élisabeth, fais un croquis de l'endroit, dessine l'emplacement du corps. Irwan, fais un tour avec Maud dans la maison, cherche des adresses, des numéros de téléphone. La seule issue pour entrer dans ce jardin, c'est la porte sur la rue. Impossible aussi de balancer un tel paquet par-dessus les murs de la cour. On a vérifié. Des fenêtres voisines, impossible aussi, mais Élisabeth et Xavier vont aller interroger les gens d'à côté.

Maud intervint, son regard bleu durci par les sentiments de détresse et de colère qu'elle éprouvait :

— Patron, avez-vous regardé la cave? Elle peut communiquer avec une autre cave. Je dis ça à cause des souterrains qui existent sous Angoulême. Je les connais un peu. On ne sait jamais.

— Mais non, inutile, coupa Xavier. L'explication est simple : ceux qui ont enlevé Gérard Villeret l'ont fait sûrement en campagne, le soir où il se rendait à Villebois, on a eu confirmation de ce fait aujourd'hui, et bien entendu, Villeret devait avoir ses clefs sur lui. Ses ravisseurs les ont prises et les ont utilisées pour le ramener au bercail.

— Exact, c'est logique, décréta plus doucement le commissaire. Dans ce cas, raison de plus pour interroger sérieusement les voisins. Bien, allez-y, je vous attends dans deux heures maximum. Soyez perspicaces, l'affaire est grave.

Bientôt, Irwan et Maud se retrouvèrent seuls.

Il était 4 heures, il faisait encore très chaud. Débarrassé du corps sans vie de son propriétaire, le petit jardin avait repris son aspect paisible, et un couple de mésanges voletait dans les lilas. Nerveux, l'inspecteur Vernier fit les cent pas, puis entraîna sa collègue à l'intérieur de la maison.

Silencieux, ils en parcoururent les pièces plongées dans une pénombre fraîche, du salon aux deux chambres, du grenier à la cave. C'est en descendant un escalier taillé dans la pierre que Maud déclara d'une voix lasse :

— Nous n'avons rien trouvé d'intéressant, pas d'agenda, pas de carnets. À mon avis, Villeret emportait tout ça quand il se déplaçait.

— Ou bien quelqu'un les a pris ici même pour ne laisser aucune trace. Cette fois, on a affaire à des professionnels du crime, je crois.

La cave était vaste. Le plafond voûté abritait des casiers à bouteilles et des cartons vides. Le sol de terre battue était sec, couvert par endroits de gravats. Mais ils ne découvrirent aucune autre issue. Les murs étaient lisses, nets. C'était un parfait espace clos. Maud, vêtue d'un débardeur en coton noir et d'un jean, avait presque froid. De plus, l'atmosphère de l'endroit, son odeur et sa lumière particulière, lui rappelait son odyssée souterraine sous Angoulême, il y a plus d'un an. Avec un frisson, elle se rapprocha un peu d'Irwan.

— Qu'est-ce qu'il y a ? Les nerfs qui flanchent ?

— Non, pas pour si peu, mais j'aimerais seulement remonter. Il n'y a rien ici.

— Attends une seconde, je finis l'inspection, répondit-il en grattant du talon un monticule de débris.

— Fais ce que tu veux. Je retourne au soleil, soupira Maud, secrètement déçue. En vérité, elle avait pensé un instant qu'Irwan profiterait de leur isolement pour la prendre dans ses bras. Elle en avait tant besoin pour oublier le spectacle du cadavre sinistrement maquillé, pour garder courage. Mais l'inspecteur Vernier, lancé sur une piste, semblait porter des œillères, et ce n'est pas une amourette naissante qui allait le distraire. Pourtant, alors que la jeune femme s'élançait vers les marches abruptes, il la retint d'une main ferme.

— Ne te sauve pas. Regarde ce que j'ai trouvé.

Intriguée, elle se retourna prestement pour découvrir dans la paume d'Irwan une barrette en métal, ornée de trois poissons argentés. Un cheveu blond y était accroché.

— Crois-tu, dit doucement Irwan, que ce soit le genre de chose que l'on devrait trouver chez un retraité passionné d'archéologie?

Il rangea sa trouvaille dans un mouchoir en papier, qu'il enfouit dans sa poche de pantalon. Tous deux se regardèrent, contents, mais de plus en plus inquiets. Ils avaient une petite idée sur la provenance de la barrette, et cela augmenta leur fébrilité.

— Allez, Irwan, viens vite, on file au Central! lança Maud en grimpant l'escalier. Les parents de

Nadia viennent vers 18 heures, et je dois te raconter ce que nous avons appris à Villebois et dans
ce drôle de centre aéré pour jeunes filles riches.
En tout cas, si cette barrette appartient à une des
jeunes filles, c'est à Annie, qui est blonde. Nadia
est rousse. Je connais leur signalement par cœur.

Chemin faisant, elle lui résuma leur visite du
matin, la déclaration de Maria et celle d'Hélène
Thomas. En l'écoutant, oppressé par cet imbro-
glio d'incidents, tous en rapport les uns avec les
autres, mais qui ne révélaient aucune piste possible, Irwan serra les dents.

Le commissaire les reçut dans son bureau,
une liasse de feuilles à la main. Xavier et Élisabeth
n'étaient pas encore arrivés, mais Antoine était
en plein travail, devant la machine à écrire.

— Bon, les enfants, je dois filer à Girac
dans une heure. Le procureur m'attend là-bas. Si
Boisseau tarde à rentrer, vous noterez sa déposition. J'ai de petits renseignements à vous donner, de quoi occuper votre soirée.

— Excusez-moi, nous en parlerons tout à
l'heure, patron. On a trouvé ça dans la cave de
Villeret, déclara Irwan en sortant la barrette de
sa poche. Il y a un cheveu à analyser; enfin, il
faudrait le comparer à ceux d'Annie. Maud a du
nouveau également. Tout se tient: la disparition
des jeunes filles et celle de nos professeurs d'histoire. Je suis prêt à parier que la cave a servi de
cachette quelques heures. Quand? Je n'en sais
rien, peut-être cette nuit. On verra ce qu'en
disent les voisins.

Brièvement, la jeune femme apprit au commissaire les résultats de leur visite à Fontaine et à Villebois.

— Bien, à présent, je vous laisse, patron. Je dois convoquer immédiatement la mère d'Annie, et j'ai les parents de Nadia à entendre. Ensuite, je…

— Du calme, Maud, tu vas faire du bon travail, j'en suis sûr. L'essentiel est de réfléchir vite et bien. Écoutez, tous les deux, voici l'adresse et le téléphone des prêtres du département, celles des églises en fonction aussi. Certaines sont soulignées en rouge. Je vais vous expliquer pourquoi.

Amusé par leurs airs surpris, il leur tendit les feuilles. Irwan passa une main dans ses cheveux châtains, qu'il rejeta en arrière.

— Ne vous affolez pas, la liste tient sur un feuillet. Par contre, l'évêché m'a appris quelque chose qui peut se révéler intéressant : ces derniers jours, cinq églises romanes, situées dans de petits villages, rarement ouvertes d'ailleurs, en raison du manque de pratiquants, ont été « visitées », les portes parfois fracturées ou forcées. Cela se passerait la nuit, d'après les gens du coin. À étudier. Vous y ferez un tour demain. Les autres documents traitent des Templiers et des légendes qui se rattachent à leur histoire. Antoine est allé à la bibliothèque cet après-midi et a fait des photocopies. Autre chose, le prêtre de Saint-Ausone, que j'ai contacté ce matin, m'a communiqué le nom d'un de ses collègues féru en la matière, le père Jean-Michel

Rouzière, qui se partage entre trois paroisses, du côté de Montmoreau. Il paraît qu'il en sait long sur le sujet, et c'est un homme très dynamique, à rencontrer absolument. Je vous conseille de lui rendre visite dès ce soir, afin de chercher la solution de l'énigme en sa compagnie. Il faut quand même comprendre pourquoi on affuble ces morts de la croix des Templiers. L'Église est la mieux placée pour cela. Prenez une estafette banalisée. Au retour, vous pourriez faire une petite planque devant la résidence du Jardin vert. Madame Darmon a menti : son ex-mari n'a jamais fait preuve d'homosexualité, au contraire. Ozon avait la réputation d'adorer les jolies femmes de caractère facile. Vous avez la déposition d'un de ses vieux copains dans ces feuilles. Je vous ai tout groupé à fin d'examen. Voilà où j'en suis personnellement, mes enfants. Maud, sois attentive quand tu vas recevoir cette femme. Pour le moment, elle est la seule suspecte.

— O. K., patron, je m'en doutais, de toute façon. À cause de l'attitude de ses filles.

Irwan avait déjà quitté le bureau lorsque Xavier et Élisabeth firent leur entrée. Maud les croisa en sortant à son tour et remarqua leurs expressions réjouies. La jolie stagiaire était rose d'excitation; ses beaux yeux noirs étaient pleins de langueur. Xavier avait un petit air fanfaron qui ne lui allait guère. L'inspecteur Delage secoua sa blonde chevelure et, obsédée par l'enquête, ne leur accorda qu'un sourire poli en précisant :

— Vous pouvez passer tout de suite dans

mon bureau. Le patron est pressé. Si vous avez des choses concluantes à me dire, je vous attends, chers amis.

Le commissaire acquiesça d'un clin d'œil et se prépara à partir. Élisabeth et Xavier, qui se lançaient des regards complices, la suivirent le long du couloir.

À 8 heures du soir, Maud eut l'impression d'avoir couru un marathon. Elle était épuisée, étonnée aussi d'avoir eu le temps et l'occasion de boire trois cafés crème et deux verres d'eau. Les entretiens s'étaient succédé, et le plus pénible avait été celui qui l'avait confrontée aux parents de Nadia, un couple presque hystérique, vite menaçant.

Marcel, ancien stagiaire promu inspecteur, fila au centre aéré de madame Descoureaux pour chercher des reliquats de chevelure sur les affaires de toilette d'Annie. Irwan, lui, entendit le trépidant Clément, l'ami de Nadia, consterné d'apprendre la disparition de sa bien-aimée. Vite mis hors de cause, le jeune homme quitta l'hôtel de police avec la ferme intention, aidé d'une bande de copains, de mener sa propre enquête.

Quant à madame Darmon, venue accompagnée de Léna, qui l'attendit dans une autre pièce, elle affronta Maud calmement, mais elle resta sur ses positions de mère éplorée et de femme ulcérée par les méfaits de son ancien compagnon.

— Moi, j'ai des preuves de ses perversités.

L'ami qui a témoigné en sa faveur peut mentir lui aussi. Pourquoi le croire, lui, et douter de mes paroles? décréta-t-elle froidement à ceux qui l'interrogeaient, en l'occurrence, Maud, Xavier et Irwan, assistés d'Élisabeth.

Enfin, ils lui montrèrent la barrette afin de savoir si l'objet appartenait à Annie.

— Je n'en sais rien. Je ne prête aucune importance à ce genre d'accessoires. Non, de toute façon, je ne crois pas qu'elle aurait porté ça. Où l'avez-vous trouvée? Je ne vois pas le rapport avec la disparition de ma fille.

Ils eurent tous les quatre l'impression étrange de se heurter à un mur de glace et d'intégrité, si bien que leurs soupçons prirent une force nouvelle. Madame Darmon les salua avec dignité avant de partir, sans oublier de jeter à Maud un regard haineux.

— Quelle harpie! Je plains ces gamines et ce malheureux Ozon, qui l'a quand même supportée quelques années, marmonna Xavier, soulagé de ne plus être en sa présence.

— Ouais, renchérit Irwan, songeur, je me demande ce qu'elle nous réserve. Mais il ne faut pas s'emballer dans cette direction. Elle ne peut en aucun cas faire du mal à sa propre fille, si elle a une responsabilité dans le meurtre d'Ozon. De plus, je la sens vraiment anxieuse pour Annie, ce qui écarte l'hypothèse d'une séquestration, à laquelle Maud avait fait allusion.

— Attention, Irwan, protesta sa collègue, cette femme peut nous jouer la comédie, car elle a un sang-froid inconcevable. Si elle sait Annie en lieu sûr, il lui est facile de nous tromper. D'ailleurs, elle évite toutes les précisions. Elle est insupportable.

Élisabeth intervint, et les deux policiers l'écoutèrent avec attention :

— Mais faites travailler vos méninges un peu! Pourquoi ferait-elle une mise en scène pareille? Quel intérêt aurait-elle à garder Annie cachée? C'est absurde, enfin. Elle est venue porter plainte contre la directrice du centre, lancer un avis de recherche. Elle était sincèrement affolée. Je m'en souviens, j'étais là.

— Tu as peut-être raison, répondit Irwan. Oui, c'est possible.

Excédée par cette longue journée de chaleur et de démarches laborieuses, Maud se leva de sa chaise et empoigna son sac.

— Je n'en peux plus. Je rêve d'une douche.

— Je te raccompagne chez toi, dit Xavier. Tu es hors d'état de conduire. Si j'ai bien compris, vous êtes de service commandé ce soir, toi et Irwan. Il passera te prendre dans une heure. O. K., mon vieux?

Irwan approuva d'un signe de tête.

À 21 heures précises, l'inspecteur divisionnaire Vernier passa chercher sa jeune collègue au volant d'une estafette grise. Pressée de partir avec lui sur les routes de campagne, Maud ne l'invita pas à monter. De légers nuages blancs voilaient le soleil sur son déclin, l'air était d'une délicieuse douceur. La jeune femme qui sortit de l'immeuble de sa démarche élégante évoquait une ravissante incarnation de ce soir d'été. Elle avait les cheveux mouillés, retenus en arrière par un bandeau blanc dont la sobriété mettait en valeur ses traits harmonieux, son teint doré.

Vêtue, par fantaisie ou calcul, d'une légère robe pastel, camaïeu de rose et de bleu, résolument courte, dévoilant des jambes parfaites, elle avança d'un pas dansant vers la voiture. Irwan était fasciné, mais s'efforça de cacher son admiration.

— Eh bien, j'espère que tu as ta carte de flic sur toi, parce que j'aurai du mal à te faire passer pour un inspecteur dans cette tenue, déclara-t-il d'un ton agressif censé donner le change.

Sans répondre, elle s'installa à ses côtés, posa son sac à ses pieds, en extirpa ses papiers et son arme.

— Cela vous suffira comme preuve, chef? persifla-t-elle sans le regarder. Elle eut le temps de constater, cependant, que lui aussi s'était changé. Il portait une chemise blanche, un jean noir, et ses cheveux gardaient quelques ondulations dues à une douche récente.

— Tu as dîné, je pense. Moi, j'ai avalé un sandwich dans un bar. J'ai téléphoné au père Jean-Michel. Il nous attend à partir de 21 h 30.

Irwan démarra, suivit lentement la rue de Lavalette. Parfois, il jetait un coup d'œil sur sa passagère, retenait un sourire ravi. La nuit à venir lui sembla soudain pleine de promesses.

## 5

Ils roulèrent sans dire un seul mot jusqu'à la sortie de Vœuil-et-Giget. Les vitres de l'estafette étaient grandes ouvertes, le vent chaud avait vite séché les cheveux de Maud, qu'un rayon de soleil orange illuminait de reflets dorés. Elle contemplait le paysage, avec ses prairies vertes de chaque côté de la route, ses bois touffus qui nappaient les collines et les vallées.

— C'est joli, la campagne. Un jour, j'aimerais y vivre, trouver une petite maison tranquille.

— Il faudra que tu changes de métier. C'est difficile d'habiter en dehors de la ville quand on veut devenir commissaire.

Elle éclata de rire avant de répondre d'un ton surpris :

— Je ne suis pas sûre de vouloir être commissaire, tu sais. Je n'ai aucune idée précise sur mon avenir.

Irwan ne dit rien. Il roulait assez vite, pressé de rencontrer le père Jean-Michel, afin d'obtenir des informations utiles sur les Templiers. Tout en conduisant, il repassa chacun des éléments de l'enquête en cours et chercha désespérément à y voir clair. Ce qui l'intriguait le plus pour le moment, c'était cette fameuse barrette ayant retenu prisonnier un cheveu blond.

— Dis, Maud, pour la barrette… Si elle est bien à Annie, si le cheveu lui appartient, pourquoi cet objet était-il à demi enfoui sous des gravats, dans la cave de Villeret?

— Je ne sais pas, j'y ai songé aussi. On ne peut rien supposer avant de savoir si le cheveu est bien à Annie.

— Ouais… Xavier doit m'appeler dès qu'il aura les résultats des analyses. Aux dernières nouvelles, Marcel n'est pas rentré bredouille de Fontaine: il a réussi à retrouver deux ou trois brins de la chevelure concernée.

Ils échafaudèrent encore quelques théories possibles, sans se regarder, car ils éprouvaient tous les deux un singulier malaise qu'ils identifiaient sans peine: le désir.

Passé Montmoreau et Brossac, ils prirent la direction de Poulignac et, peu de temps après, se garèrent devant le presbytère. Un homme vint à leur rencontre. Il arborait un sourire aimable. Vêtu de noir, il portait un minuscule insigne sur sa chemise, une croix en métal, seul détail qui pouvait trahir sa condition de prêtre.

— Bonsoir! Entrez. En vous attendant, j'ai sorti quelques documents.

Les deux inspecteurs se présentèrent, et le père Jean-Michel ne put retenir une expression étonnée quand il apprit que Maud était de la police.

Sans hésiter, il déclara gentiment:

— Vous ne ressemblez guère, mademoiselle, à l'idée que l'on se fait d'un inspecteur. Je dois être un peu vieux jeu. Il faut dire aussi que j'ai rarement affaire à la police.

— Je m'en doute, répondit-elle, amusée. Mais, vous savez, beaucoup de personnes réagissent comme vous. Ça ne me dérange pas.

— C'est parfait, asseyez-vous. Voulez-vous boire quelque chose, un verre d'orangeade?

Ils acceptèrent, ravis de cet accueil sympathique, et la discussion qui suivit leur parut également très agréable. Le père Jean-Michel devait avoir une cinquantaine d'années, mais, outre sa chevelure d'un blanc de neige, il faisait plus jeune. Maud le trouva charmant, presque angélique, avec des traits réguliers et doux, des yeux d'un gris-vert à l'éclat séraphique. Sa voix même avait des intonations veloutées, bien qu'elle fût forte et grave. On le sentait accoutumé à parler en public, capable de faire entendre la parole divine. Il avait ouvert un vieux livre aux pages jaunies et leur montrait des gravures qui représentaient des chevaliers du Temple.

— Voyez-vous, leur tunique portait cette croix sur la poitrine, et on retrouve ce signe sur de nombreuses églises. C'était un ordre composé de quatre classes: les chevaliers, donc, puis les écuyers, les frères lais et enfin les chapelains ou prêtres. Ils ont joué un rôle important lors des croisades, et leur richesse était fabuleuse. Ensuite, on leur a prêté les pires agissements, et le pape Clément v, en 1312, a aboli l'ordre. Philippe le Bel, pour s'emparer de leur fortune, les envoya au bûcher.

— Une minute, je vous prie, intervint Irwan. Cet ordre est entré dans la légende et n'existe plus. Qu'est-ce qui peut pousser ceux que nous recherchons à utiliser comme signature la croix des Templiers? C'est là où nous avons besoin de vous. Je saisis mal le rapport.

— Mais il n'y en a peut-être aucun. Vous savez, si l'on s'intéresse un peu à l'histoire, au Moyen Âge, on connaît les Templiers et leur croix. C'est sans doute une manière de provocation, une bravade.

Maud approuva de la tête. L'opinion du père Jean-Michel s'accordait à la sienne, et elle se dit qu'ils perdaient leur temps en se penchant sur le passé et ses mystères révolus. Pourtant, une question lui vint aux lèvres, inspirée par les documents qu'elle avait rapidement consultés pendant le trajet :

— Vous saviez que des églises ont été visitées dans le département, par effraction?

— Oui, on m'en a parlé hier. Je trouve ces actes navrants, même si rien n'a été détérioré.

— Vous connaissez ces monuments? Voici leurs noms, ajouta Irwan. Ces églises étaient-elles marquées d'une croix des Templiers?

— Attendez, je réfléchis, je n'en connais que trois. Il me semble que oui, pourquoi?

— Je me demande si ces actes sont liés à notre enquête. Deux hommes sont morts, Villeret et Ozon. Si vous saviez dans quelles conditions on les a retrouvés, et dans quel état! Seul Muller a encore une chance.

Le père Jean-Michel baissa la tête, accablé, puis se redressa, comme s'il reprenait courage:

— Toujours le mal. La violence. Je suis parfois démuni face à ce qui se passe actuellement dans le monde entier, mais aussi à nos portes.

Maud et Irwan respectèrent le silence qui suivit cette déclaration d'impuissance et se levèrent pour prendre congé. Le prêtre les raccompagna:

— Je suis désolé, dit-il avec un sourire d'excuse. Je ne crois pas vous avoir aidés en quoi que ce soit, et vous vous êtes déplacés pour rien. Je me trompe?

— Un peu, rétorqua Irwan. On ne sait jamais. J'ai bien écouté votre cours d'histoire et, en fait, j'ai appris des choses passionnantes. Ne vous inquiétez pas, nous avons passé un bon moment avec vous. C'est si rare…

— Merci. J'espère que cette série de crimes s'arrêtera là. Bonsoir, mademoiselle, et n'hésitez pas à téléphoner si jamais vous aviez besoin d'autres renseignements.

— Bien sûr, et merci à vous aussi.

Maud lui serra la main. Ils étaient sur le pas de la porte. Il faisait nuit à présent, et l'air embaumait l'herbe tiède et les fleurs des champs. Irwan avait déjà pris congé et s'installa au volant de l'estafette. Sa collègue le rejoignit sans hâte, mais elle se sentait soudain mal à l'aise dans sa robe courte, sous le regard pur de cet homme consacré à Dieu. Elle se retourna, gênée : peut-être était-il rentré? Non, il leur faisait un signe amical d'au revoir, et ses yeux clairs semblaient n'avoir aucune arrière-pensée.

C'est pourtant avec soulagement que Maud claqua la portière et murmura à son collègue :

— C'est la dernière fois que je mets une telle tenue pendant le service. Le père Jean-Michel a dû mettre en doute mon appartenance à la police.

— Et te prendre pour ma maîtresse, plaisanta Irwan en démarrant. Note bien que tu es adorable dans cette robe. Ce serait dommage que tu la ranges aux oubliettes.

Troublée, Maud sourit. Elle appréciait leur isolement : la campagne était plongée dans l'ombre; eux aussi, à part la lumière indirecte que dispensaient les phares. Personne ne pouvait les voir ni les entendre. Cela leur était arrivé maintes fois, mais ce soir rien n'était ordinaire, et ils en avaient conscience.

Brusquement, comme sous le coup d'une impulsion innée, Irwan posa sa main droite sur la cuisse de sa passagère, certain qu'elle ne le repousserait pas. Il la sentit se détendre, toujours silencieuse, mais attentive, heureuse. Ce contact le grisa. La peau de Maud était soyeuse, chaude, si bien que, de plus en plus audacieux, il la caressa avec volupté.

— Nous sommes à Montmoreau. Il y a un feu rouge, chuchota-t-elle tout en le dévisageant tendrement.

— Oui, je vois bien. Tout est fermé ici, c'est désert. Moi qui voulais t'offrir un verre…

— Plus loin, peut-être. Dis, Irwan, que penses-tu du père Jean-Michel?

— Il m'a plu. Mais c'est vrai qu'il ne nous a pas apporté de solution. La planque devant la résidence du Jardin vert sera inutile aussi, j'en suis sûr. Enfin, tout n'est pas négatif. Tu es avec moi, c'est déjà beaucoup. Et toi, le père Jean-Michel, qu'en penses-tu?

— Sympathique et savant en plus.

Soudain, après s'être assuré qu'il n'y avait aucune autre voiture à l'horizon, l'inspecteur Vernier freina, se gara à demi sur le bas-côté sans arrêter le moteur. Là, très vite, il attira Maud contre lui pour l'embrasser avec fougue, un instant seulement, le temps de goûter la saveur tiède de ses lèvres.

— Irwan, tu es fou, soupira-t-elle, blottie contre lui, le cœur battant, tout son corps alangui par une délicieuse émotion.

Ils arrivèrent à Angoulême éperdus de désir. Pour se donner le change, ils discutèrent encore et toujours de l'enquête afin de lutter contre la tentation qui les tourmentait. De grands arbres se dressaient sur le parking de la résidence du Jardin vert, et Irwan choisit un emplacement straté-gique pour se stationner. L'estafette était dans la pénombre, mais les lampadaires éclairaient la sortie de l'immeuble où habitait madame Darmon. Ils avaient repéré la veille les fenêtres de son appartement, situé au premier étage, et constatèrent qu'il y avait de la lumière dans le salon. De leur poste, ils aperçurent même, à travers le voilage des rideaux, le feuillage d'une plante, un philodendron géant.

— C'est calme ici, dit Maud.

— Oui, si tu veux, on passe derrière. J'ai de la bière et du Perrier. J'ai tout prévu pour tenir la nuit.

Ils se glissèrent dans l'habitacle du véhicule, aménagé pour de longues planques, et la jeune femme demanda en riant :

— Tu as tout prévu? Du café? Des biscuits?

— Non, pas ça.

Il la suivit et vérifia le matériel placé sur une table avant de s'asseoir sur une des chaises. Maud était restée debout, près d'une des petites fenêtres qui permettaient de voir à l'extérieur sans être vu, la vitre, couverte d'un revêtement brillant, faisant miroir de l'extérieur. Un peu de lumière éclaira sa silhouette gracieuse, mais, de l'inspecteur Vernier, elle ne distingua que le point rouge de sa cigarette.

Tendus, nerveux, ils ne parlaient pas. En fait, ils guettaient avec une sorte d'impatience fébrile le moindre geste de l'autre. Enfin, Irwan se leva, s'approcha de Maud :

— Alors, qu'est-ce que tu vois de beau? Il est un peu tôt pour les criminels en jupon.

— Hum. Sans doute, mais on ne sait jamais.

Elle se retourna vers la fenêtre, le cœur survolté, la bouche entrouverte, le souffle court. Il l'observa un instant, posa une main caressante sur son épaule nue, fit glisser la bretelle de la robe pour aller errer le long de la nuque, puis s'aventurer vers sa poitrine ronde, libre sous le tissu léger. Maud frémit de plaisir quand il effleura ses seins, ferma les yeux et bientôt s'alanguit sous une succession de baisers très doux le long de son cou, sur ses épaules, sur ses joues. Quand les lèvres d'Irwan cherchèrent les siennes, elle s'abandonna à cet élan de passion qui la bouleversait, l'enlaça, se serra contre lui. Elle accepta ce qui allait suivre sans plus se poser de questions. Il lui plaisait depuis longtemps, cet homme cynique mais bon, ce fauve aux mains de velours. Là encore, il joua de son corps offert comme d'un instrument fragile, la grisa de caresses, de baisers, de mots tendres.

Soudain, il releva sa robe, fit glisser jusqu'au sol le slip blanc qu'elle portait, puis s'agenouilla, embrassa ses jambes, ses genoux, ses cuisses, avant d'oser un geste avide d'homme fou de désir, qui la fit gémir de plaisir. Quelques minutes plus tard, haletants, ils firent l'amour. Elle resta debout, appuyée contre la paroi, le visage face à la vitre, les paupières closes sur la volupté intense qui montait en vagues lentes et embrasait tout son être. Lui, les mains rivées à ses hanches, la possédait enfin : il oublia alors tout le reste, renonça à sa chère lucidité pour goûter ces précieux moments de sensualité et de frénésie amoureuse qu'il n'aurait jamais imaginés si parfaits, si forts.

Une heure après, ils étaient assis l'un près

de l'autre, une bière à la main, peu pressés de revenir sur terre, leurs sens encore exaltés, l'esprit en déroute. Irwan se décida à parler :

— Maud, fit-il d'une voix basse, je crois que nous n'aurions pas dû. Mais j'étais malade de désir, j'avais peur de te perdre si j'attendais.

— Tais-toi. Ce n'est pas grave. C'était inévitable, je pense. Combien de fois, en deux ans, j'ai eu envie de toi, de te garder le soir, quand tu venais dîner… Et le jour du pique-nique au bord de la Charente, je me disais que, peut-être, il se passerait quelque chose. Mais tu avais invité Xavier à boire le café.

— Je m'en souviens, c'était pour me protéger, pour savoir si tu tenais à lui. J'ai fait fausse route, tu ne t'es pas trahie.

Ils s'embrassèrent gentiment, en vieux amis contents de leur intimité nouvelle. Maud éprouvait des sentiments mitigés quant à l'avenir de leurs relations. Curieusement, elle ne pouvait définir ce qui la liait à Irwan. Complicité, attirance, amitié ou amour, tout se mêlait. Pourtant, elle était heureuse et préférait repousser ce genre de doutes. D'un mouvement las, elle se leva, reprit son poste d'observation. L'inspecteur Vernier, avec un soupir, songea à ce qui venait de se passer. Il s'interrogea lui aussi, car ils avaient tellement l'habitude de travailler ensemble, de se voir à n'importe quelle heure, selon les impératifs des enquêtes en cours. À présent, qu'adviendrait-il de leur entente passée?

Pour couper court à ces questions, Irwan appela le Central et demanda l'inspecteur Boisseau.

Quand la voix de Xavier se fit entendre, Maud sursauta, gênée. Elle se promit que leur cher camarade ne saurait jamais rien. Puis elle se fit attentive. Xavier parlait d'Annie:

— Les deux échantillons de cheveux ont été analysés: ce sont les mêmes, pas de doute. La barrette est bien à la gosse. Reste à savoir ce qui s'est passé dans la cave de Villeret. Le patron est retourné là-bas avec Élisabeth et Marcel pour mieux examiner les lieux. Quoi de neuf de votre côté, les amoureux?

— Rien, le néant, déclara Irwan en adressant un clin d'œil complice à Maud. J'ai bien envie de filer rue de Bélat rejoindre le patron.

— Non, non, reste où tu es. Le patron y tient justement. Il a de sérieux soupçons en ce qui concerne la mère d'Annie. Faites une partie de poker si vous trouvez le temps long. Il y a un jeu dans la boîte à gants.

— Merci, mon vieux, mais on a d'autres distractions, Maud et moi, mais ce n'est pas de ton âge, plaisanta Irwan avec une pointe d'ironie.

— Très drôle, Vernier, vraiment très drôle. Je vous laisse, j'ai du boulot, mes enfants, comme dirait le patron. Salut.

Le silence à nouveau, l'attente d'un fait intéressant qui d'après eux ne se produirait pas. Maud regarda sa montre. Il était plus d'une heure du matin. À cet instant précis, quelqu'un sortit de l'immeuble, une silhouette fine d'adolescente.

— Irwan, viens vite, c'est Léna. Qu'est-ce qu'on fait si elle s'éloigne?

— On la suit à distance, sans se faire repérer.

La jeune fille marchait d'un pas rapide. Elle obliqua à travers une pelouse, pour s'enfoncer dans l'ombre, près d'un buisson. Irwan, qui détaillait l'endroit attentivement, dit très vite :

— Il y a quelqu'un qui l'attend. Je distingue un reflet, sûrement un garde-boue de moto ou de mobylette.

Effectivement, au bout de cinq minutes, Léna réapparut au bras d'un jeune homme. Ils s'embrassèrent, puis marchèrent sans hâte dans le jardin, loin de penser qu'ils étaient surveillés.

— J'ai l'impression que ce rendez-vous ne nous concerne pas. Cette petite Léna a sans doute besoin de réconfort.

— Oui, toutes les femmes sont ainsi. Moi aussi j'avais besoin de réconfort, déclara Maud avec un léger rire.

— Ce n'était que ça ? Tu aurais dû le dire plus tôt. Tiens, le gamin s'en va déjà. C'est bref, à leur âge.

— Ne sois pas cynique, pas cette nuit, je t'en prie. Dis, si on tentait le coup ? Si on parlait à Léna ? Sans sa mère pour l'épier, on en saurait peut-être plus long sur Ozon et sur Annie.

— Ce n'est pas une mauvaise idée, mais c'est aléatoire. Elle est mineure et, de plus, elle risque d'être effrayée, d'en parler à sa mère, qui se méfiera ensuite.

— Dommage. Elle ne va pas tarder à rentrer. Laisse-moi y aller, j'ai l'intuition que ça serait positif.

— O. K., file, on prend le risque. De toute façon, honnêtement, mon flair me dit que madame Darmon est innocente.

Maud fit glisser la portière, descendit de l'estafette pour s'élancer vers l'adolescente avec un signe de la main. Léna se figea sur place, effarée.

— Qu'est-ce que vous voulez? balbutia-t-elle.

— N'aie pas peur, on est là pour te protéger. Viens un peu plus loin, je vais t'expliquer. Écoute, on surveillait l'immeuble au cas où. On pense que ta sœur a bien été enlevée. Quand je t'ai aperçue, j'ai eu envie de te parler comme à une adulte, sans ta mère, tu comprends?

— Oui, mais j'aime pas qu'on m'espionne. Vous n'allez pas dire à maman que je vois un copain la nuit?

— Mais non, pas du tout, ça ne nous regarde pas, tu sais. Ce qui m'intéresse, ce sont vos relations, à Annie et à toi, avec votre père, avant…

— On l'aimait beaucoup, surtout ma sœur. Elle est plus vieille que moi, elle l'a mieux connu. Mais il nous écrivait souvent, chez une copine, et on allait le voir en cachette. Il était si gentil. Le problème, c'est maman. Elle le haïssait, je ne sais même pas pourquoi.

— C'était dur comme situation, non?

— Oui, plutôt. Annie comptait vivre avec lui à sa majorité, mais, bon, elle a disparu et lui aussi.

Léna éclata en gros sanglots enfantins et s'appuya contre Maud, très émue par le chagrin de l'adolescente.

— Ne t'inquiète pas, Léna, on va retrouver ta sœur. Dis, c'est toi qui pleurais le jour où nous sommes venus, l'inspecteur Vernier et moi? C'était à cause de ton père?

— Ben oui, je ne comprenais rien. Maman m'a dit ça si brutalement. Je ne savais pas si c'était vrai. Et puis, j'ai tellement peur pour Annie. Ce jour-là, devant vous, sous le regard de maman, je n'ai pas voulu montrer ce que je ressentais. J'ai joué la comédie; je suis habituée. Depuis six ans…

— Tu te débrouilles bien, quand même. J'étais stupéfaite de te voir aussi indifférente.

— Il fallait bien, sinon, ça aurait été terrible après. Là, elle m'a félicitée pour mon sang-froid. Vous savez, je la déteste, ma mère, et ça me fait honte.

— Un jour, ça ira mieux, tu verras. Il est gentil, ton copain?

— Oui, je l'aime bien, il est vraiment sympa.

— Et ta sœur, elle avait quelqu'un aussi?

— Non, pas en ce moment. Avant, il y avait Luc, mais elle l'a quitté. C'est une fille formidable, Annie. J'ai su tout de suite qu'il lui était arrivé quelque chose de grave, parce que, sinon, elle se serait arrangée pour me donner de ses nouvelles et me rassurer. Et puis, les fugues, c'est pas son genre. Elle est majeure dans deux mois; alors, elle attendait.

— Léna, on fera l'impossible pour l'aider, d'accord? Rentre vite. Ta mère pourrait s'apercevoir de ton absence. Allez, courage.

— Merci, madame, mais j'ai le temps: maman a pris des somnifères. Elle est folle d'inquiétude pour Annie. Le médecin lui a dit qu'elle devait dormir. C'est pour ça que j'ai pu appeler Carlo, mon copain, et le voir un peu. Bon, salut.

Maud rejoignit Irwan dans un drôle d'état. Elle était gênée de s'être montrée si optimiste en face de Léna, alors qu'une angoisse affreuse la reprenait au sujet d'Annie et de Nadia. Le temps de parler à l'adolescente, de monter dans le véhicule, elle était redevenue à part entière l'inspecteur principal Delage, laissant de côté la femme sensuelle qui s'était donnée à un homme ardemment désiré. Irwan semblait dans les mêmes dispositions. Il l'interrogea du regard dès qu'elle entra.

— Alors, qu'est-ce qu'elle t'a dit?

— Rien de sensationnel. Mais on peut partir. Je crois que nous faisons fausse route en surveillant cette femme. La gamine a des accents de sincérité indéniables, et, d'après elle, sa mère est vraiment inquiète. Qui sait? Devant nous, elle joue sans doute les dures, par fierté.

— Ouais, possible. Bon, dans ces conditions, on décampe et on va voir ce qui se passe rue de Bélat. Le patron s'y trouve peut-être encore. On pourra démonter ses soupçons sur madame Darmon.

Pour regagner le plateau, Irwan suivit l'avenue Wilson, longeant l'enceinte du Jardin vert, et, à la vue de l'église Saint-Ausone, ils échangèrent tous les deux un regard anxieux.

— C'est bizarre, commenta Maud. Comment ont-ils réussi à entrer dans ce monument, en pleine ville, avec un cadavre? C'est fréquenté par ici, avec la clinique Saint-Joseph et le Jardin vert.

— Oui, je me creuse la tête pour comprendre. Ils sont malins, bien organisés, machiavéliques. Tu as remarqué? On dit toujours « ils » au pluriel en parlant de ces mystérieux criminels, car, en fait, ils sont obligatoirement plusieurs pour œuvrer ainsi, en silence, comme des fantômes.

— Nous avons peut-être affaire à un groupe d'hommes invisibles, qui sont là avec nous dans l'estafette! lança Maud sur le ton de la plaisanterie, ce qui fit rire Irwan, un peu surpris cependant, car sa collègue n'avait pas coutume de faire de l'humour. Il se dit qu'elle devait être gaie, comme lui, et qu'ils pourraient bien, après tout, finir la nuit ensemble.

Le destin ne leur en laisserait pas le temps, mais cela, Irwan l'ignorait. En cette nuit de juillet, la ville endormie leur semblait pleine de charme. Les arbres des remparts déployaient un feuillage abondant que les réverbères illuminaient en transparence. La statue Carnot elle-même paraissait plus majestueuse, et les façades des maisons conféraient à ces quartiers tranquilles une poésie surannée.

— Quelle belle ville! chuchota Maud en posant une main caressante sur le bras d'Irwan. J'aimerais bien la visiter en long et en large un jour, sans me presser, mieux la connaître…

— Tu en trouveras sûrement l'occasion un jour. Mais chaque fois que tu as des congés, tu pars pour la Bretagne.

— Toi aussi.

— C'est vrai, mais moi, je connais la ville. Tiens, la voiture de Marcel…

Ils étaient rue de Bélat, devant la porte de Gérard Villeret. Irwan parvint à garer l'estafette à une dizaine de mètres et, deux minutes plus tard, le commissaire Valardy leur ouvrit.

— Ah! vous voilà. Et votre planque?

— Négatif, patron, sincèrement. Il faut laisser tomber cette piste. On s'est dit qu'ici il y avait peut-être du nouveau.

— Oui et non. La déclaration d'un des voisins m'a intrigué. Venez dans la cave. En fait, la dame qui habite la maison de gauche a le sommeil léger et, la nuit dernière, elle a déclaré avoir entendu une voiture se garer devant la maison de Villeret. Une des roues a heurté le trottoir, un détail qui l'a marquée. Elle a cru que c'était Villeret qui rentrait, car la porte a claqué, il y a eu des bruits dans le jardin. Hélas, cette dame n'est pas assez curieuse, et elle ne s'est pas levée. Mais elle affirme que, très vite, la voiture a redémarré et que, le lendemain, tout était fermé, comme la veille. Pour sa part, elle certifie que ce visiteur devait avoir la clef et n'a pas passé plus de cinq minutes à l'intérieur.

Ils étaient dans la cave, où Marcel faisait des croquis sur un carnet. Le commissaire reprit:

— Le malheur, Irwan, c'est que vous avez déjà fouillé la cave cet après-midi et, ce faisant, vous avez dû brouiller certaines traces. On a trouvé d'autres cheveux, et, sur le sol, on remarque des traînées, des empreintes étranges. Tenez, regardez, là par exemple.

Maud se pencha, distingua en effet de larges marques, comme si on avait fait glisser quelque chose par terre.

— Patron, je donnerais cher pour savoir ce qui s'est passé ici, dit-elle très vite.

— Moi aussi, mais je me demande surtout comment ils ont pu entrer sans se faire remarquer, décharger d'une voiture le corps de Villeret, le déposer dans le jardin. Et pourquoi la barrette d'Annie dans la cave, ici, sous nos pieds…

— Elle a pu la faire tomber volontairement, pour laisser une preuve de son passage! s'écria soudain Maud.

— Pas bête, ça, répondit Irwan, et, dans ce cas, ça signifierait qu'elle savait qu'on retrouverait Villeret mort dans le jardin, que la police viendrait ici et fouillerait la maison. Logique. Donc, elle savait Villeret condamné; elle a tenté quelque chose.

— Oui, ça tient debout, marmonna le commissaire, mais c'est maigre comme message. On a gratté, passé le sol au tamis, c'est tout ce qu'il y a. Aucune lettre tracée dans la terre, on a vérifié. Bon, remontons prendre l'air, il fait frais là-dedans.

Maud laissa passer les trois hommes, puis se

dirigea à son tour vers l'escalier de pierre. Et là, par hasard, simplement en prenant garde de ne pas trébucher contre la première marche, plus large que les autres, elle remarqua, malgré le mauvais éclairage, un fait singulier qui l'arrêta net.

— Non, je suis folle, c'est impossible.

Cependant, elle recula, passa une main incrédule sur le calcaire froid et rugueux. La lourde pierre qui servait de marche bougea légèrement et, contrairement aux autres, elle ne semblait pas taillée d'une seule pièce dans le roc. Ses doigts sentirent même, à un endroit, un souffle d'air. Irwan, étonné de ne pas la voir remonter, l'appela :

— Maud, qu'est-ce que tu fais? Viens, on t'attend pour faire le point. Il y a un appel radio.

— J'arrive! cria-t-elle. Une dernière fois, elle tenta d'ébranler la marche. Ses efforts étaient si ridicules qu'elle se jugea immédiatement stupide, victime de son imagination débordante et de sa lassitude. Cette pierre était descellée, voilà tout, un peu enfoncée dans le sol, et l'air devait venir du soupirail. Déçue, elle rejoignit ses collègues à l'instant où l'émetteur portable du commissaire lançait un appel radio.

— Oui? Valardy. J'écoute.

— Patron, c'est Xavier. Grosse surprise : on a retrouvé une des gosses. Nadia, la rousse.

Maud écouta, le cœur battant à se rompre. Irwan était dans le même état de curiosité et d'anxiété. La voix de l'inspecteur Boisseau était au diapason de leur fébrilité.

— Venez vite au Central. On va la transporter à Girac. Une voiture l'a renversée, route de Périgueux, à hauteur du Pontaroux. Je vous expliquerai les détails. De toute façon, pour le moment, elle est choquée suite à l'accident. Si c'en est un…

Le commissaire coupa la communication et s'élança vers la porte donnant sur la rue, suivi par Irwan, Maud et Marcel. Ils se précipitèrent tous vers leur véhicule respectif avec nervosité.

La maison de l'historien, une des plus anciennes de la rue de Bélat, retomba dans le silence et l'obscurité. Ces quartiers avaient été érigés au XIX$^e$ siècle, époque où la ville avait pris de l'ampleur et voulu s'offrir des immeubles cossus, mais les entrailles de la falaise abritaient des vestiges séculaires, qui dataient de ces temps agités où les remparts avaient leur raison d'être. Des souterrains, des caves et des passages – tout un réseau, en fait – avaient subsisté, parfois comblés ou murés, parfois ignorés ou oubliés. Pour cette raison, dans la cave de Villeret, dès que la police eut vidé les lieux, un rai de lumière se dessina autour de la première marche, celle posée sur le sol poussiéreux, celle que Maud avait examinée avec curiosité. La lueur ourla la lourde pierre d'un liseré doré, puis s'éteignit.

## 6

Ils étaient à Girac, à l'entrée des urgences. Nadia était encore allongée dans l'ambulance, les yeux fermés. Une infirmière installait le matériel nécessaire pour une perfusion. Debout près du commissaire Valardy, Maud fixait intensément le joli visage de l'adolescente. Sur la couverture de la civière, ses cheveux roux, ondulés, faisaient une tache flamboyante, émouvante.

— C'est grave? demanda-t-elle à l'infirmière.

— Non, et je pense qu'il n'y a aucun risque de complications. Quelques contusions, un bras cassé, mais cela aurait pu être pire. Elle est encore sous le choc.

— Est-ce qu'elle nous entend? questionna Irwan.

— Non, enfin, on ne sait jamais. Bien, il faut l'emmener maintenant. Le médecin a consenti à vous attendre, mais Nadia a besoin de soins et de calme. Vous préviendrez ses parents?

— Oui, bien sûr, dit tout de suite Maud, soulagée de savoir l'adolescente hors de danger. Patron, prévoyez-vous une surveillance de sa chambre?

— Oui, évidemment. Je vais mettre ça au

point avec le chef du service. Marcel, va dans la voiture. Demande deux hommes au Central.

Irwan et Maud assistèrent au départ de Nadia vers le bloc radio tout en échangeant leurs idées sur ce coup de théâtre qui risquait de faire avancer leur enquête d'un bond de géant.

— Si elle pouvait parler, dit Irwan, on aurait sûrement un moyen de lutter contre ces cinglés. Au fait, le patron m'a donné rapidement le résultat de l'autopsie de Villeret. C'est le même procédé que pour Ozon : poignardé, drogué, les mêmes marques. La seule différence, ce sont les estafilades sur le visage. La mort remonte à la nuit dernière.

— Ce qui me tracasse, ajouta Maud, c'est de ne pas savoir, pour Nadia, si elle s'est échappée ou non, et pourquoi elle s'est fait renverser par une voiture. C'est rageant de s'imaginer un tas de possibilités sans avoir de réponses.

— C'est pénible, en effet. Tiens, voilà le patron.

Le commissaire leur sourit, mais ses yeux avaient une expression dure, qui laissait deviner son irritation.

— Allez, les enfants, retour au Central, et vite.

Là-bas, Xavier les attendait. Il était pâle, mais conservait, malgré les heures sans sommeil, sa bonhomie habituelle, si précieuse à tous dans de tels moments. Tout en les informant de ce qu'il avait appris sur l'accident de Nadia, il leur servit un café, que chacun apprécia vu l'heure tardive.

— Le conducteur de la voiture a appelé, de la

cabine du Pontaroux, les gendarmes de Villebois. Comme ils avaient l'avis de recherche avec photo et le signalement des deux filles disparues, ils ont tout de suite téléphoné ici quand ils ont reconnu Nadia. L'homme qui l'a renversée doit venir témoigner. D'ailleurs, il ne devrait plus tarder. J'ai prévenu les parents; ils sont partis pour Girac. Voilà ce qui s'est passé, d'après les premières déclarations du conducteur, monsieur Jean-François Boudet. Il rentrait à Dirac, où il réside, revenant de Brantôme, et roulait à une allure moyenne. À hauteur du Pontaroux, il dit avoir ralenti pour traverser le village et changer de cassette. Peu de temps après, sur sa gauche, il a vu une silhouette de femme s'engager sur la chaussée, là où une petite route, celle qui va à Gardes-le-Pontaroux, rejoint la nationale. Il pensait qu'elle allait reculer ou s'arrêter. Il a continué d'avancer et affirme que la jeune fille s'est littéralement précipitée devant la voiture avec de grands gestes. Heureusement, il n'y avait aucun autre véhicule en sens inverse, ni derrière lui. Nadia a heurté l'aile avant gauche, puis s'est effondrée sur la route. Là, il a paniqué, s'est garé sur le bas-côté pour lui porter secours. De crainte qu'une voiture ne déboule sans voir le corps, il a soulevé et allongé la jeune fille sur l'herbe, dans la lumière de ses phares. Je n'en sais pas plus.

— Elle cherchait du secours! s'écria Maud. C'est évident, sinon elle n'aurait pas agi ainsi.

— On a au moins une piste sérieuse, maintenant! s'exclama Irwan. Il faut inspecter dans ce périmètre tous les bâtiments désaffectés, les fouiller en détail.

— On va envoyer une patrouille immédiatement dans ce secteur, ajouta le commissaire. Irwan, on les accompagne. Maud et Xavier, vous prenez la déclaration de Jean-François Boudet et vous attendez un appel de Girac. Ils doivent nous prévenir dès que la gosse reprend connaissance. Dans ce cas, vous filez là-bas et vous essayez d'en savoir plus. Ils n'avaient pas l'air de comprendre la gravité de l'affaire. J'ai mis les choses au point. On vous tient au courant de nos recherches par radio. On y va, à plus tard.

— Un autre café, Maud? plaisanta Xavier devant la mine livide de sa collègue.

— Oui, je veux bien. Je suis un peu sonnée par tout ça. Enfin, Nadia est sauvée. Mal en point, mais en sécurité. Ses parents doivent être fous de joie.

— Dis, on pourrait peut-être prévenir son copain, l'impétueux Clément. Il s'inquiétait, le pauvre gosse.

— En pleine nuit, il va avoir un vrai choc en entendant le téléphone. On l'appellera demain matin, dans deux ou trois heures, en fait, soupira Maud en s'étirant.

Xavier approuva, s'installa dans un fauteuil d'un air extasié, au moment précis où Antoine faisait irruption pour lui dire que Jean-François Boudet, le témoin numéro un dans l'accident de Nadia, était arrivé.

— Et zut! J'y vais. Repose-toi, Maud, c'est de la routine, je reviens.

— Pas question, je te suis. Cette histoire m'intéresse au plus haut point. Je veux tout entendre.

*

De l'autre côté de la ville, là où s'étendaient les bâtiments de l'hôpital de Girac, dans une petite chambre silencieuse, une jeune fille semblait dormir. Elle était seule; ses parents étaient restés un quart d'heure à son chevet avant de descendre dans le hall d'accueil pour boire un café en discutant inlassablement de l'état de leur enfant. Ils étaient rassurés : elle était vivante, et deux policiers veillaient devant sa porte. Tout cela, Nadia l'ignorait encore. Elle était plongée dans une léthargie étrange, et des images cruelles la harcelaient, si bien qu'elle tournait la tête de droite à gauche sur son oreiller, comme pour leur échapper.

D'abord, il y avait l'ombre omniprésente qui la cernait, une obscurité intense parfois coupée de reflets dorés, ceux que dispensaient des torches. Ensuite, il y avait toutes ces silhouettes vêtues de bure marron, portant une cagoule qui leur dissimulait le visage. Ils étaient nombreux, mauvais, brutaux, des monstres à forme humaine. Annie! Elle voyait Annie en larmes, les mains attachées, ses cheveux blonds défaits, Annie nue, livrée au même examen humiliant qu'elle-même avait subi avant de sombrer dans l'horreur. Tous ces hommes masqués qui avaient abusé d'elle avaient malmené sa pudeur, son corps gracile.

Enfin, Nadia revit la longue pierre blanche où était étendu le corps d'un vieil homme qui gémissait de souffrance. Annie s'était caché les yeux quand une des silhouettes en robe de moine avait levé un poignard au-dessus de Gérard Villeret, mais Nadia avait regardé, fascinée, terrorisée, prise dans les lacets d'un cauchemar. Celui qui avait tué portait une cagoule noire, contrairement aux autres. Il avait une voix glaciale, une voix de fou.

Nadia hurla au souvenir du geste qui transperçait un innocent honteusement dénudé. Elle hurla tellement que les deux policiers se précipitèrent dans la chambre, ainsi que la garde de nuit.

— Elle est réveillée, elle parle!

— Ses yeux sont fixes, elle délire.

— Elle va reprendre connaissance. J'appelle le patron vite fait.

Dix minutes s'étaient écoulées quand Maud et Xavier, selon les consignes du commissaire, accoururent à Girac. Ils furent bientôt au chevet de l'adolescente, qui, le bras droit plâtré, se débattait contre un ennemi invisible, criant et pleurant. L'infirmière avertit les inspecteurs qu'elle devait sans tarder lui administrer un sédatif.

— Je vous en prie! s'écria Maud. Accordez-nous un instant. Elle peut nous apprendre quelque chose de capital, même si elle délire.

— Elle n'a rien dit de précis, de bizarre avant notre arrivée? interrogea Xavier d'un ton ferme.

Un des gardiens répondit, maussade:

— Elle a parlé d'Annie, ça, j'en suis sûr. Et elle a hurlé comme une démente.

Maud supplia l'infirmière du regard, et celle-ci sortit en précisant qu'elle allait chercher le médecin-chef. Les deux hommes retournèrent dans le couloir.

— On va attendre, lui parler doucement, murmura Maud en prenant la main de la malade, un geste de compassion que personne n'avait osé depuis l'arrivée de la jeune blessée au centre hospitalier. Nadia, tu es sauvée. Tu es à Angoulême, tu ne risques plus rien. Tu m'entends?

Nadia ne réagit pas, mais ses doigts se crispèrent sur ceux de Maud tandis qu'elle clamait d'une voix plaintive:

— Annie, ils vont la tuer. Annie! La lune, il ne faut pas… La lune, la lune… Maman, j'ai peur.

Extrêmement attentifs, penchés sur l'adolescente qui s'était tue de nouveau, les deux inspecteurs retinrent leur souffle. Maud examina machinalement la main tiède qu'elle emprisonna dans la sienne, découvrit des ongles sales, souillés par de la terre desséchée.

— Regarde, Xavier, ses ongles. On dirait de l'argile. Elle a dû gratter le sol. Mon Dieu, où était-elle? Nadia, parle-nous. Où est Annie?

Mais la jeune fille respirait mal. Elle ouvrit sur le plafond des yeux hagards. Elle marmonna:

— Angoulême, je dois aller à Angoulême…
Au secours, maman, maman… La lune ronde! La
lune ronde!

À cet instant, un médecin entra dans la pièce,
suivi des parents de Nadia. Xavier, qui notait les
propos incohérents de la malade, rentra vivement
son carnet. Avec un air outragé, le médecin leur
demanda de sortir immédiatement.

— Vous ne respectez rien, vraiment! Cette
pauvre gosse est en train de délirer. Il est impératif de la laisser dormir, récupérer. Si elle va mieux
demain, vous pourrez revenir. Le commissaire
Valardy m'a expliqué vos raisons, mais je vous
en prie, restez humains, ayez pitié de son état.

Maud protesta, pathétique avec ses traits tirés
par la fatigue, son regard bleu cerné de mauve:

— Nous sommes restés humains. Je lui ai pris
la main, et elle s'y est accrochée comme à une
bouée de sauvetage. Madame, ajouta-t-elle en
s'adressant à la mère de Nadia qui venait d'entrer
dans la chambre, vous pourriez me remplacer. Je
suis certaine que ce serait bénéfique pour votre
fille.

— Je craignais de la réveiller; je n'osais pas,
balbutia la femme en reniflant d'émotion.

Xavier était déjà sorti, mais Maud s'attardait.
Elle demanda d'une voix douce mais autoritaire
que l'on prenne note des moindres paroles de
Nadia. Ensuite, elle déclara avec ardeur:

— Il y a une autre enfant en danger. Sa famille
espère la retrouver vivante. Nous sommes obligés d'être efficaces, à tout prix. Au revoir.

Sur ces mots, elle rejoignit l'inspecteur Boisseau dans le large couloir, s'accrocha à son bras :

— Mais qu'est-ce qu'on va faire? Tu l'as entendue, cette gamine? Elle doit revenir de loin. Ce qu'elle dit est troublant.

Dans la voiture, Xavier relut ses notes, se gratta le menton d'un air perplexe avant de conclure :

— Ça se tient, ce qu'elle dit, à la réflexion. Écoute : elle veut aller à Angoulême, elle appelle sa mère au secours, un réflexe normal, et répète aussi qu'ils vont tuer Annie. Remarque, ça, on s'en doutait un peu. Nous sommes en face d'une énigme, un rébus à résoudre le plus vite possible, cette nuit ou la prochaine. C'est évident : Nadia s'est jetée en état de transe sur la voiture de Boudet. Elle craignait sans doute qu'il ne s'arrête pas. Justement, c'est un indice important. Pour agir ainsi, il y avait urgence.

— Et la lune, elle en a parlé plusieurs fois. Pourquoi la lune? Je ne vois pas le rapport, fit Maud en frissonnant.

Xavier, avant de démarrer, entoura d'un bras les épaules de la jeune femme, l'attirant contre lui. Elle s'abandonna un instant, réconfortée par la chaleureuse amitié que lui témoignait son collègue.

— Pour la lune, on va trouver une solution. Dis donc, lui susurra-t-il ensuite à l'oreille d'un ton paternel. Depuis quand vas-tu travailler dans une tenue pareille? Tu as subjugué tout le Central avec ta minirobe. Et tout l'hôpital. Il n'a pas dû s'ennuyer, Irwan. Même le patron t'a jeté un coup d'œil surpris chez Villeret. Marcel me l'a dit. Remarque, je préfère ça à tes éternels jeans.

— Tu ferais mieux de démarrer. On doit rentrer et vite.

— Oui, tu as raison.

— Quelle journée! fit-elle en bâillant. Il me semble que c'était il y a un siècle au moins, notre virée à Villebois.

— C'est vrai. Et tout à l'heure, tu as la visite d'Hélène Thomas; après quoi, on retourne tous les deux là-bas pour rencontrer le docteur Georges Norbert.

— Je n'en peux plus.

— Tu sais ce qu'on va faire? Tu vas rentrer chez toi t'allonger un peu et dormir. Il est 5 heures. Tu as environ quatre heures de sommeil devant toi. Sinon, tu ne tiendras pas le coup demain. Tu es même incapable de raisonner, je crois.

Maud rêva une seconde à son lit douillet, puis se reprit:

— Non, impossible. Je suis de service, et toi aussi. On doit tenir. Ou bien je n'avais qu'à choisir un autre métier. Et je veux savoir où en sont les recherches du patron et d'Irwan. Je dormirai une heure ou deux dans mon bureau. Le fauteuil est confortable.

— Ne sois pas bête. Va chez toi, ne serait-ce que pour te changer. S'il y a du nouveau du côté de la patrouille, je te téléphone aussitôt et je passe te prendre, d'accord? Tu mets ton réveil à sonner vers 9 heures, et moi, j'essaie de prévenir le patron. Il comprendra très bien qu'il était indispensable que tu récupères.

— Bon, tu as gagné, marmonna Maud, qui avait fermé les yeux depuis quelques instants. Dépose-moi à la maison.

— Nous y sommes.

Surprise mais enchantée d'être déjà à destination, Maud descendit de la voiture, ses clefs à la main. Les yeux brûlants de fatigue, elle fit un petit signe d'au revoir à son protecteur qui repartit à grande vitesse vers le centre-ville.

L'inspecteur Boisseau, lissant d'un doigt sa moustache brune, se félicita de son initiative : il estimait avoir agi pour le bien de sa collègue. Pourtant, dans moins de six heures, il allait regretter amèrement sa mansuétude, dictée par sa galanterie coutumière.

Pendant ce temps, Maud était entrée chez elle. Elle s'était déshabillée en toute hâte pour se jeter sur son lit. Le jour se levait, mais elle ne s'en aperçut pas, car elle s'endormit instantanément. La sonnerie familière du téléphone la réveilla une heure plus tard. Elle décrocha, se redressa en sursaut, incapable de reprendre rapidement ses esprits. Une voix jeune, féminine, qu'elle ne connaissait pas, lui parla par saccades :

— C'est vous, l'inspecteur Delage ? Venez vite, je vous en prie, c'est Annie. Je suis au Jardin vert avec ma sœur. Je ne peux rien vous dire de plus. Venez seule. C'est grave. Après, vous nous emmènerez au commissariat, mais on ne peut pas bouger. Et si vous venez accompagnée, nous sommes perdues.

Maud était tout à fait réveillée à présent. Son cœur sauta en bonds désordonnés dans sa poitrine. Elle répondit en tremblant :

— Où, au Jardin vert ? Et comment avez-vous pu vous enfuir ? Annie, parlez-moi. D'abord, d'où appelez-vous ?

— De la cabine devant le lycée Guez de Balzac. Je dois raccrocher. Trop dangereux. On vous attend sous la falaise, devant les grottes de Saint-Cybard.

La jeune fille avait raccroché. Maud, perplexe et affolée, hésita. Le sommeil embrumait encore ses capacités de raisonnement. Un moment, elle crut avoir rêvé et faillit se recoucher. Enfin, elle se leva d'un bond :

— Je suis folle. Vite, je dois y aller.

Elle courut vers la salle de bains, s'aspergea d'eau fraîche, passa un caleçon bariolé et une grande chemise beige. Elle prit son sac sur la table de la cuisine en vérifiant qu'il contenait bien son arme et ses papiers. Elle se dit très vite qu'il serait préférable d'appeler Xavier, mais le temps lui semblait filer à une allure dangereuse.

*Tant pis. Elle m'a dit de venir seule, j'y vais ; ensuite, on file au Central.*

Par acquit de conscience, elle griffonna pourtant quelques mots sur le tableau blanc où elle notait d'ordinaire la liste des courses. Puis elle descendit quatre à quatre l'escalier avec une pensée reconnaissante pour Xavier qui l'avait obligée à rentrer chez elle.

*Elle est sauvée. Quelle chance! Vite, les clefs de l'Austin!*

Maud démarra en trombe, roula dans les rues désertes jusqu'à la place Beaulieu, se gara ensuite le plus près possible de la rampe étroite pour dévaler au pas de course vers les zones les moins fréquentées du parc public. Un souvenir la troubla soudain. Elle se revit sous terre derrière un certain Daniel, il y a plusieurs mois, lors d'une enquête périlleuse. L'air vif du matin l'ayant ranimée, un détail l'arrêta à quelques mètres de la grotte indiquée par Annie, où un saint de la région, Cybard, avait vécu en ermite des siècles auparavant. Elle se demanda enfin comment la jeune fille disparue et tant recherchée avait pu lui téléphoner, pourquoi elle connaissait son nom.

*Que je suis bête!* se dit-elle avec un soupir de soulagement. *C'est Léna, bien sûr, et, depuis cette année, je suis dans l'annuaire malgré les avertissements d'Irwan, qui préconise à chacun la fameuse liste rouge.* Un pas discret la fit se retourner, et, le sourire aux lèvres, Maud s'apprêta à accueillir Annie et sa jeune sœur. Mais ce qu'elle vit était bien différent, et son expression joyeuse s'effaça aussitôt pour se changer en un regard de bête traquée.

\*

Irwan revint seul à l'hôtel de police. Le commissaire Valardy était retourné à Girac accompagné de Marcel. Aux dernières nouvelles, Nadia dormait profondément, mais on espérait qu'à son réveil, elle pourrait parler de façon normale et fournir alors de précieux renseignements. Xavier sommeillait, la tête posée sur ses bras repliés. L'entrée de son collègue lui fit lever des yeux rouges de fatigue.

— Alors, vous avez trouvé quelque chose d'intéressant? demanda-t-il en s'étirant.

— Rien. On est bredouilles comme à la pêche, mon vieux. Je crois que je vais faire un somme dans le fauteuil. Où est Maud? Dans son bureau?

— Non, dans son lit. Elle n'en pouvait plus. Je l'ai déposée chez elle au retour de Girac. Elle ne va pas tarder, avec des croissants, telle que je la connais. Tu penses, il est bientôt 9 heures, et Hélène Thomas doit venir déposer à 10 heures. Tu veux un jus d'orange pour changer du café?

— Non, merci. Et pour Maud, tu as de la chance que le patron ne soit pas là : il nous veut tous à pied d'œuvre, même les jolies filles.

Irwan se laissa choir avec délices dans un fauteuil, ferma un instant les yeux avant de déclarer d'une voix pâteuse :

— Quelle virée on a faite, mon vieux Xavier! Je connais sur le bout des doigts les communes de Villebois, du Pontaroux, etc. N'oublions pas La Quina et ses falaises, ses illustres gisements préhistoriques, le Peyrat, avec l'ancienne demeure du célèbre docteur Henri-Martin, et toutes les fermes et maisons abandonnées du coin, jusqu'à la Rochebeaucourt et Blanzaguet.

— Drôle de manière de faire du tourisme, plaisanta mollement Xavier. Tiens, tu veux lire ça? Ce sont les paroles de Nadia, à Girac. Elle délirait. Je l'ai trouvée dans un drôle d'état. Un choc nerveux probablement. Mais, à mon avis, cela pouvait aussi bien être les conséquences d'une forte dose de drogue.

— Tu crois? Remarque, ça collerait avec leurs méthodes. Cette fois, nous en sommes sûrs, le patron et moi, nous avons affaire à une secte ou une confrérie de cinglés. On n'a pas perdu de temps en roulant à travers la campagne. Nous avons récapitulé tous les faits, les témoignages, pour découvrir, au bout du compte, qu'on piétine piteusement. Ce sont les mots du patron.

Élisabeth passa son charmant minois par la porte entrouverte.

— Bonjour! Vous avez des mines à faire peur, vous deux. Pas rasés, livides… Ça ne va pas?

— Mais si, rétorqua Irwan, agacé. On fait le point.

— Je t'accompagne à côté pour bavarder un peu, fit Xavier. Ça me réveillera.

Irwan resta seul, ferma à nouveau les yeux, impatient de revoir Maud. Il ne savait pas comment les choses évolueraient entre eux, mais, pour l'instant, il regrettait son absence.

Un bruit de pas tira l'inspecteur division-naire Vernier de son bref assoupissement. Il ignorait depuis quand il dormait et ne réalisa pas tout de suite que l'on frappait discrètement à la porte.

— Entrez.

— Bonjour, monsieur.

Hélène Thomas lui apparut, mince et blonde, dans une longue robe noire, le foulard bleu autour du cou. Irwan ne l'avait pas encore rencontrée. Il devina pourtant qui elle était.

— Hélène Thomas, c'est bien ça? dit-il en se levant.

— Oui. Je devais venir déposer à 10 heures, mais je n'ai pas encore trouvé l'inspecteur Delage, et on m'a envoyée ici.

— Bien, asseyez-vous, madame, je reviens. J'en ai pour une minute.

Irwan traversa le couloir, entra en coup de vent dans le bureau de Maud. Élisabeth était installée devant la machine à écrire. Elle fumait une cigarette et lança un regard exaspéré à celui qui venait de faire irruption dans la pièce.

— Où sont Xavier et Maud? J'ai besoin d'eux.

— Ils ne sont pas là.

— Hélène Thomas est dans mon bureau.

— Je sais, c'est moi qui te l'ai envoyée, puisque je ne suis pas encore habilitée à prendre seule des déclarations. Quant à Maud, Xavier est parti la chercher. D'après lui, elle a oublié de mettre son réveil à sonner.

Élisabeth parlait d'un ton calme, mais on la sentait nerveuse, contrariée. Irwan n'y prêta pas attention.

— Eh bien, je vais faire le boulot avec toi. Mais si le patron appelle, je risque de partir illico. Rien ne va plus ici.

L'inspecteur ne croyait pas si bien dire: Xavier ne tarda pas à rentrer, et le commissaire téléphona de Girac pour lui dire que Nadia dormait toujours. Selon le médecin, elle en avait pour plusieurs heures, car ils avaient dû lui administrer des sédatifs. Cependant, dans le bureau d'Irwan, Hélène Thomas s'impatientait. Elle ne comprenait pas pourquoi on la faisait attendre ainsi. Elle lui lança un regard de reproche en le voyant réapparaître.

— Pardonnez-moi, madame. Un petit problème. L'enquête avance. Nous sommes tous sur des charbons ardents. Suivez-moi à côté, je vais vous entendre, et l'inspecteur Delage prendra le relais dès son arrivée. Vous n'avez rien de neuf à nous signaler?

— Si, justement.

— De quoi s'agit-il?

— Je m'ennuie tellement. J'ai rangé les affaires de Louis-Marie, cela m'a réconfortée. J'avais l'impression qu'il allait revenir plus vite, vous comprenez?

— Oui, bien sûr, et alors?

— J'ai trouvé un agenda de l'année dernière. Je vous l'ai apporté d'ailleurs. Ce qui m'a étonné, ce sont des rendez-vous, à des heures tardives, avec un homme que je ne connais pas. Enfin, Louis-Marie ne m'en avait jamais parlé, et je me demande pourquoi. Regardez, c'est en février, là, durant la même semaine.

En lisant l'écriture régulière du compagnon d'Hélène, Irwan fronça les sourcils, surpris. Il songea que, décidément, le monde était petit: le disparu de Villebois – jusqu'à présent supposé vivant, le dernier de la liste à ne pas avoir été retrouvé en robe de bure, poignardé et grimé – avait noté: *Rendez-vous avec Jean-Michel Rouzière, 21 heures.*

— Tiens, déclara Irwan, c'est curieux…

Il revit le prêtre aux cheveux blancs, aux yeux clairs, penché sur une pile de documents historiques. Il lança un coup d'œil vers Hélène, puis réfléchit à cette coïncidence, si c'en était une.

— Votre ami était passionné d'histoire?

— Oui, il voulait même faire partie d'un cercle, mais il a renoncé. Je jugeais qu'il y consacrerait trop de temps. Je le connais, il trouve toujours des prétextes pour sortir le soir.

— Cet homme, Jean-Michel Rouzière, est prêtre, ce qui ne l'empêche pas de consacrer beaucoup de temps à l'histoire. Nous l'avons rencontré hier.

— Oui, mais attendez, j'allais oublier. Dans un de ses pantalons, celui qu'il portait la veille de sa disparition, je m'en souviens très bien, car j'avais nettoyé une petite tache, j'ai trouvé ça, une feuille de carnet.

Irwan s'en saisit, lut rapidement: *Reprendre d'urgence contact avec Rouzière.* Cette fois, l'inspecteur s'interrogea, puis demanda à la jeune femme:

— Je peux garder ces documents quelques heures? On ne sait jamais, c'est une éventuelle piste.

— Oui, bien sûr, je vous en prie, si cela peut aider à retrouver Louis-Marie.

Xavier choisit ce moment pour entrer d'un air renfrogné. Il jeta sur le bureau de Maud le quotidien du jour, puis lança d'une voix étrange :

— Maud n'est pas là?

— Tu le vois bien! s'écria Irwan. Elle n'est pas chez elle?

— Non, ça ne répond pas, et sa voiture n'est plus sur le parking. J'ai sonné un moment, croyant qu'elle dormait à poings fermés. Ensuite, je suis allé l'appeler d'une cabine. Rien. Pour finir, j'ai constaté que l'Austin n'était plus là. Je pensais qu'on s'était croisés et que je la trouverais ici. C'est bizarre, non?

Irwan sentit monter en lui une drôle d'angoisse, comme une sonnette d'alarme qu'il ne voulait pas écouter. Flegmatique, il déclara avec un geste de découragement :

— Madame a dû faire un tour en ville avant de venir au travail, ou passer voir sa protégée à Girac sans se soucier de ses engagements.

Élisabeth leva la tête, jeta un regard noir à l'inspecteur Vernier en s'écriant :

— Ce genre d'attitude ne ressemble vraiment pas à Maud. Nous ne sommes pas amies, mais je l'ai vue à l'œuvre. Il n'y a pas plus consciencieuse qu'elle. À mon avis, il y a un problème.

La jeune stagiaire venait d'exprimer tout haut ce que les deux hommes éprouvaient en secret : le sentiment que Maud avait encore fait des siennes et qu'il serait peut-être temps de réagir. Ils se regardèrent, prêts à discuter de ce nouvel incident, quand un cri aigu, suivi d'un sanglot déchirant, les fit sursauter. Hélène, le journal à la main, les dévisagea avec horreur, le souffle court. Elle venait de parcourir l'article qui relatait la mort criminelle de Villeret et d'Ozon, photos à l'appui, et n'avait pas tardé à faire le rapport avec la disparition de son bien-aimé :

— Et vous ne m'avez rien dit ! Vous enquêtez sur ces meurtres atroces et vous perdez votre temps à bavarder ici. Louis-Marie va mourir, je le sais maintenant. Ils vont le tuer, c'est écrit là : *On est sans nouvelles du troisième historien.*

Elle ne put en dire plus, se laissa tomber, en larmes, sur une chaise, secouée de frissons, les mains jointes sur sa poitrine.

— Bon sang ! soupira Irwan. Il ne manquait plus que ça. Je t'en prie, Élisabeth, occupe-toi de madame, raisonne-la, enfin, fais de ton mieux. On va voir chez Maud.

Ils se précipitèrent hors du bureau, les nerfs à vif, secoués par cette scène pénible, mais surtout anxieux de ne pas voir apparaître l'inspecteur Delage. Bientôt, ils entrèrent dans le studio de Maud. Par chance, Irwan avait retrouvé le double des clefs dans sa boîte à gants, car c'est lui qui venait nourrir le chat Albert quand sa collègue s'absentait pour plus de quarante-huit heures. En fait, il ne s'en était servi que deux fois en six mois et avait presque oublié leur existence.

— Dis donc, fit Xavier. Je ne savais pas que tu avais tes entrées chez Maud. Cachottier!

— Je n'ai utilisé ce jeu de clefs qu'en son absence, si ça peut te rassurer.

Ils tentèrent de plaisanter, mais le cœur n'y était pas. Albert accourut vers eux et se frotta aux jambes d'Irwan avec des ronronnements de joie. En quelques minutes, ils enregistrèrent les petits détails qui racontaient la courte nuit de leur collègue envolée. Elle avait jeté sa robe sur la moquette, ses escarpins aussi, et ne les avait même pas rangés. De toute évidence, elle avait dormi en travers de son lit. Le téléphone n'était pas à sa place habituelle, comme si elle l'avait reposé en hâte, et dans la cuisine régnait un léger désordre. Pourtant, on ne voyait aucune trace d'un éventuel petit-déjeuner.

Xavier ne comprenait pas, Irwan non plus. Puis ils découvrirent ensemble les mots écrits sur le tableau blanc : *Ne pas oublier la marche.*

Cette fois, ils demeurèrent ébahis, incrédules, comme si la jeune femme avait perdu la tête. Ces cinq mots bien ordinaires, incompréhensibles pour eux, leur semblaient d'une tragique absurdité vu les circonstances. Maud avait disparu, et le seul message qu'elle leur avait laissé, et qui ne les concernait sans doute pas, évoquait une énigme insensée. Xavier était blême de contrariété. Il se reprocha d'avoir obligé son amie à rentrer chez elle. Irwan, lui, céda à une colère froide, redoutable quand elle éclatait pour ceux qui étaient à ses côtés :

— Joli travail, Boisseau. Mademoiselle a dû encore filer on ne sait où, à ses risques et périls. Mais, bon sang, où est-elle? Qu'est-ce qui lui a pris de partir ainsi sans prévenir personne?

— Je suis désolé, mon vieux, je ne pouvais pas prévoir. Elle était crevée, à bout. J'ai cru bien faire. Je ne pouvais pas imaginer une minute qu'elle allait décamper aussitôt. Je devais même l'appeler si j'avais eu de vos nouvelles.

— Ouais, tu avais tout arrangé, c'est malin. Tiens, téléphone donc au Central. Elle est peut-être arrivée.

Xavier composa le numéro, posa la question cruciale qui les préoccupait et raccrocha, la mine déconfite :

— Non, elle n'est pas arrivée. Mais le patron, si, et il n'est pas content du tout : trois de ses inspecteurs manquent à l'appel.

— Bon sang, c'est pas vrai! Tant pis, il faut y aller. Quand il saura la vérité, pour Maud, on va passer un sale quart d'heure.

Xavier rectifia, lucide :

— Je vais passer un sale quart d'heure.

## 7

Maud, les mains attachées derrière le dos, les yeux bandés, se demandait ce qui lui avait pris de se jeter tête baissée dans un piège aussi grossier. Désespérée, elle ne s'accorda aucune excuse, ni son extrême fatigue ni son impatience folle de retrouver Annie saine et sauve. On venait de la jeter brutalement dans un endroit obscur et frais, et, tétanisée par une peur viscérale, elle restait debout sans oser faire un geste.

Quand elle avait vu ceux qui l'attendaient au fond du Jardin vert, au pied de la falaise, elle s'était sentie perdue, en danger de mort. Ces hommes travestis en moine, porteurs d'une cagoule rouge, lui avaient paru irréels dans la lumière tendre du matin. Irréels, mais effrayants, si bien que, prise de panique, elle avait saisi son arme trop tard, déjà terrassée qu'elle était par ce groupe silencieux qui avait de plus l'avantage du nombre.

Six hommes robustes contre une femme seule, elle n'avait même pas lutté. On l'avait tout de suite entraînée dans la grotte la plus proche. La scène n'avait duré que deux minutes, sans témoins, et Maud avait pensé très vite qu'on pouvait encore, en pleine ville, se faire enlever de jour par des fous déguisés en moines maléfiques, ce qui lui avait paru stupéfiant.

Comme elle connaissait un peu le réseau de souterrains qui parcourait les « dessous » d'Angoulême, elle avait vite compris qu'on allait l'emmener dans ce dédale humide et sombre, et sa frayeur s'était accentuée. Un homme lui avait bandé les yeux, l'avait bâillonnée, tandis qu'un autre lui attachait les mains derrière le dos avec un filin de nylon. Livrée à ces inconnus, plongée dans le noir total, Maud avait eu beaucoup de mal à se dominer. Seul son orgueil lui avait permis de rester stoïque. Elle était bien décidée à ne pas se donner en spectacle à ces illuminés qui jouaient on ne sait quel scénario dément.

Cependant, lorsqu'un des moines de carnaval lui avait passé une corde autour de la taille, en profitant pour remonter vers ses seins en une caresse brusque, elle avait tremblé de tout son corps, avec l'envie de hurler de terreur. Ils l'avaient fait marcher ainsi, traînée à bout de corde, et, malgré les déplorables conditions de cette excursion souterraine, Maud avait deviné qu'ils suivaient probablement le même parcours, celui que Daniel, un dealer d'occasion, leur avait fait découvrir lors de l'affaire des Eaux-Claires[2].

Malgré tout, des souvenirs et des pensées l'avaient assaillie durant ce cauchemar : *Nous*

---

2. Voir *Du sang sous les collines*, du même auteur.

*allons sortir à Soyaux, dans la vallée de Saint-Marcel. En vérité, ces souterrains sont très fréquentés. Xavier va s'inquiéter de mon absence. J'aurais dû leur dire où j'allais. Mon Dieu, j'aurais dû demander de l'aide. Le patron va être furieux.* Mais, comme pour lui donner tort, les moines avaient bientôt ralenti avant d'ouvrir une porte. Là, détachant la corde qui enserrait sa taille, ils l'avaient poussée violemment en avant, et elle s'était retrouvée seule, dans un lieu qui sentait le renfermé.

Combien de temps allait-elle demeurer là, pétrifiée, affolée? Le bâillon la gênait, lui sciait la commissure des lèvres; ses poignets étaient douloureux, mais ce n'était rien comparé à la déroute de son esprit. Mais elle tâchait de se ressaisir: un miracle allait se produire, on allait la sauver. Puis elle songea à Annie, à Nadia, aux trois hommes. Avaient-ils subi le même traitement?

Enfin, une image s'imposa à elle: le corps torturé de Gérard Villeret sous le bosquet d'hortensias. Elle ne voulait pas finir ainsi, il ne fallait pas, et, prise d'une nouvelle crise de panique, elle se laissa tomber sur le sol avec des sanglots convulsifs sous le bandeau que ses larmes détrempaient. Harassée, abrutie d'angoisse et de douleur, elle s'endormit à même la terre battue de son mystérieux cachot. C'était un mauvais sommeil, celui du renoncement, de la défaite.

À l'hôtel de police, l'atmosphère était proche

de la haute tension. Il y avait une réunion agitée dans le bureau du commissaire Valardy, à laquelle participaient Élisabeth, Irwan, Marcel, Xavier et Antoine. Toutes les pièces du dossier qui concernaient l'affaire de Saint-Ausone étaient étalées sur une table, et les discussions étaient véhémentes, le ton acerbe.

— Écoutez-moi bien : la situation empire; nous devons trouver une solution, et tout le monde doit s'y mettre! rugit le commissaire. Vous savez également que Maud a disparu depuis ce matin, entre 5 heures et 10 heures. Il est 14 heures. Il est évident qu'il lui est arrivé quelque chose de fâcheux. Je n'insiste pas sur la responsabilité de Xavier dans cette histoire, mais je lui accorde des excuses : son côté saint-bernard l'emporte souvent sur son sens de la discipline. Nous devons dénicher cette maudite secte qui utilise comme sceau la croix des Templiers, et nous reverrons peut-être Maud. Dans quel état, je n'en sais rien. Mais ils ont pris de gros risques en s'attaquant à un inspecteur, et ce coup de folie nous prouve que nous avons affaire à des gens qui ne reculent devant rien. Irwan, maintenant, relis à tes collègues les propos notés au chevet de Nadia. D'après moi, ces mots contiennent forcément des indices.

Irwan obéit, et chacun l'écouta attentivement, la tête baissée pour mieux réfléchir.

— Nadia a surtout parlé de la lune, reprit le commissaire. Quelqu'un voit-il une explication? Allez-y, faites travailler vos méninges. Il s'agit de sauver trois personnes.

Élisabeth se leva, marcha jusqu'à un calendrier accroché au mur :

— Moi, je pense à ces anciens sorciers qui sacrifiaient leur victime les nuits de pleine lune. Je suis assez branchée sur l'ésotérisme, et c'était une pratique courante.

La jeune femme brune, pour une fois vêtue très simplement d'une chemise en jeans et d'un pantalon assorti, ses longs cheveux noirs nattés sur le côté, leur sembla soudain moins futile, et son regard sombre exprima une détermination impressionnante. Elle ajouta, le doigt pointé sur la date du jour :

— Et vous pouvez constater que la pleine lune est indiquée au 10 juillet, soit après-demain. On peut supposer que Nadia a entendu parler d'une exécution le soir de la pleine lune.

— Nous sommes en plein délire, soupira Marcel tout en essuyant ses lunettes d'une main tremblante.

— Ce qu'avance Élisabeth pourrait convenir comme explication, déclara le commissaire qui faisait les cent pas. Au point où nous en sommes, il faut envisager le pire, renoncer à la logique.

— Mais les deux hommes, Villeret et Ozon, n'ont pas été tués une nuit de pleine lune, protesta Xavier.

— Oui, c'est vrai, mais, pour une femme, le rituel peut changer. C'est une victime plus intéressante, tu comprends? répondit Élisabeth sans aucune émotion apparente.

Irwan était très pâle. Il revit Maud dans la

pénombre de l'estafette, sa peau douce, chaude, ses baisers passionnés, sa beauté de femme révélée. Il dit tout bas :

— Si Élisabeth a vu juste, on a moins de quarante-huit heures pour sauver Maud.

— Ou Annie, précisa la stagiaire avec ironie.

Irwan se leva, reprit la parole pour évoquer le récent témoignage d'Hélène Thomas, citant le nom du père Rouzière.

— Écoutez-moi, patron, je trouve ça louche. Ce prêtre connaît parfaitement les Templiers. Louis-Marie Muller voulait le recontacter, on ne sait pas pourquoi. Or, tout à l'heure, j'ai réfléchi à un petit détail. Quand nous lui avons rendu visite, je l'ai brièvement mis au courant de l'enquête en cours. Il me semble avoir dit que, des trois hommes disparus, seul Muller avait encore une chance d'être retrouvé vivant, mais, en fait, cela me frappe aujourd'hui, il n'a pas réagi. Soit il n'a pas fait attention, soit il a feint de ne pas le connaître. Pourquoi? Ce n'est pas une attitude très nette. Il aurait dû manifester de la surprise, je ne sais pas, me dire que c'était une de ses relations…

— Il a peut-être eu peur! lança Antoine. Nous n'avons aucune idée de la nature de leurs relations. Avec les prêtres, on ne peut pas savoir.

Irwan haussa les épaules. Il jugea la réflexion du jeune homme sans objet. Il flairait un mystère ou une erreur, mais pas une histoire de mœurs.

— Irwan, tu rappelleras ce prêtre après la réunion, suggéra le commissaire. Et fais-le surveiller. À partir de maintenant, tous ceux impliqués de près ou de loin dans cette affaire sont suspects, d'Hélène Thomas à la directrice du centre aéré, sans oublier madame Darmon. Je veux des résultats. Par contre, quelqu'un doit attendre ici des nouvelles de Girac. Dès que Nadia se réveille, on nous prévient. Dites-vous bien une chose: cette gamine est notre seule chance. Ce qu'elle dira nous conduira obligatoirement à une des planques de cette bande de cinglés. Bon, voici ce que nous allons faire: Xavier et Élisabeth, vous filez comme prévu à Villebois et vous interrogez le docteur Norbert. Il doit en connaître long sur la région, c'est un passionné d'archéologie et d'histoire. Un homme sympathique, chaleureux; il peut nous aider. Marcel, tu restes près du téléphone et, si Girac appelle, tu nous contactes immédiatement, moi ou Irwan. Antoine, tu classes les documents, prêt à partir si Irwan demande une patrouille. Je vous laisse. J'ai rendez-vous avec le procureur. Cette histoire le désole, et je dois l'informer des derniers événements. Quant à toi, Irwan, tu t'occupes du père Rouzière, quitte à filer le rencontrer. Place sa ligne sur écoute.

— O. K., patron. Vous avez une minute?

— Oui, pourquoi?

— C'est au sujet de Maud. Xavier et moi, nous vous en avons déjà parlé très vite tout à l'heure. Vous n'avez pas fait attention. Ces mots écrits sur son tableau, *Ne pas oublier la marche*, cela ne vous dit rien? Personnellement, je trouve cette petite phrase incongrue, comme un message codé. Je voudrais votre avis.

Le commissaire soupira, regarda sa montre, fixa Irwan d'un air navré.

— Non, ça ne signifie rien, ou un problème ménager sans rapport avec sa disparition. Vous feriez mieux de penser en priorité à ça: Maud a disparu, elle est en danger. À plus tard.

Xavier s'approcha de son collègue, lui tapa amicalement sur l'épaule.

— Le patron est à cran, Irwan, t'en fais pas. Je pars pour Villebois. Je rentre le plus vite possible, si jamais tu avais besoin d'un coup de main.

— D'accord, répondit Irwan d'un ton las. Et toi, pour la marche, pas d'idées? Marcel, Élisabeth?

— On cherche, mais cela ne doit pas avoir une grande importance, Irwan, dit gentiment Élisabeth.

Marcel resta silencieux, puis soupira, découragé. Plein de sympathie pour l'inspecteur Vernier qu'il admirait, il cherchait comment l'aider. Xavier et Élisabeth sortirent à leur tour, et les deux hommes restèrent seuls.

— Si tu savais combien je suis inquiet pour Maud, Marcel. Ça me rend malade.

— Je te comprends. Dis, pour l'histoire de la marche, il faudrait prendre le problème sous un autre angle en se demandant de quoi peut parler Maud. Si c'est bien une marche d'escalier, lequel, et pourquoi?

— Dans l'immeuble où elle habite, les marches n'ont rien de défectueux. Ici, c'est la même chose.

— Et, dans le contexte de l'enquête, tu ne vois rien qui ait un rapport, un endroit où l'escalier aurait eu un rôle?

Irwan alluma une cigarette, tourna en rond, réfléchit intensément avant de s'écrier:

— Attends une minute! Ce que tu viens de dire a fait tilt. Un escalier… Rappelle-toi, chez Gérard Villeret, quand on est remontés de la cave, elle s'est attardée en bas. Je lui ai demandé ce qu'elle faisait, elle est remontée, et, aussitôt, le patron a eu un appel, puis on a filé à Girac.

— Oui, c'est vrai, je m'en souviens. Elle n'est pas remontée tout de suite. Tu crois qu'elle a trouvé quelque chose là-bas et n'a rien dit?

— C'est bien le genre de Maud, d'attendre avant de parler, de peur de se tromper, d'avoir trop d'imagination. Écoute, je téléphone à Jean-Michel Rouzière, et on y va. Je sais où sont les clefs de chez Villeret.

— Je ne peux pas t'accompagner, consigne du patron. J'attends l'appel de Girac.

— Antoine te remplacera. On n'en a pas pour longtemps. On fait un tour dans la cave, on examine les marches et on revient. Comme ça, j'aurai la conscience tranquille.

L'inspecteur Vernier alla dans son bureau, consulta son carnet, fit le numéro du père Rouzière qui décrocha aussitôt.

— Oui, j'écoute. Père Jean-Michel à l'appareil.

— Inspecteur Vernier. J'ai un renseignement à vous demander, si je ne vous dérange pas.

— Bien sûr. Comment allez-vous? Votre enquête avance?

— Oui, ça peut aller.

— Et l'inspecteur Delage? Comment va-t-elle?

— Très bien. Dites-moi, père Jean-Michel, Louis-Marie Muller, cela ne vous dit rien?

— Si, un jeune homme charmant que j'ai rencontré l'hiver dernier. Nous avions une passion commune: l'histoire.

— Comment expliquez-vous qu'hier soir, vous n'ayez pas réagi quand je vous ai parlé de lui comme étant un des hommes disparus?

— Vous avez cité son nom, vous en êtes sûr?

— Oui, tout à fait. Or, j'ai appris ce matin qu'il vous connaissait, d'où mon appel. Je m'étonnais.

Le père Jean-Michel rit doucement, comme pour rassurer un enfant pris de craintes absurdes.

— Inspecteur, excusez-moi, je devais penser à autre chose, être distrait, je n'ai pas entendu ce nom, ou j'ai mal compris. En tout cas, je n'ai pas souvenir que vous ayez parlé de ce cher Louis-Marie.

— En effet, j'ai dit seulement Muller.

— C'est sans doute la raison de mon étourderie. Le prénom m'aurait marqué beaucoup plus; je ne prête guère attention au patronyme. Enfin, si j'ai bien compris, il a disparu?

— Oui, lisez la presse, vous saurez ce qui l'attend peut-être.

— C'est navrant. Je vous souhaite beaucoup de courage. La lutte contre le mal est souvent difficile. Je vais devoir vous laisser. J'étais en plein travail, inspecteur.

— Bien, au revoir, et merci.

Irwan raccrocha, mécontent. Il avait le sentiment d'avoir perdu son temps, mais également celle d'avoir discuté avec un personnage fuyant, indifférent. Une drôle d'impression, en fait. La voix du prêtre lui avait paru moins suave, moins aimable que la veille.

*Sans doute était-il sensible à la présence de Maud*, pensa l'inspecteur. *À ses charmes dévoilés, ce qui le rendait distrait. Il me semble qu'il ne la quittait pas des yeux.*

À cet instant, un soupçon effleura Irwan, mais il le jugea si ridicule qu'il le repoussa aussitôt. Cinq minutes plus tard, accompagné de Marcel, il roulait vers la rue de Bélat après avoir laissé des ordres précis à Antoine. Il était 15 heures, la chaleur était suffocante. Angoulême, déjà délestée d'une partie de ses habitants, prenait des allures de ville déserte, qui offrait au soleil l'ocre de ses toits, la verdure de ses jardins à la végétation épanouie.

*Où peut bien être Maud, en ce moment?* se demanda Irwan en se garant devant la maison de Gérard Villeret. *Où est-elle?*

La retrouveraient-ils vivante?

Marcel jeta un œil gêné vers son supérieur: jamais il n'avait vu à l'inspecteur Vernier ce masque tragique d'homme blessé.

Bientôt, Irwan et Marcel furent en pleine investigation au domicile de Gérard Villeret. Ils examinèrent d'abord les marches en bois qui montaient au premier étage, puis descendirent à la cave. Les obsèques de l'historien avaient lieu le lendemain, mais le corps avait été transporté chez le frère de la victime. Cette maison silencieuse, comme si elle portait le sceau d'un crime affreux, prenait des allures inhospitalières.

En comparaison, la cave leur parut plus anodine; les deux hommes avaient l'impression de s'y être déplacés pour rien. Pourtant, consciencieux, ils passèrent au crible chacun des degrés de pierre de l'escalier, et Marcel, agenouillé devant la première marche, celle qui surplombait d'une vingtaine de centimètres le sol de terre battue, parut soudain surpris :

— Irwan, elle bouge légèrement, viens voir.

L'inspecteur Vernier recula précipitamment, s'accroupit à côté de son collègue. Lui aussi ébranla d'un geste la lourde pierre, qui trahit bientôt une mobilité étonnante.

— On sent de l'air. Tiens, là, mets tes doigts.

— C'est peut-être ça que Maud a découvert! lança Irwan, le cœur battant. Continuons. On doit pouvoir la soulever ou la faire basculer. Bon sang, elle aurait pu en parler avant! On était tous là, on aurait vérifié tout de suite. À deux, ce sera moins facile.

Marcel et Irwan tentèrent en vain de déplacer le bloc rocheux. Par contre, le faire glisser en arrière fut très aisé. Une cavité obscure s'ouvrit devant eux, et l'haleine familière des souterrains s'exhala, fraîcheur humide mêlée au parfum âcre de la pierre et de la terre privée de lumière.

— T'as vu ça? exulta Marcel en allumant son briquet. Regarde : il y a à peine deux mètres de contrebas.

— Fantastique! J'ai une lampe torche dans la voiture. Tu veux bien aller la chercher?

Marcel battit ses records de vitesse pour rapporter l'objet demandé, et bientôt Irwan se faufila par l'étroite ouverture, qui laissait juste le passage à un homme de moyenne corpulence. Il atterrit souplement sur le sol, et le faisceau lumineux de la lampe balaya l'endroit où il se trouvait.

— Il y a une galerie qui part. Tu me rejoins, Marcel? On va jeter un œil là-dedans.

Le jeune homme, aussi curieux qu'inquiet, ne se fit pas attendre. Ils avancèrent d'une dizaine de mètres. Autour d'eux, l'ombre prédominait, et des bruits résonnèrent, lointains, singuliers.

— Ce sont les voitures qui passent, là-haut. Nous avons dû traverser la rue et, d'après moi, on se dirige vers l'est. Bizarre, hein, de se retrouver sous la ville?

— Oui, chuchota Marcel, impressionné. Ça descend, en plus.

Irwan ne dit rien. Il cherchait à s'orienter. Un brusque virage du couloir rocheux l'intrigua. Il s'avança, braqua la lampe.

— Regarde, là, une porte… On dirait l'entrée d'une cave, fit-il.

D'un geste impatient, il tenta d'ouvrir la

porte, qui résista. Seule l'humidité en était la cause, car le système de fermeture était un vieux loquet de fer rouillé. Ils poussèrent tous deux d'un coup d'épaule, parvinrent à l'ouvrir, pénétrèrent enfin dans un réduit où l'air confiné dégageait une pénible odeur de renfermé et de moisi. Ils étaient loin de soupçonner qu'il y avait quelques heures seulement, Maud gisait là, accablée de peur, épuisée et choquée.

— Dis donc, Irwan, il faudrait remonter, prévenir le patron. On ne peut pas continuer. La galerie de gauche semble interminable, fit remarquer Marcel d'un ton anxieux.

— Si. On continue. Je veux vérifier quelque chose. Si nos fanatiques des Templiers utilisent ce réseau de souterrains, on doit forcément trouver une de leurs issues. Imagine un peu : une cave peut donner là-dedans, par où ils fuiraient ou feraient leurs sales blagues en toute impunité.

— Oui, c'est possible, mais on a dit à Antoine qu'on en avait en tout pour une demi-heure. Si la gosse se réveille, à Girac, on risque de manquer à l'appel.

— Bon, écoute : on fonce et on revient à notre point de départ. Si on passe près d'un lac souterrain, je crois que je pourrai me repérer ensuite, déclara Irwan d'un ton nerveux.

— Et si tu n'y arrives pas, si on tourne là-dedans tout l'après-midi, tu te rends compte, la tête du patron ? Surtout s'il a besoin de nous. C'est un vrai labyrinthe, ces galeries. Sérieux, Irwan, il faut remonter ; on reviendra à plusieurs.

L'inspecteur Vernier reconnut en lui-même que Marcel avait raison, mais l'accepta difficilement. En quittant ces lieux d'ombre et de silence, il eut l'impression d'abandonner Maud à son sort, de renoncer à une éventuelle piste. Pourtant, il se résigna et tapota amicalement le dos de son collègue :

— T'as gagné, mon vieux : on rentre au Central, mais il faut absolument venir inspecter ce secteur. On passe peut-être à côté de la solution.

Marcel comprit qu'Irwan songeait à Maud, dont la disparition inattendue et dramatique affectait toute l'équipe. Ils firent demi-tour sans rien ajouter. Le retour vers les sous-sols du défunt Gérard Villeret leur parut plus rapide, et c'est en cherchant comment se hisser de manière efficace dans la cave qu'Irwan constata avec stupeur que trois barreaux en fer étaient fichés dans le roc. L'installation était récente comme en témoignaient le scellement en béton et l'aspect poli et brillant du métal.

— Regarde ça, Marcel. C'est un jeu d'enfant de remonter. Et on a posé ça il n'y a pas longtemps.

— C'est peut-être Gérard Villeret qui a fait installer ces barreaux.

— Ça m'a tout l'air d'être un boulot d'amateur, tu sais. Mais il faut vérifier, chercher une facture ou un devis. Qui sait?

Ils replacèrent la pierre, et Irwan fouilla vainement dans les papiers du propriétaire des lieux. Rien. Songeurs, ils retrouvèrent néanmoins avec plaisir l'air chaud de la rue, sa luminosité dorée.

— Je vais faire surveiller la cave cette nuit, placer deux hommes dans le couloir et en bas, avec consigne de guetter le moindre bruit ou reflet de clarté de l'autre côté de cette maudite marche. Ils sont passés par là pour ramener le corps de Villeret, ça, j'en suis certain. Les deux jeunes filles aussi, ce qui explique cette barrette que j'ai trouvée. On aurait dû faire une planque dans cette maison dès le début. On ne serait peut-être pas au même point.

— Irwan. Du calme. Tu sais bien que, dans un premier temps, la disparition de ces hommes n'était pas vraiment inquiétante. On ne pouvait pas deviner que tout était lié, hélas.

Irwan alluma rageusement une cigarette, passa une main lasse sur ses cheveux. Une sombre détermination durcit ses traits :

— On a perdu assez de temps, Marcel. Appelle le patron par radio. Il faut envoyer tout de suite une patrouille explorer les souterrains, chaque pouce de ces galeries, de ces caves. Ces salauds se cachent là-dedans. On doit les trouver, ou trouver quelque chose. N'importe quoi, des empreintes, il faut y aller, et vite.

— O.K., j'appelle, t'en fais pas.

## 8

Maud fut réveillée en sursaut par un bruit de serrure malmenée et, une seconde, elle se demanda ce qui se passait, car le sommeil lui avait permis d'oublier sa délicate position. Le rappel fut brutal, douloureux. Deux hommes l'empoignèrent à même le sol, la redressèrent d'une bourrade, et le périple souterrain reprit. Cette fois, il sembla interminable, et, contrairement à ce que Maud avait cru, ils ne ressortirent pas dans les bois de Soyaux, mais au sein d'un vaste local, une immense cave sans doute, car les voix de ses geôliers résonnaient étrangement, et, sous ses pieds, le sol était lisse, régulier. Puis il y eut un bruit de moteur, on la fit monter dans un véhicule, peut-être un camion d'après la puissance du moteur, un diesel sûrement.

Elle aurait voulu hurler, se débattre, s'enfuir, les démasquer, autant de rêves tenant de l'utopie, car ils l'avaient réduite à l'impuissance. Là encore, un des hommes lui imposa une caresse impudique, et la frayeur viscérale des femmes contraintes et livrées à des brutes submergea Maud. D'un coup de reins, elle repoussa la main qui se permettait un tel geste, et, en réponse, on la jeta par terre, sur une sorte de matelas dont elle apprécia le confort, dérisoire consolation à sa profonde détresse. Pour garder son sang-froid, l'inspecteur Delage s'efforça d'identifier tous les sons, les timbres de voix, les bruits.

Une porte, probablement à glissière, se ferma et le camion partit vers une destination inconnue.

La route parut longue à la prisonnière. Elle devina des présences à ses côtés, mais on ne lui parla pas, on ne la toucha pas. Enfin, après un trajet d'environ trente minutes, le véhicule ralentit, emprunta un chemin de campagne, sans doute, vu les cahots qui secouaient l'habitacle. Dans un silence total, plus angoissant que des cris ou des menaces, on la fit descendre, et Maud respira avec délices l'air parfumé d'un après-midi d'été. Perspicace, elle décela une odeur de foin frais, la proximité d'un bois humide, tant était forte la senteur de l'humus et des arbres. Mais cela ne dura pas. Déjà, on la conduisait dans un bâtiment, et, de nouveau, elle sentit, sous ses pieds, le sol se dérober en une pente rocheuse et abrupte. Il lui sembla que des degrés étaient taillés dans la pierre, mais, aveugle et les mains liées, elle trébucha deux fois, avant de tomber tout à fait à cause d'une légère cavité impossible à détecter. Ceux qui la faisaient marcher, toujours en tirant sur une corde, la laissèrent, avec des petits rires cruels, se relever seule.

*Je suis traitée comme une bête qu'on emmène à l'abattoir*, songea Maud, très lucide. *Une bête qu'il n'y a pas à ménager, car on va lui donner le coup de grâce.* Cette idée la glaça. Elle abandonna tout espoir, se prépara à mourir, du moins à accepter sans perdre la face cette éventualité.

*Ce sont les risques du métier,* se dit-elle encore. *J'aurais pu prendre une balle dans la tête un jour ou l'autre; alors, à quoi bon lutter ou pleurer? Je ne regrette pas ce qui s'est passé avec Irwan. Je lui laisserai au moins un bon souvenir.*

Tous ces raisonnements la soutinrent, l'empêchèrent de trembler et de céder à une crise de nerfs. Puis, brusquement, elle sentit des mains qui ôtaient le bâillon, le bandeau, et elle découvrit un endroit singulier, une allée voûtée sous la terre, qu'éclairaient des torches accrochées à la paroi. Derrière elle se tenaient les hommes travestis en moines. Les cagoules qu'ils portaient sur le visage faisaient ressortir leurs regards froids, indifférents. L'un d'eux s'approcha, détacha la corde passée autour de la taille de leur prisonnière. Un autre ouvrit une porte basse à leur gauche, que Maud n'avait pas remarquée, et il la poussa dans un réduit qu'il referma aussitôt. La scène n'avait duré qu'une minute et ressemblait à du mauvais cinéma.

— Bande de lâches! s'écria-t-elle quand même, satisfaite de pouvoir hurler sa rage et sa peur.

C'est à cet instant qu'elle perçut une toux dans son dos: elle se retourna et constata que le cachot était occupé par deux personnes. L'obscurité n'était pas dense. Il régnait une faible luminosité qui tombait d'une fente, du genre meurtrière, ouverte au-dessous d'une torche. Maud s'agenouilla. Elle avait reconnu tout de suite ses compagnons d'infortune: Louis-Marie Muller et Annie…

Xavier et Élisabeth venaient d'arriver à Villebois-Lavalette. Ils avaient roulé vitres ouvertes pour ne pas souffrir de la chaleur. Ils avaient discuté par bribes, sans plaisir, l'un trop inquiet pour animer la conversation, la seconde d'une humeur massacrante.

— Voici la mairie. Tu viens? demanda Xavier en s'épongeant le front à l'aide de son mouchoir.

Une déception les attendait: dès leur entrée dans le secrétariat, une pièce spacieuse inondée d'une bienfaisante fraîcheur, une employée leur apprit que le maire était au château, car ils étaient en retard.

— Monsieur Norbert vous demande de le rejoindre là-haut. Il est chez Noël Peneau. Et si l'histoire de Villebois vous intéresse, passez à l'Office du tourisme. C'est à côté, sur la place. Il y a des prospectus.

Les deux policiers ressortirent, agacés, traversant le jardin de la mairie sans jouir de son charme bucolique. Un saule étendait ses branches jusqu'au sol, des tourterelles chantaient dans un arbre majestueux, tandis que, non loin de là, sur le champ de foire, la fontaine dispensait son doux murmure d'eau vive.

— C'est calme ici, déclara Élisabeth. On aimerait s'attarder, prendre le temps de rêver.

Attends-moi, je fais un saut à l'Office du tourisme. Quand ma mère viendra me voir, je saurai où l'emmener en promenade.

— Tiens, je ne te croyais pas comme ça, répondit Xavier, un peu surpris.

— Moi non plus, mais je découvre un tas de choses en Charente. Ces petits villages sont émouvants. À Limoges, je ne quittais jamais le centre-ville.

— Eh bien, aujourd'hui, tu vas faire un peu de tourisme : après le château et ses remparts, je t'emmène faire la tournée des églises, plaisanta l'inspecteur Boisseau, qui s'efforçait de se montrer agréable.

Il vit la jeune stagiaire entrer dans une sorte de petite boutique, dont les vitrines exposaient des objets d'artisanat, bougies décoratives en cire d'abeille, poteries. Élisabeth en ressortit bientôt, toute souriante, des prospectus à la main.

— Me voici, Xavier. Je n'ai pas été trop longue ? La dame qui m'a reçue est charmante. J'ai sa carte. Elle m'a dit de revenir un jour de congé pour faire le tour des remparts.

Xavier soupira et marcha un peu plus vite, tout en la questionnant :

— Au fait, ce matin, on t'a abandonnée en compagnie d'Hélène Thomas. Tu as pu la raisonner ?

— Je l'ai surtout rassurée, consolée, en lui promettant que tout allait s'arranger, que vous lui aviez caché la vérité pour la ménager, ne pas l'affoler.

— Et elle t'a crue?

— Oui, en partie. Ensuite, elle a téléphoné à une de ses amies qui est venue la chercher.

Ils reprirent la voiture, suivant la rue principale pour contourner les vieilles halles, sous lesquelles, à la belle saison, un bistrot voisin disposait une terrasse. Des Anglais étaient d'ailleurs attablés, leurs vélos de randonnée appuyés contre le muret délimitant l'espace où se tenait le marché tous les samedis. Une rampe assez raide les conduisit au château, une des plus anciennes rues sans doute, qui grimpait aussi vers l'église haut perchée, comme posée au faîte d'un escalier monumental que surplombait une statue de la Vierge.

Une ruelle pittoresque les amena enfin devant le château, et Xavier se gara près du portail en admirant d'un œil de connaisseur l'architecture des lieux. Dans la cour principale, sur laquelle donnait l'aile gauche, habitée pendant l'été par le célèbre comédien, Élisabeth aperçut trois hommes en grande discussion. Elle reconnut aussitôt Noël Peneau, dont le visage était familier à bien des téléspectateurs ou amateurs de théâtre.

Xavier, qui s'était avancé vers eux, fit les présentations :

— Docteur Pierre Norbert, inspecteur Boisseau, Élisabeth Fournier, ma collègue.

Le maire leur serra la main, souriant avec chaleur et présentant à son tour ceux qui se tenaient près de lui :

— Monsieur Peneau, et le doyen Deschamps,

un prêtre au grand cœur qui a veillé des dizaines d'années sur les paroissiens des communes environnantes. Aujourd'hui, il vit dans nos murs, au pied de l'église.

Le doyen était un homme de haute stature, les cheveux très courts, grisonnants. Il porta un regard bienveillant sur les arrivants. On le devinait charitable, humain, attentif à autrui. Quant à Noël Peneau, il les salua gentiment, avec la prestance naturelle d'un personnage accoutumé aux rencontres les plus diverses.

— Que puis-je faire pour vous être utile, inspecteur? demanda aimablement le docteur Norbert, soudain plus grave. Je sais que ce pauvre Louis-Marie a disparu. C'est une affaire pénible. Un homme si sympathique…

— Oui, nous supposons qu'une secte est responsable de ces agissements atroces, et le commissaire Valardy pense que vous pourriez peut-être nous aider en nous parlant, par exemple, des caches possibles dans le coin. En effet, une des adolescentes que nous recherchions également a réapparu près du Pontaroux, et nous croyons que ses ravisseurs ont une base près d'ici. Pourtant, des patrouilles ont prospecté la région sans rien déceler d'anormal.

— Il y a tant de possibilités ici, en effet, et ce, sur un large périmètre, marmonna le maire en faisant un geste évocateur. Quelques grottes, mais peu profondes. Quant aux fermes ou maisons abandonnées, vous avez dû les repérer.

— Oui, dans l'ensemble.

Le doyen intervint d'un ton catégorique :

— Ces sectes sont un véritable fléau. Sans parler de ceux qui parodient nos sacrements les plus saints pour arriver à leurs fins, souvent honteuses.

Noël Peneau s'attrista, déplorant de tels crimes au sein d'une province que l'on aurait pu imaginer paisible et sans histoire. Lorsque Xavier évoqua succinctement les Templiers, le doyen Deschamps l'interrompit :

— Ah! Ces fameux chevaliers du Temple. À leur nom se rattachent trop de légendes. On les disait fabuleusement riches et il existe encore des illuminés qui cherchent leurs prétendus trésors.

— Leurs trésors? murmura Élisabeth, étonnée.

— Oui, mademoiselle, des trésors qu'ils auraient cachés dans les lieux où ils résidaient : églises ou châteaux. Tenez, non loin d'ici, à Charmant, on fait état d'une commanderie de cet ordre, et une croix marque l'emplacement d'un tombeau. Comme par hasard, l'église, d'ailleurs d'une beauté remarquable, a été profanée. On a fracturé la serrure, et une statue a été brisée.

La conversation ne tarit pas. Chacun voulait apporter sa conviction personnelle sur cette enquête peu ordinaire. Soudain, Noël Peneau déclara d'un air rêveur :

— Vos criminels ont peut-être élu domicile sous terre. Les souterrains ne manquent pas à Angoulême. Vous y avez pensé?

— Ma foi, non, rétorqua Xavier, une lueur d'espoir dans ses yeux bruns. Pourtant, j'ai visité une partie du réseau souterrain de notre bonne ville il y a moins de deux ans. C'est vrai que les bandits de tous poils ont coutume de les utiliser. C'est à vérifier.

Ils prirent congé sur ces mots, et Élisabeth, séduite par l'atmosphère romantique du vieux château et des remparts, leur dédia un charmant sourire.

— Revenez visiter le site quand vous aurez arrêté les coupables, avança le docteur Norbert tout en désignant d'un geste prometteur la cour d'enceinte et les vestiges de l'ancienne chapelle du château.

Puis il ajouta :

— Chaque été, des équipes bénévoles de jeunes viennent travailler à la restauration de notre patrimoine, et le spectacle qui est présenté ici attire un public de plus en plus nombreux.

— C'est formidable de lutter pour que ces monuments ne retombent pas en gravats, que notre mémoire collective conserve ces témoins du passé, conclut le doyen Deschamps. Il faut en remercier Monsieur le Maire et tous ceux qui font partie de l'Association des amis du château. Bénévolement, d'ailleurs.

— Oui, et Louis-Marie comptait y adhérer prochainement. J'espère que nous le reverrons vivant, dit gravement le docteur Norbert.

— Nous aussi, nous le souhaitons. Bien… Au revoir et merci. Nous filons vers Gardes-le-Pontaroux, voir l'église de Gardes. Elle a été « visitée » récemment. On ne sait jamais.

— J'espère qu'il n'y a eu aucune dégradation là-bas. J'affectionne vivement ce village et sa petite église. C'est un monument admirable, un chef-d'œuvre de l'art roman. Il y a de très belles statues à l'intérieur, vous verrez, leur précisa le comédien en les accompagnant jusqu'au portail.

Une fois dans la voiture, Élisabeth soupira :

— Quelles personnes agréables, d'une telle gentillesse! Dommage de les rencontrer dans le contexte d'une affaire criminelle.

— Oui, dommage, répéta Xavier, assailli d'idées noires au sujet de Maud, dont la disparition l'obsédait. Allez! Au boulot! N'oublions pas que chaque heure qui passe nous rapproche de cette satanée pleine lune.

À Gardes, l'église, dressée dans le soleil éclatant, semblait surgir d'un autre temps, celui où, dans ces hameaux alors animés et laborieux, elle représentait le lieu de réunion et de communion de tous les foyers. La pureté de ses lignes, la douceur harmonieuse de l'architecture romane, tout concourait à faire de ce lieu saint un enchantement pour le regard, que l'on fût croyant ou athée.

Xavier voulut entrer, mais la porte était fermée à clef, et le bois vétuste du battant de droite portait les marques d'un récent sacrilège.

— Nous ne verrons pas les statues et nous n'apprendrons rien ici. C'est dommage. De toute façon, je ne vois pas ce que ces maraudeurs peuvent bien chercher dans les églises qu'ils visitent. Un signe, une marque? À ton avis, Élisabeth?

— Je n'en sais rien. Il faudrait d'abord savoir qui ils sont, et surtout si ce sont bien eux les responsables. Xavier, je suis vraiment inquiète pour Maud. Le courant ne passait pas entre nous, c'est vrai, mais c'était surtout de ma faute. C'est une fille super.

— À qui le dis-tu! murmura l'inspecteur Boisseau, maussade. Bon, on ferait mieux de partir pour Charmant. Qui sait? Si c'est une ancienne commanderie des Templiers, tentons notre chance. J'aimerais bien ramener au moins un renseignement positif au patron et à Irwan.

\*

— Annie, c'est bien toi, tu es vivante? chuchota Maud à la jeune fille recroquevillée sur une litière de paille, dans un recoin du cachot.

Louis-Marie Muller se redressa, tendant la main vers la nouvelle venue.

— Je ne crois pas qu'elle soit en état de vous répondre. Ils lui ont fait une piqûre ce matin. La pauvre gosse, ses nerfs ont craqué. Elle criait comme une folle.

Maud hocha la tête, regarda le prisonnier droit dans les yeux.

— Je me présente, inspecteur Maud Delage, et vous êtes monsieur Muller, je suppose?

— Exact. Enchanté, mademoiselle. Ainsi, vous êtes de la police? Et ils vous ont eue aussi, si vous me permettez cette expression un peu cavalière.

— Oui, ils m'ont eue, et c'est ma faute : je suis tombée dans un piège. Je m'en veux tellement.

Ils s'observèrent un long moment sans rien dire à la faible clarté orange diffusée par la meurtrière. Louis-Marie semblait avoir gardé le moral, du moins sa dignité. Maud dut reconnaître que le compagnon d'Hélène Thomas dégageait une singulière impression de chaleur humaine et de courage, à laquelle s'ajoutait une indéniable séduction.

Pourtant, les conditions de leur rencontre n'étaient guère favorables : une barbe de plusieurs jours assombrissait son visage aux traits virils et réguliers, mais ses grands yeux sombres avaient un éclat joyeux qui surprenait en de telles circonstances.

— Alors, inspecteur, dit-il enfin, que nous réserve l'avenir ? Puis-je espérer que vos collègues vont débarquer sur vos traces et nous sortir de ce mauvais pas ?

Maud s'assit près de lui, heureuse malgré tout de pouvoir discuter avec ce compagnon d'infortune. Elle rejeta en arrière ses cheveux, soupira tristement avant de déclarer, d'un ton qui exprimait toute sa détresse :

— Personne ne sait où je suis. J'ai quitté mon domicile sans laisser aucun message. Nous enquêtions sur votre disparition et celle de Gérard Villeret et de Roger Ozon. Sans oublier cette jeune fille, dont le sort me préoccupait tellement que j'ai couru dans la gueule du loup. J'ai reçu un coup de fil ce matin, soi-disant d'Annie. Elle me disait être libre, m'attendre au Jardin vert. J'ai foncé à son secours.

— Je saisis mieux les causes de sa crise de nerfs. Ils l'ont emmenée très tôt. Elle se croyait condamnée. Je les ai suppliés de me prendre à sa place, mais on m'a fait taire à coups de poing. Je craignais le pire pour elle, mais ils ont dû simplement l'obliger à vous parler, et, quand elle a compris que c'était un piège pour attirer une autre femme, elle n'a pas supporté d'avoir un tel rôle dans cette histoire. C'est une fille bien, droite, loyale.

— Si j'avais pu deviner... Elle prétendait être avec sa sœur, Léna, que je connais un peu. J'aurais dû être plus prudente. Prévenir quelqu'un du Central de ma destination.

— Ils sont très malins et agissent vite, sans commettre d'erreurs. Vous, par exemple, ils vous ont frappée au bon endroit, sachant pertinemment que vous étiez hantée par la pensée d'Annie.

Maud haussa les épaules, frissonna. Elle n'avait qu'une chemise sur le dos, et l'endroit était frais. De plus, elle commençait à éprouver une profonde angoisse devant le fatalisme désabusé de son interlocuteur. Par chance, ils pouvaient parler librement et il lui semblait soudain que c'était la seule façon de ne pas céder à la panique.

— Et vous, Louis-Marie, racontez-moi comment vous êtes arrivé ici. Je sais déjà quand et où on a perdu votre trace.

— Oui, à Villebois, entre la rue André-Bouyer

et le château. Un record, non? Je montais à pied vers l'église, après avoir suivi le chemin de l'Enclos-des-Dames, quand une voiture a ralenti en arrivant à ma hauteur. J'ai pensé à quelqu'un qui voulait un renseignement et je me suis arrêté. Il y avait deux hommes à l'avant du véhicule, et ils m'ont effectivement demandé où se trouvaient les vieilles halles. J'ai ri comme un idiot en leur expliquant qu'ils devaient faire demi-tour ou bien, une fois au château, redescendre au centre-ville. J'allais de ce côté; je leur ai proposé de leur montrer la direction si je montais avec eux. Le passager est sorti de la voiture, m'a laissé sa place et s'est installé à l'arrière. Je ne me méfiais pas. Deux mètres plus loin, celui de l'arrière m'a appliqué un tampon de chloroforme sur le nez, tout en me faisant une prise, un genre d'étranglement. J'ai vite perdu connaissance et je me suis réveillé là, où je croupis depuis des jours. Au début, il y avait Ozon et Villeret. On a eu beau échanger nos expériences respectives, on ne comprenait pas ce qui se passait.

— Mais ils ne vous ont rien fait, rien demandé?

— Si, ils nous interrogeaient sur les Templiers, sur les sites de la région où ils étaient établis. Ozon et Villeret ont répondu de leur mieux, ce qui ne les a pas sauvés. Ils sont morts, exécutés devant moi. Gérard Villeret en second, devant les deux jeunes filles.

— Je m'en doutais. Mais pourquoi tout ça, ces déguisements, ces torches?

Louis-Marie baissa la tête, ramassa une brindille de paille, la mordilla nerveusement :

— Ce doit être une sorte de jeu, mis au point par des malades mentaux. Ils tuent selon des rites stupides. Heureusement, mes malheureux compagnons étaient inconscients, comme quoi nos bourreaux ont un peu de charité.

Maud se sentit glacée. Ses beaux yeux bleus fixaient obstinément ceux du jeune homme, cherchaient à y lire la suite du récit, même si elle tremblait pourtant de l'entendre.

— Ils ont été poignardés sur un autel en pierre, non loin d'ici, au bout d'une galerie. Ces gens sont fous, exaltés, ils appellent des divinités oubliées, celles des anciens Celtes, et implorent des révélations. En vérité, comme tant d'autres, je crois qu'ils cherchent un trésor, le fameux trésor des Templiers. Chacun l'imagine près de chez lui, ou accessible, mais ce sont des fadaises. C'est ce que je leur ai dit, en tout cas, et, à ce titre, je suis condamné à mourir bientôt.

— Et ça ne vous effraie pas ? Vous paraissez bien tranquille ! s'exclama Maud, ahurie.

— Bof... J'ai toujours eu une chance incroyable. Il va bien se passer quelque chose in extremis. Votre disparition va sans doute réveiller les ardeurs de vos collègues. Ils vont mettre les bouchées doubles pour nous sauver.

— Vous êtes optimiste ! L'enquête était au point mort, vous savez. Notre seule chance, c'est Nadia. Si elle se réveille et peut fournir des indications sur l'endroit où nous sommes...

— Parlez moins fort, je vous en prie, murmura Louis-Marie en se collant contre elle. Ce que vous venez de dire change tout. Vous avez retrouvé Nadia! Expliquez-moi ça au creux de l'oreille. Ils pourraient être intéressés ou inquiets s'ils savaient. D'ailleurs, à ce sujet, je dois vous apprendre un fait insolite.

Maud, d'abord surprise de se retrouver pratiquement dans les bras de Louis-Marie, apprécia vite ce contact rassurant. De toute façon, le monde quotidien avec ses normes et ses préjugés lui apparaissait à mille lieues de cet espace étroit où on la retenait captive. Un homme était là, vivant, sympathique; elle s'abandonna sans gêne au bien-être de sa présence.

— On a retrouvé Nadia route de Périgueux, dit-elle tout bas. Elle s'est jetée sur une voiture. Actuellement, elle est à Girac, en état de choc. Comment a-t-elle pu s'échapper?

— Justement, c'est ce qui m'intrigue. Quelqu'un de la bande a dû l'aider, il n'y a pas d'autre solution. Il faut dire que la pauvre gosse a passé de sales moments. C'est Annie qui me l'a appris. Elle a tout vu. Nadia n'était pas vierge. Excusez ma franchise, ce n'est pas le moment de jouer les délicats. Or, manifestement, à cause de cela, elle ne leur convenait pas et ils l'ont battue et violée, à plusieurs. Ensuite, ils l'ont enfermée à part, seule, mais elle était dans un état de prostration affolant. Annie était terrorisée. Imaginez: elle aussi avait subi un examen humiliant. On a cru Nadia condamnée à brève échéance, mais au contraire, j'ai entendu, au milieu de la nuit, un vrai vacarme, des cris de colère, des disputes. J'ai pu comprendre que la jeune fille avait pu fuir.

— Oui, elle s'est enfuie, mais sera-t-elle capable de renseigner mes collègues? Jusqu'à présent, elle a dit des choses incohérentes. Elle délirait, parlait de la lune ronde, d'Annie. Vous pouvez peut-être m'aider à comprendre.

Louis-Marie jeta un regard vers Annie, toujours endormie, puis il poussa un gros soupir de découragement. Son visage avait perdu toute énergie, toute trace de gaîté. Il accentua la pression de son bras sur l'épaule de Maud en lui soufflant d'un ton triste :

— Annie doit être sacrifiée à la pleine lune. Demain soir, si vous préférez. Elle le sait, et je ne parviens plus à la rassurer. Moi, je ne sais pas combien il me reste de temps. J'ai triché en leur racontant une blague : j'ai fait semblant de me souvenir d'une légende concernant l'ancienne commanderie des Templiers de Charmant. J'ai évoqué la possibilité de trouver une partie du trésor là-bas, dans la crypte. Ils doivent fouiller l'église cette nuit.

— À Charmant... Ce nom ne m'est pas inconnu, murmura Maud, qui songea que le père Rouzière avait dû citer cette paroisse, le soir où Irwan et elle lui avaient rendu visite. Irwan.

Comme il lui semblait loin, inaccessible. Elle pensa aussi qu'à présent on s'était aperçu de sa disparition et que tout l'hôtel de police devait être sur le pied de guerre. Puis, brutalement, le

157

souvenir du plaisir éprouvé dans les bras d'Irwan l'assaillit, la troubla insidieusement. Mais tout aussi rapidement lui apparut l'horreur contenue dans les paroles de Louis-Marie : « Annie doit être sacrifiée… »

— Qu'est-ce que vous avez dit? Annie va mourir! C'est affreux, inhumain. Je ne les laisserai pas faire, déclara-t-elle, révoltée, folle de rage.

— Calmez-vous et demandez-vous plutôt ce que vous faites ici et ce qu'ils vous réservent, ma belle enfant.

Fouettée par ce que ces mots dissimulaient de sombres pressentiments, Maud se tétanisa, ouvrit de grands yeux affolés. Tout près de son visage, celui du prisonnier lui apparut tendu par la même anxiété, les mêmes peurs.

— Vous croyez qu'ils vont m'exécuter? Ils en ont parlé?

— Oui, tout à l'heure, juste avant votre arrivée. J'ai entendu celui que je présume être le chef dire à votre sujet que « l'ennemi était vaincu ». On parlait d'une belle femme, qui serait offerte à la lune, enfin bref, je vous passe les détails. Je suis déjà stupide de vous raconter ça.

— Non, dit froidement Maud. J'aime mieux savoir ce qui m'attend et m'y préparer. On peut lutter aussi, fuir peut-être. Celui ou celle qui a aidé Nadia peut nous aider. Il y a encore de l'espoir et plus de vingt-quatre heures pour permettre à mes collègues de débusquer ces fauves. J'ai confiance, Irwan ne me laissera pas tomber.

— Irwan? C'est qui?

— L'inspecteur divisionnaire Vernier, un Breton comme moi, un homme fantastique, qui a de l'instinct et du courage à revendre, affirma Maud comme pour se rassurer à tout prix.

Louis-Marie sembla impressionné et sourit dans la pénombre avant de demander humblement:

— Et avez-vous des nouvelles de mon amie, Hélène Thomas? Je m'inquiète beaucoup pour elle. Telle que je la connais, ma disparition a dû la plonger en pleine détresse.

— Oui, c'est vrai. Je lui ai rendu visite à votre domicile, mais, en vérité, elle se montre assez courageuse. C'est une personne fragile, cela se voit tout de suite, mais ce sont parfois ces gens-là qui ont des ressources cachées en cas de coup dur.

— Vous dites ça pour me rassurer, mais j'apprécie. Elle me manque terriblement, vous savez, et j'ai hâte de la revoir. La vie de tous les jours a ses mauvais côtés: les querelles, les habitudes. La séparation révèle cependant certains sentiments. Si on se sort de là, je ne verrai plus du tout les choses du même angle.

Maud sourit à son tour dans la pénombre. Elle pensait à la réputation de séducteur qui poursuivait – paraît-il – ce bel homme brun dont elle-même éprouvait le charme évident. Puis, avec un petit soupir craintif, elle murmura:

— Ils vont nous laisser longtemps tranquilles, ou je dois m'attendre à subir un interrogatoire en règle?

— Je n'en sais rien, mais ils ne vont pas tarder à nous apporter à manger. Ils m'ont pris ma montre, mais j'ai la notion du temps qui passe. Il doit être dans les environs de 7 heures. La soupe est distribuée de bonne heure, de toute façon.

Maud et Louis-Marie discutèrent encore un moment et jetèrent souvent des regards soucieux sur Annie. Elle gémissait fréquemment; son sommeil semblait moins profond. De l'autre côté du mur, dont la construction devait remonter à plus de deux siècles, des bruits se firent entendre. On marchait, on s'agitait, on s'interpellait.

Soudain, la porte du cachot s'ouvrit. Un homme en bure fit son apparition. Il portait sur la tête l'inévitable cagoule qui ne laisse deviner que les yeux, sertis dans le tissu. D'ailleurs, à la lueur de la torche qu'il tenait à la main, Maud put constater que les prunelles du personnage étaient très claires, dotées d'un éclat froid, quelque peu félin. Il se pencha un instant sur l'adolescente, la secouant rudement par l'épaule. Annie ne se réveilla pas, marmonna quelques mots indistincts en se blottissant contre la paroi rocheuse à laquelle elle était adossée.

L'homme s'en désintéressa, s'approcha de Maud, la saisit par un bras, la releva d'autorité avec une poigne d'une vigueur peu commune. Louis-Marie fit un geste de protestation, se leva également :

— Vous n'êtes pas obligé de la traiter comme ça, pauvre fou. Où l'emmenez-vous? Répondez, vous entendez? Répondez!

Le faux moine resta impassible. Il poussa Maud à l'extérieur du réduit avec un geste de menace à l'égard de son défenseur. Cet homme muet, une matraque à la main, dont on ne distinguait que le regard furieux, avait vraiment quelque chose de très impressionnant. L'inspecteur Delage, qui frissonnait d'angoisse et d'un froid nerveux, ne put s'empêcher de comparer cette scène à une parodie dangereuse où elle jouait un rôle effrayant. La porte se referma sur les cris de révolte, maintenant véhéments, de Louis-Marie Muller, et ce furent trois hommes cagoulés et vêtus de la même manière qui conduisirent la jeune femme vers une destination inconnue.

## 9

Maud et ses geôliers suivirent une galerie souterraine, parvinrent dans une salle basse. Au centre, dérisoire dans ce décor étrange, était dressée une table couverte d'un drap blanc. D'autres personnages étaient réunis là, six exactement, toujours en bure et masqués. Maud, qui n'avait pas eu droit au bâillon et au bandeau sur les yeux, les observa un à un. Elle aurait voulu parler, les interroger, les insulter, mais un sentiment nouveau la paralysa, une sorte de terreur viscérale, toute-puissante, qui prenait sa gorge dans un étau et pétrifiait ses gestes.

*Je vais peut-être mourir maintenant, là, sans préambule, sans pouvoir me défendre. Ils ont gardé mon sac, mon arme. Je pourrais tenter une échappée, les bousculer, hurler. Mais non, je me sens impuissante, perdue, condamnée.*

Ces sinistres pensées tournaient à une vitesse folle dans son esprit figé par la panique. Et c'est telle une proie résignée qu'elle fut déshabillée entièrement et allongée sur la table. Des mains la touchaient, l'effleuraient, la caressaient. Un chant lent, au rythme pourtant primaire et frénétique, s'éleva de la bouche de tous ceux qui participaient à ce jeu pervers. Paupières closes, les joues enflammées par une honte mêlée de rage, Maud subissait le même examen que l'on avait imposé à Nadia et à Annie, une vérification que cette secte aux rites fortement entachés d'un érotisme malsain se croyait obligée d'effectuer sur les victimes du sexe féminin.

— Elle n'est pas vierge, mais ce n'est pas grave. Cette femme est belle et, de plus, représente l'ennemie. La lune la verra soumise à notre puissance, puis immolée.

La voix qui venait d'énoncer cette sentence peu rassurante résonnait sous la voûte rocheuse. C'était un homme qui avait parlé, et Maud ressentit en l'écoutant un curieux malaise qui la tira brusquement de sa léthargie. Durant quelques secondes, la femme blessée dans sa pudeur et son amour-propre céda la place au policier aguerri, accoutumé à se battre, à guetter le moindre détail insolite. Cette voix en était un, car elle ne lui était pas inconnue. Oubliant qu'elle était nue et exhibée devant une dizaine d'étrangers, dont un seulement portait une cagoule noire, elle s'écria d'un ton ferme :

— Qui êtes-vous? Je connais votre voix! À quoi jouez-vous?

Un silence oppressant s'installa après cet éclat inattendu. Quelqu'un toussota, comme gêné, les respirations paraissaient ralenties. Délivrée de sa peur, se disant qu'après tout mieux valait finir en beauté, Maud ouvrit les yeux, jetant des regards méprisants et hautains à ceux qui l'entouraient. Deux hommes la maintenaient allongée, l'un par les poignets, l'autre par les chevilles. Elle les fixa tour à tour d'un œil bleu glacé, et bientôt elle eut l'intense satisfaction de sentir leur étreinte faiblir. Mais personne ne lui répondit. On la releva, lui enfila sans délicatesse une vaste tunique rouge qui lui arrivait à mi-mollet, puis on lui serra une corde autour de la taille. La personne qui l'avait habillée dégageait un léger parfum, à peine décelable. Ses mains étaient expertes, douces. Maud pensa aussitôt qu'elle avait peut-être affaire à quelqu'un de son sexe et attaqua brutalement, en criant à la ronde:

— Où est celui qui a parlé tout à l'heure. Qu'il se montre, ce lâche! Et qui a aidé Nadia à s'enfuir? Répondez! Savez-vous qu'il y a un traître parmi vous?

« Diviser pour mieux régner… » L'inspecteur Delage ne savait plus qui avait tenu de tels propos, mais elle tentait le tout pour le tout, attendant l'effet de ses paroles. Mais là encore, rien ne se produisit, du moins pas tout de suite. Elle perçut seulement comme un mouvement discret au sein du groupe, des chuchotements de bouche à oreille. Enfin, un homme de haute taille lui passa des menottes aux poignets et, d'une ferme prise sur le coude gauche, la fit avancer.

Ils quittèrent la salle basse, empruntèrent un autre couloir étroit, au bout duquel brillait une vive lumière pourpre. Ce n'était pas le jour, mais un grand feu allumé au creux d'une fosse. L'épaisse fumée qui s'en dégageait devait s'échapper de la grotte par d'invisibles fissures.

Maud poussa un cri bref, instinctif: la vision d'épouvante qu'elle venait d'avoir la laissa tétanisée, frappée de stupeur. Déjà, elle avait fermé les yeux, reculé à l'aveuglette. Celui qui la tenait murmura froidement:

— C'était le traître.

Sans rien ajouter, il la reconduisit, brisée et vaincue, jusqu'au cachot où elle entra muette d'horreur, persuadée à présent d'être aux mains d'une bande de fous meurtriers que la mort divertissait. Elle avait vu beaucoup de choses au cours de sa carrière, mais ne pourrait jamais effacer de sa mémoire l'image de ce corps d'homme livré aux flammes, qu'on avait torturé de manière atroce.

Louis-Marie la reçut dans ses bras. Il avait compris qu'elle venait d'affronter de dures épreuves.

Dès qu'ils furent seuls, sans gêne, Maud pleura contre la poitrine de son compagnon d'infortune.

— Qu'est-ce qu'ils vous ont fait? bredouilla-t-il, ému par son chagrin.

— À moi, rien de grave, je m'en remettrai, murmura-t-elle entre deux sanglots, mais ce sont des malades, des assassins. J'ai vu… j'ai vu… quelque chose d'abominable. Un homme, celui qui a aidé Nadia à s'enfuir, torturé, brûlé, massacré.

Louis-Marie lui mit alors la main sur la bouche, afin de la faire taire. Puis, très vite, d'un mouvement de tête, il désigna Annie, de toute évidence réveillée. De ses prunelles dilatées par la drogue qu'on lui avait injectée de force, la jeune fille regardait fixement la nouvelle venue. Maud comprit immédiatement, se ressaisit et s'agenouilla près d'elle.

— Annie, bonsoir. Je suis Maud, Maud Delage, inspecteur de police. Comment te sens-tu?

Annie ne dit rien, l'air effaré. Elle baissa même les yeux, se détournant un peu.

— Annie, n'aie pas peur. Je t'en prie, je suis une amie. J'ai vu ta petite sœur Léna et ta mère. Elles pensent si fort à toi. Et Nadia est vivante, elle est sauvée.

Les mots paraissaient lentement se frayer un chemin dans l'esprit confus de la malheureuse captive. Elle répéta, hébétée, comme si elle ne comprenait pas:

— Maman, Léna.

— Oui, je les ai vues, je leur ai parlé de toi. Écoute, on va s'en sortir, il le faut, je ne sais pas comment, mais on va y arriver.

Annie jeta un regard désabusé sur Maud, qui allait de son visage blême, humide, à ses poignets toujours pris par les menottes. Louis-Marie resta à l'écart, attentif cependant. Brusquement, le joli visage de l'adolescente se crispa, tandis que sa bouche esquissait une moue de désespoir. Elle dit très vite, les yeux fermés:

— Ils ont tué papa, vous le savez, ça? Mon père est mort. Nous allons tous mourir, comme lui.

Maud se rapprocha d'Annie et, de ses deux mains liées, l'attira contre elle maladroitement. Bientôt, la jeune fille trouva refuge contre ce corps de femme, cacha sa face ruisselante dans les plis de la tunique rouge.

— Là, calme-toi, je t'en prie, lui répétait Maud tout bas. Je sais que c'est dur, que tu vis une épreuve terrible. Ces gens sont des monstres, mais il faut garder l'espoir qu'ils seront bientôt hors d'état de nuire.

Maud baissa encore le ton, craignant d'être épiée ou écoutée :

— Dis-moi, Annie, à ton avis, Nadia sait-elle où nous sommes? Et toi, as-tu une idée? Tu comprends, ton amie est à Girac, en observation, sous tranquillisants. Crois-tu qu'à son réveil, elle pourra donner des renseignements précis à la police?

— Je n'en sais rien, je ne comprends pas comment elle a pu s'enfuir. Ils l'ont emmenée, et je l'ai entendue hurler. Elle a hurlé longtemps, je n'en pouvais plus. Avant, ils avaient tué un vieil homme sous nos yeux. C'était affreux. Et Nadia, je croyais qu'ils l'avaient tuée aussi.

— Non, quelqu'un l'a aidée à s'échapper. On l'a retrouvée près du Pontaroux. Sur la route de Périgueux. Tu connais cette région, je pense?

— Oui, bien sûr. Papa nous promenait souvent de ce côté quand j'étais petite.

Annie devenait plus loquace. Elle raconta leur enlèvement, derrière le mur du centre aéré, expliqua aussi que leurs ravisseurs, qui s'étaient présentés tout d'abord comme des amis de son père, les avaient fait monter dans une voiture, celle de Roger Ozon précisément. On les avait endormies tout de suite, avec du chloroforme probablement.

Louis-Marie s'assit près d'elles; il les écouta d'un air grave. Puis, songeur, il chuchota enfin:

— D'après moi, nous ne sommes pas loin de Villebois. Sinon, ils pouvaient nous attacher, nous bander les yeux pour le transport, voire nous assommer. Nous devions être inconscients pour n'avoir aucune idée de la distance parcourue.

— Vous avez peut-être raison, fit Maud. Moi, ils m'ont enlevée à Angoulême et nous avons fait de la route, en camion sûrement. J'avais les mains liées et un bâillon, les yeux bandés, mais je n'ai pas eu droit au sommeil forcé. J'ai estimé le voyage à une trentaine de minutes, soit vingt-cinq ou trente kilomètres, à l'allure où nous roulions. Ce qui me désole, c'est que l'on puisse tomber aussi facilement entre leurs mains, toi, Annie, vous, Louis-Marie, et, le pire, moi, qui aurais dû, vu mon métier, montrer plus de prudence, de logique. Mais j'y pense: dans ce cas, vous avez pu voir le visage de certains d'entre eux? Ils ont donc le sentiment d'agir en toute impunité.

Ils se turent tous trois au bruit de la serrure que l'on déverrouillait. Un des moines de mascarade entra, assisté d'un gardien armé d'une matraque. Le premier portait trois gamelles en fer-blanc d'une main et balançait de l'autre une petite marmite en fonte. Il déposa le tout sur le sol, y adjoignit un pichet d'eau, puis se pencha sur Maud et lui ôta ses menottes. Une minute plus tard, la porte du cachot se referma. Louis-Marie souleva le couvercle.

— Encore du bouillon clair où flottent trois vieux quignons de pain, dit-il. Quel festin, mesdames!

Ils partagèrent sans appétit ce repas peu engageant. Annie n'avala pratiquement rien. Elle tremblait convulsivement à chaque bruit de pas. Maud fit son possible pour la réconforter, mais, dans les yeux noisette de la jeune fille, elle lisait une terreur sans nom.

— Ils vont me tuer, madame, je le sais, déclara soudain Annie.

Maud lui ouvrit ses bras, la berça contre son cœur comme s'il s'agissait d'une enfant malade. Louis-Marie les observa d'un regard las. Il maudissait son impuissance à les sauver.

Lorsque la porte s'ouvrit, ils eurent tous trois le pressentiment d'un drame imminent. Deux hommes s'avancèrent, tandis qu'un troisième surveillait la scène, un fusil à la main. On arracha Annie des bras de Maud, violemment, rudement. L'adolescente poussa un cri de bête à l'agonie, mais elle se débattit pourtant, malgré sa faiblesse. L'opération ne dura qu'une minute: l'inspecteur Delage, horrifiée, hurla des menaces et des supplications. En vain. Elle vit se refermer la porte et

170

replongea avec son compagnon d'infortune dans une pénombre pleine de menaces atroces.

*

L'aube embrasait Angoulême, allongée sous le ciel d'été, tel un vaisseau de pierre hérissé de mille toitures. Les tuiles ocre et les ardoises se paraient d'un éclat pourpre, et, dans les jardins, des nuées d'oiseaux chantaient l'apparition du jour, celle du soleil à son lever. De sa fenêtre ouverte, Irwan contemplait ce spectacle si paisible et si beau. Il tenait une tasse de café à la main, la boisson indispensable quand le sommeil vous est interdit, et l'arôme familier le rassura.

Pétri d'anxiété et de détresse, l'inspecteur Vernier, en situation d'échec total, songeait à Maud. Elle avait disparu depuis vingt-quatre heures et il lui semblait que c'était depuis des semaines.

*Où est-elle?* se répéta-t-il avec lassitude, alors qu'il se remémorait leur quête bien vaine de la veille. En rentrant de chez Gérard Villeret, Marcel et lui avaient passé une heure à l'hôtel de police, afin d'établir un plan d'action satisfaisant. Une patrouille avait été chargée de visiter en long et en large le réseau de souterrains niché sous la ville tel un nid de serpents géants.

Le commissaire Valardy était rentré de Girac découragé, l'état nerveux de la malheureuse Nadia ayant nécessité une nouvelle injection de sédatif. Ensemble, ils avaient attendu le retour d'Élisabeth et de Xavier. Ces deux-là aussi n'allaient-ils pas se volatiliser dans quelque église désaffectée de campagne? Au terme d'une longue discussion, Irwan avait suggéré de faire surveiller le père Jean-Michel Rouzière, qui, avec le recul, était le seul personnage en rapport direct avec l'affaire, puisqu'il connaissait Muller et avait fait au téléphone une déclaration peu convaincante. De plus, le patron avait conclu, comme Marcel et Irwan, que les ecclésiastiques sont parfois, quoique très rarement, les mieux placés pour diriger une secte ou un mouvement du même genre.

Aux dernières nouvelles, le prêtre suspect, au « visage d'ange » – selon Maud –, après s'être absenté deux heures dans l'après-midi, renseignement obtenu par sa femme de ménage, avait ensuite mené une existence bien sage et bien ordinaire entre les murs de son presbytère. Il avait poussé la banalité jusqu'à jardiner au soleil couchant, pendant qu'Irwan tournait en rond du côté de Gardes, escorté d'Élisabeth et de Xavier, rentrés bredouilles de leur expédition vers 6 heures du soir.

Dans ce tranquille hameau charentais, niché au creux d'un charmant vallon, les trois policiers, la mine défaite, avaient pourtant admiré la façade de l'église, dont la tour, aux arcs romans élégants et purs, dominait les maisons alentour. Tenaillé lui aussi par l'angoisse, Xavier n'était pas bavard. En fait, ils se trouvaient tous confrontés à des événements stupéfiants : ces gens enlevés comme par magie au monde quotidien, qui réapparaissaient enfin, morts et travestis, au cœur d'Angoulême, sans que jamais personne n'ait rien vu.

Secondés d'une patrouille, ils avaient fouillé de nouveau le secteur de Villebois-Lavalette, ainsi que les communes environnantes, cartes topographiques à l'appui. Rien. Ils n'avaient rien découvert, aucun repaire, aucune cache possible. Les bâtiments abandonnés étaient rares, les ruines également, mais toute construction en apparence désaffectée avait été visitée et sondée. Toutes ces recherches, qui les avaient mobilisés une grande partie de la nuit, s'étaient avérées inutiles, comme celles entreprises dans les souterrains, qui avaient sans doute simplement servi de lieu de passage. Idem pour la cave de Villeret : la famille avait juré n'avoir jamais eu connaissance de cette singulière marche « à bascule », alors qu'elle avait de toute évidence livré accès aux assassins de l'historien lorsqu'ils avaient ramené son corps dans le jardinet.

Irwan alluma une cigarette, se tourna vers Xavier qui sommeillait dans un fauteuil. Il n'avait pas voulu laisser son collègue et ami seul, vu les circonstances, mais s'était endormi à peine arrivé dans l'appartement.

— Xavier, il est 6 heures. Réveille-toi, on retourne au Central.

— Hum… J'ai piqué un petit somme, désolé. Rien de neuf ?

— Non, rien. À part un bon litre de café et mon moral à zéro. Tu sais ce que je pensais, il y a un moment? La pleine lune, c'est ce soir. Et, si Élisabeth a vu juste, Maud vit peut-être ses dernières heures. Ça me rend fou.

— Ne dis pas ça. C'est impossible, on va la revoir et, dans trois jours, on s'offre un petit dîner chez elle, suivi d'une partie de scrabble comme au bon vieux temps. Tout va s'arranger, il faut rester optimiste. Cette histoire de sacrifice humain à la pleine lune, je n'y crois pas, ça fait un peu moyenâgeux.

Irwan soupira, agacé. Il avait les yeux rougis par la fatigue, les traits tirés. Il ajouta d'un ton las:

— Écoute, Xavier, tu as vu les deux premières victimes, leur accoutrement. C'est justement ce côté médiéval, forcé à l'extrême, qui m'angoisse. De plus, le patron a mis les bouchées doubles sur ce coup. On a fouiné du côté de certaines sectes d'autres régions, contacté Paris et Bordeaux. Il n'y a aucune piste en vue, aucun lien entre nos cadavres et d'autres affaires criminelles. Tout à l'heure, j'ai appelé ceux qui surveillent le père Rouzière. Là non plus, rien d'insolite. Notre prêtre s'est couché tôt, il n'a passé ni reçu aucun coup de fil. Nadia dort du sommeil du juste, et les heures s'écoulent. Nous, on est là comme deux imbéciles, à se répéter qu'il faut espérer un miracle.

— Ouais, je sais, ça va mal. Tu sais, hier, à Charmant, quand nous avons visité l'église, j'ai

fait un truc bizarre. Ne te moque pas : j'ai prié.
Pas longtemps, mais j'ai demandé de l'aide là-
haut. Ça va peut-être marcher. J'étais sincère.

— Je ne vois pas pourquoi je me moquerais
de toi, Xavier. Dis donc, au fait, tu n'as vraiment
rien remarqué là-bas ? Tu m'as bien précisé que
c'était jadis une commanderie des Templiers ?

— Je n'ai rien vu. J'aurais peut-être dû des-
celler quelques pierres, abattre un mur. Le problème, dans ce genre de bâtiment, c'est qu'on ne
peut pas voir à travers les infrastructures.

Irwan esquissa un sourire triste :

— Ça, c'est évident, gros malin. Tiens, ton
café. Après ça, on file au Central.

À cet instant précis, le téléphone sonna,
et les deux hommes sursautèrent. L'inspecteur
Vernier décrocha, le cœur battant :

— Oui, Vernier, j'écoute.

— Irwan, c'est Marcel. Je t'appelle de la part
du patron. Il faut que vous le rejoigniez à Girac.
La gamine a refait surface. Il vous attend pour
lui parler. Les médecins affirment qu'elle est totalement consciente.

— O. K. C'est super, on y va. Merci, mon
vieux ! s'écria Irwan qui raccrocha, l'air rasséréné.

Xavier était déjà debout, ses yeux bruns
pleins d'un espoir insensé. Il demanda aussitôt :

— Qu'est-ce qui se passe ?

— Nadia : elle est réveillée, on va l'interroger. C'est peut-être la fin du cauchemar. Allez,
viens, pas une seconde à perdre.

Ils roulèrent vivement vers l'hôpital. Chacun

échafauda en lui-même, mais en silence, une foule d'heureuses suppositions. Soudain, Xavier déclara:

— Dis, Irwan, si cette gosse leur a échappé, tu ne trouves pas étrange qu'ils n'aient rien tenté contre elle? On l'a fait protéger jour et nuit, il n'y a eu aucune alerte.

— Normal. Comment pourraient-ils savoir qu'elle a été renversée par une voiture et hospitalisée? Note que la presse a été coopérative et n'a pas divulgué l'incident.

— Ouais, t'as peut-être raison.

À Girac, devant la chambre de Nadia, les attendait un vrai attroupement: le médecin-chef du service, deux infirmières, le commissaire Valardy, entouré des parents de la jeune fille. Les deux hommes chargés de la surveillance étaient allés boire un café. Nadia était seule avec son frère aîné, dont on entendait la voix grave derrière la porte.

— Ah! Vous voilà. Bonjour, Irwan. Bonjour, Xavier. On va pouvoir discuter avec cette pauvre enfant. J'ai promis de la ménager. En fait, elle se souvient de tout ce qui lui est arrivé, mais ce n'est pas fait pour arranger les choses. Elle a raconté à sa mère les épreuves qu'elle a subies, et c'est grave, très grave.

Le commissaire fronça les sourcils d'un air entendu, ce qui signifiait qu'il les mettrait au courant plus tard. Irwan devina qu'il était très inquiet de la suite des événements. D'ailleurs, tout bas, il leur souffla:

— J'espère qu'elle va pouvoir nous aider à

localiser ces criminels. Maintenant que j'ai appris certaines choses, je crains le pire pour Maud et la jeune Annie.

Tendus par une nervosité pénible, ils se décidèrent à entrer dans la chambre après avoir frappé. Le frère de l'adolescente leur ouvrit, les salua discrètement et s'esquiva pour les laisser face à Nadia. Elle était assise dans son lit, un oreiller dans le dos, une tasse de chocolat chaud à la main. Son visage rond, semé de quelques taches de rousseur, gardait un air d'enfance malgré l'anxiété que l'on pouvait y lire. Ses yeux gris étaient brillants, un peu fixes encore.

— Bonjour, Nadia, dit gentiment Irwan, s'approchant en souriant.

— Bonjour, messieurs, répliqua-t-elle, sans doute gênée de voir ces trois policiers à son chevet.

— N'aie aucune crainte. Nous sommes là pour t'aider, mais aussi pour te demander de l'aide, commença le commissaire d'un ton paternel. Tu es la seule à pouvoir témoigner contre ces gens qui t'ont fait du mal. Nous devons sauver Annie, tu comprends, une autre jeune femme et un homme, monsieur Muller. Tu le connais?

— Oui, il était enfermé avec nous. Il nous a consolées au début, répondit Nadia à voix basse, sans rien dire de plus, la tête baissée sur sa tasse.

— Nadia, reprit Irwan. Nous ne voulons pas te fatiguer, et tu n'es pas obligée de nous dire aujourd'hui ce qui te gêne. Peux-tu juste nous indiquer où tu étais prisonnière? Comment tu as réussi à t'enfuir?

L'adolescente hésita. Elle n'osait pas lever les yeux. Enfin, dans un murmure, elle expliqua :

— Quelqu'un m'a aidée. Un homme. Il devait être assez âgé. Ses mains avaient des taches, il bégayait un peu. Quand ils m'ont enfermée, il est venu pour me faire une piqûre. Moi, je savais qu'ils allaient me tuer. Avant, ils avaient déjà tué un homme. C'était horrible! Annie avait fermé les yeux, pas moi.

Une violente crise de sanglots interrompit cette déclaration, et le commissaire, qui craignait de voir l'entretien abrégé par le médecin, tenta de raisonner la jeune fille. Il l'exhorta au courage, au calme, et il y parvint.

— Que s'est-il passé avec cet homme qui devait te faire une piqûre? dit-il ensuite.

— J'avais si peur. Je l'ai supplié de me laisser tranquille. Je lui ai parlé, parlé... J'appelais maman. Je lui ai demandé de ne pas me faire de mal et je crois qu'il a eu pitié de moi. C'est bizarre, hein? Il est sorti et m'a laissée. Un peu plus tard, il est revenu et m'a dit de le suivre. Je ne voulais pas. Je croyais qu'il allait m'exécuter, mais là, il a dit tout bas qu'il allait me libérer. Il m'a bandé les yeux et m'a emmenée. Après, il m'a enlevé le bandeau, m'a montré une sorte de puits. J'ai vu le ciel en haut. Il faisait nuit, mais j'ai vu les étoiles. Il y avait une échelle, et je suis montée sans même le remercier. Je ne savais pas ce qui se passait. J'avais l'impression de rêver. Je me suis retrouvée en pleine campagne et j'ai couru.

Impatient, fébrile, Irwan lui demanda :

— Tu peux nous décrire le paysage, par exemple s'il y avait beaucoup d'arbres, ou des champs?

— Non, des buissons, de l'herbe rase, quelques arbres… Je courais si vite, comme une folle, je ne savais pas dans quelle direction aller, mais je voulais m'enfuir le plus loin possible pour trouver des gens et sauver Annie. Ils vont la tuer à la pleine lune. J'ai marché longtemps, je suis arrivée sur une petite route. Après, je me suis retrouvée sur une route plus grande et j'ai vu le panneau Gardes-le-Pontaroux. J'ai su qu'Angoulême, ce n'était plus très loin. Dès que j'ai aperçu des phares, je me suis précipitée vers la voiture.

— Et comment s'est passé votre enlèvement? interrogea le commissaire. As-tu vu vers où on vous conduisait?

— Non, gémit Nadia. On a fait le mur, Annie et moi. Elle voulait absolument voir son père.

Ils apprirent ainsi ce que Maud avait découvert grâce au récit d'Annie: la voiture d'Ozon avec deux hommes à bord qui avaient affirmé être des amis de ce dernier, chargés de les conduire auprès de lui. Le chloroforme, puis le réveil dans un cachot, où se trouvait déjà un pensionnaire, Muller. Accablés, les policiers ne pouvaient que constater une évidence: si Nadia avait apporté de nombreux éléments au puzzle ardu que représentait cette enquête, il leur manquait toujours la même pièce: le lieu exact où se terraient les assassins.

Ils quittèrent la chambre. Le commissaire haussa les épaules, déclara très vite :

— Nadia a avoué à sa mère qu'elle a été victime d'un viol collectif. Tout ça parce qu'elle n'était plus vierge. Reste à espérer que ces ordures ne lui ont pas fait cadeau d'un certain virus. Elle devra subir des examens. Si je mets la main sur cette bande de fous, il y aura des dégâts.

Xavier lança un regard navré à Irwan, qui était devenu livide. Il devina la teneur de ses pensées et serra les poings, lui-même pris de panique en songeant à Maud ainsi qu'à cette jeune fille inconnue prénommée Annie.

## 10

À plus d'une trentaine de kilomètres de là, à la même heure, un homme était plongé en pleine rêverie. D'une main racée, il caressa la cagoule noire qu'il portait souvent quand il se glissait dans la peau d'un redoutable personnage, celui de chef incontesté de ce qu'il était convenu d'appeler une secte. Ce n'était pas toujours un rôle facile à assumer, et, parfois, il craignait que ses manœuvres ne tournent court.

Une dizaine de personnes avaient rejoint le rang de ses fidèles, qui, au début, il y a moins d'un an, n'en comptait que trois. Peu à peu, son charisme aidant, ainsi que la drogue offerte et les promesses d'un trésor fabuleux, d'autres étaient venus. Les conditions pour être acceptés n'étaient pas à la portée du premier quidam : fidélité et obéissance aveugle étaient exigées, promises par un serment écrit avec le propre sang du postulant. Il fallait de plus jouir de ressources financières importantes, se plier aux règles de discipline tout en sachant bien que la trahison ou la désertion étaient punies de mort.

Il avait su agiter sous leur nez le spectre d'une fortune éblouissante, où l'or, ce métal tant convoité depuis des siècles et toujours valeur sûre, gardait le statut d'appât. Le gourou avait réussi à s'aliéner ces gens cupides, avides de sensations fortes.

Dernièrement, les agissements de la secte avaient pris des proportions inouïes, notamment avec ces cadavres grimés et déguisés rendus au grand jour après une exécution nocturne. La police, qui devait enrager à l'heure actuelle, ignorait que l'une des victimes, le retraité Gérard Villeret, faisait auparavant partie des fidèles. Il avait ouvertement protesté lors d'une cérémonie contre leurs rites sanglants, et il avait payé de sa vie ses opinions contraires. Cela se produisait de temps en temps, et, ce matin-là, le chef à la cagoule noire se disait qu'un vent de dissension soufflait parmi ses sujets. D'abord, quelqu'un avait facilité l'évasion de la jeune Nadia, et à présent certains critiquaient à mots couverts l'enlèvement de l'inspecteur Delage.

— La jolie Maud, murmura l'homme en revoyant les formes parfaites de la jeune femme.

Pendant des années, il avait connu l'abstinence tout en souffrant beaucoup. Vite obsédé par le moindre jupon, il n'avait plus résisté aux charmes de certaines belles créatures, mais il avait su pourtant attendre encore, et son désir s'était exacerbé jusqu'à la démence. Ensuite, il avait choisi, pour assouvir ses besoins, de leur prêter un côté rituel malsain et violent, fréquemment conclu par le meurtre. Cela lui donnait – pensait-il – des excuses, car, le jour revenu, il reléguait aux oubliettes de son âme malade ses fautes de la nuit pour offrir à ses paroissiens un visage serein et un regard paisible. En fait, il pensait se dédoubler : coupable à minuit, innocent à midi. Peu à peu, cette fièvre de faire le mal s'était accrue, ainsi que cette idée d'entraîner avec lui les disciples ralliés à sa cause.

Or, ce n'était pas un jeu d'enfant de diriger ces hommes et ces femmes qui, la plupart du temps, menaient une existence normale, souvent une vie de famille en apparence honnête. Il devait leur promettre toujours plus, les leurrer à coups d'arguments sans cesse plus alléchants, les griser d'aphrodisiaques et de cérémonies absurdes. Un fait inquiétant lui revenait : la voix de l'inspecteur Maud Delage – délicieuse dans sa nudité révélée –, qui avait hurlé des imprécations vengeresses. L'avait-elle reconnu ou était-ce un piège pour qu'il se trouble ? *Qu'importe, se dit-il en serrant les poings. Cette nuit, elle mourra, condamnée au silence, au néant.* Mais avant, le premier, il pourrait goûter aux délices de son corps alangui par la drogue, sur la pierre des sacrifices. Jeu sadique, pervers, ivresse du crime, volupté du sang répandu. Maud et Annie, l'une symbole de l'ennemi, la police, qu'il avait narguée en déposant en ville leurs deux dernières victimes, l'autre incarnation de la pureté et de la fragilité, dévolue à la violence et à la souillure. D'ailleurs, pour Annie, il se félicitait des ruses déployées pour l'enlever. Dès qu'il avait su qu'une des filles d'Ozon était en vacances non loin de ses griffes, il s'était promis de sacrifier le père et l'enfant.

*Plus que quelques heures, et ensuite, on redonne aux flics leur chère collègue, mais dans un état dont ils se souviendront. Quant à l'autre fille, peut-être serait-il préférable de la confier à ce puits obscur où dorment, sous de la chaux vive, quelques autres adolescentes sacrifiées. Maud Delage sera tuée la première*, décida-t-il en se levant. *Cela fera taire ceux qui décrètent que c'était une grave imprudence de s'en prendre directement à la police.* Lui se moquait bien des risques, car il se jugeait intouchable. Il avait eu envie de Maud aussitôt, à en perdre la tête; cela lui avait paru suffisant comme raison.

En se retrouvant seule avec son compagnon, Maud chuchota :

— Louis-Marie, j'ai très peur pour Annie.

— Je vous comprends, mais je ne sais pas ce que je pourrais vous dire pour vous rassurer. Ce qui m'étonne, c'est qu'ils ne vous ont pas encore injecté leur saleté de drogue. Remarquez, je n'y ai pas eu droit non plus. Ça doit être juste avant l'exécution. Annie, c'est différent, ses nerfs ont craqué dès qu'elle a appris la mort de son père.

— Ce n'est guère surprenant, reconnaissez-le. Dites, si, entre condamnés à mort, on se tutoyait, ironisa courageusement la jeune femme.

— Si tu veux.

Une longue nuit les attendait. D'après leurs

calculs, l'obscurité devait être tombée. Maud ferma les yeux, imaginant la campagne, là-haut, les étoiles, l'herbe. Comme elle aurait voulu avoir la chance de Nadia, être libérée par miracle et courir sous la lune à travers champs pour fuir ce lieu de cauchemar. La revoir, cette lune, qui allait sonner l'heure de son supplice. Louis-Marie et elle en étaient persuadés maintenant : ils se trouvaient dans un réseau souterrain, sans doute près de Villebois.

— Pourtant, ce secteur a été passé au peigne fin par nos patrouilles, expliqua la jeune femme. Ces gens doivent avoir le don d'invisibilité.

— Sans aller jusque-là, je parierais plutôt qu'ils ont misé sur un lieu sûr, une maison en apparence habitée par des gens irréprochables. J'ai eu le temps de les épier ; il y a des choses qui ne trompent pas. Je suis certain que nos moines de mascarade appartiennent presque tous à un milieu aisé. Avez-vous fait des perquisitions chez tous les résidants des communes entourant Villebois ? demanda Louis-Marie.

— Je ne sais pas. Peut-être... Ma disparition a dû causer pas mal de remous.

Maud n'ajouta rien. Elle se lova en chien de fusil sur le tas de paille. Elle avait sommeil et ne voulait plus songer à ce qui la guettait au détour des heures. Les paupières closes, elle tenta d'imaginer ce qui se passait à Angoulême, les recherches fébriles d'Irwan et de Xavier, la mine désolée du patron. Et Nadia ? S'était-elle enfin réveillée ? Avait-elle parlé ?

Toutes ces idées la calmèrent malgré l'envie poignante qu'elle avait de retrouver ses repères habituels, l'ambiance chaleureuse du bureau, celle de son studio. Un petit cri lui échappa alors : *Albert!* Elle avait oublié Albert. Puis elle se rassura de nouveau, confiante en Irwan pour veiller sur son chat trop souvent seul. Irwan avait les clefs de chez elle. Il irait, il lirait les mots incongrus sur le tableau concernant cette fameuse marche.

Ses pensées se firent confuses, elle s'endormit.

Louis-Marie la réveilla quelques heures plus tard, en caressant sa joue d'un doigt affectueux.

— Maud, ce doit être l'aube. Je le sens, il me semble même avoir entendu un coq très loin. C'est la première fois que cela se produit. On dirait qu'il n'y a plus personne ici.

Maud sursauta, surprise d'être allongée contre Louis-Marie, la tête sur son épaule. Sans chercher à s'éloigner, encore ensommeillée, elle chuchota :

— Qu'est-ce que je fais là?

— Tu pleurais cette nuit, en dormant. Je t'ai parlé et tu m'as attiré vers toi. Je me suis couché près de toi et tu t'es apaisée aussitôt. Je n'ai plus bougé. Mais rassure-toi, je n'en ai pas profité.

— Oh! de toute façon, quelle importance, vu ce qui m'attend? On est bien comme ça. J'ai moins peur, j'ai chaud…

Instinctivement, elle quêta la chaleur de cet homme avec qui elle avait déjà partagé de longs et pénibles moments de promiscuité. Il la serra plus fort contre lui, et ils savourèrent ces minutes où ils n'étaient plus que des ombres détachées de tout, sans passé ni avenir, qui puisaient en l'autre un peu de force et de tendresse. Hasard ou pulsion désespérée, leurs lèvres trouvèrent et se joignirent en un baiser avide, amer, qui les laissa gênés et tristes. Ils savaient tous deux que plus rien n'avait d'importance.

Un peu plus tard, on leur servit un frugal petit-déjeuner, une sorte de café au lait tiède accompagné de biscuits. Ils mangèrent sans plaisir tout en bavardant à voix basse :

— Tu sais, Louis-Marie, il y a quelque chose de bizarre dont je n'ai pas eu le temps de te parler hier soir. Quand ils m'ont emmenée, j'ai subi un drôle d'examen, et l'un des hommes a parlé. Je connais sa voix, j'en suis sûre. C'est une voix marquante, grave, mais je ne peux pas me souvenir à qui elle appartient.

— Tu crois? Cherche bien. C'est peut-être une erreur, ou alors quelqu'un que tu as rencontré récemment, pendant ton enquête.

Maud pâlit, hésitante. Elle se remémora patiemment les personnes interrogées, qui se comptaient sur les doigts d'une main.

— Je sais qui c'est. Non, c'est impossible.

— Dis toujours.

— On dirait la voix du père Jean-Michel Rouzière, un prêtre à qui nous avons rendu visite, Irwan et moi. Non, ce ne peut pas être lui : on aurait dit un ange.

— Le père Rouzière? Tu délires. Je le connais. C'est un type en or. Un prêtre dans ce nid de vipères, ça ne tient pas debout.

— Comment ça, tu le connais? s'est étonnée Maud, soudain alertée. Nous l'ignorions. Il me semble qu'Irwan a mentionné ton nom en parlant des gens disparus. Il n'a pas réagi. Il aurait dû, justement, s'il te connaissait.

— Oui, peut-être. Mais notre rencontre remonte à plus d'un an. Je l'avais contacté, car il avait créé une association, « Les amis de l'histoire ». Il cherchait des adhérents, et cela m'intéressait. On a eu deux ou trois entretiens; je n'ai pas donné suite.

— Pourquoi?

— À cause d'Hélène. Elle croyait que j'avais trouvé un moyen de sortir le soir, de la laisser seule. Je n'aime pas les disputes. J'ai renoncé. De toute façon, j'avais assez de travail avec le château, les spectacles et mes cours.

— Et à l'époque, qu'est-ce que tu as pensé de ce prêtre?

— Rien de spécial. Il était drôle, instruit, sympathique. D'ailleurs, j'y pense, je l'ai appelé dernièrement pour avoir un renseignement sur les Templiers en Charente, plus précisément sur l'ancienne commanderie de Charmant.

— Et alors?

— Nous avions fixé un rendez-vous, mais, de toute évidence, je n'irai pas.

— Tu es sûr de ne pas être au rendez-vous? Enfin, Louis-Marie, réfléchis. Si tu lui as téléphoné récemment, il ne pouvait pas avoir oublié ton nom. Il nous a joué la comédie. C'est bien lui qui est là et qui m'a…

Maud s'arrêta, rouge de honte. Une rage subite l'envahit. Elle aurait voulu pouvoir prévenir Irwan, sauter au visage de l'imposteur, lui arracher sa cagoule pour le démasquer enfin. Mais, une fois de plus, la porte s'ouvrit et livra passage à trois silhouettes sombres.

En un instant, Maud fut emmenée, presque soulevée de terre par six mains autoritaires. Elle ne cria pas, mais lança un regard désolé et complice, avec une note d'adieu, à son compagnon de misère. Louis-Marie resta seul, accablé, la tête abandonnée sur ses genoux repliés.

*

Les heures continuèrent à s'écouler, inexorables. Le soleil était sur le point de se coucher, et la lune, ronde et blanche, allait bientôt monter dans le ciel.

Irwan et Xavier se regardèrent, incrédules. Ils avaient enfin du solide à se mettre sous la dent. Une piste sérieuse, la seule. Il ne leur restait qu'une chance, une toute petite chance, et c'était le père Jean-Michel Rouzière. Ils avaient fait immédiatement une enquête approfondie sur le personnage, avaient fouillé à la loupe son passé, le moindre de ses agissements. Le commissaire Valardy avait travaillé avec eux, et un coup de fil avait provoqué sa jubilation.

— Écoutez ça, les enfants. Notre prêtre a créé il y a deux ans une association censée regrouper des passionnés d'histoire. Gérard Villeret en faisait partie. Qu'est-ce que vous dites de ça?

Ils continuèrent sur cette voie, jusqu'à découvrir que l'évêché avait eu jadis à reprocher au père Jean-Michel une attitude parfois trop affectueuse avec l'une de ses paroissiennes.

— Il est là, disons en Charente, depuis sept ans. Avant, on ne sait pas encore où il sévissait, dit Xavier. Mais ce serait intéressant de l'apprendre.

— On n'a pas le temps, répondit nerveusement Irwan. Il faut foncer. Vous êtes d'accord, patron, vous nous donnez le feu vert? On ne peut pas laisser ces fous tuer Maud. Même si c'est une erreur, ce qui m'étonnerait, on n'a pas le choix. Xavier et moi, on va prendre le relais pour surveiller ce Rouzière, et vous nous envoyez du renfort dès que cela devient sérieux.

Le commissaire réfléchit, perplexe:

— Et si cet homme n'a qu'un second rôle, s'il ne bouge pas de son presbytère, s'il se méfie? Jusqu'à maintenant, il a eu une conduite exemplaire. Il est suspect, soit, mais prudence. Ta hâte peut tout gâcher, Irwan.

— Patron, pensez à Maud! Elle est en danger. Si vous aviez vu comment ce type la regardait malgré ses manières angéliques. La mémoire m'est revenue à ce sujet. Sur le moment, ça ne m'a pas frappé. Je me disais simplement que les prêtres étaient des hommes comme les autres, mais en y songeant...

— Bon, bon. D'accord. Filez, mais je veux être tenu au courant toutes les heures, tous les quarts d'heure, s'il le faut. Compris?

Dans le couloir, l'inspecteur Vernier marcha à une allure martiale, comme s'il entraînait son collègue sur le sentier de la guerre. Xavier l'entendit maugréer.

— Si ce type a touché à Maud, j'en fais de la chair à pâté, je l'écrase.

— Oh! Irwan, du calme, on pourrait t'entendre. Te ronge pas les sangs, c'est mauvais. Tu n'as pas dormi depuis deux jours. Garde ton sang-froid.

— Ouais, facile à dire. J'ai horreur des hypocrites, mon vieux. Vraiment horreur.

Ils roulaient à présent en direction de Poulignac et prévinrent aussitôt par radio les deux hommes qui surveillaient Jean-Michel Rouzière.

Leur correspondant précisa que le prêtre n'avait pas bougé de la journée et avait déjeuné dans le jardin. Une femme d'une cinquantaine d'années était sans doute venue faire le ménage, si l'on en jugeait par son attirail. Elle repartait à l'instant.

— Attendez-nous, on arrive. Il faudra inverser les rôles discrètement. Je vous rappelle.

Irwan coupa la communication. Xavier haussa les épaules, puis déclara d'un ton découragé:

— Ton suspect a l'air bien honnête: prières, repas, dodo, etc.

— Il se sait peut-être sous surveillance et joue les personnages intègres. Il est loin d'être

191

idiot, au contraire. Pourtant, il est vrai que sa femme de ménage, que nous avons interrogée par téléphone, affirme qu'il n'a pas quitté le presbytère depuis quarante-huit heures.

Un dernier appel, un kilomètre avant le lieu de relais. Irwan, agacé, entendit avec dépit les propos suivants :

— Tout est calme, inspecteur. Il doit faire la sieste, les volets de la chambre sont accrochés et il n'y a aucun bruit.

Ils congédièrent les hommes qui étaient en planque dans une voiture banalisée, garée à l'ombre d'un tilleul. C'était donc leur tour d'observer les murs blancs qui abritaient le père Jean-Michel Rouzière. Ils attendirent une heure, deux heures, rien ne bougeait.

— Il devrait se réveiller, quand même… Ou bien, c'est peut-être simplement un individu aux mœurs exclusivement nocturnes, fanfaronna Xavier sans enthousiasme.

— Dans une heure, on frappe et on entre, si personne ne répond.

— Tu es fou? S'il est mêlé à l'affaire, on ne peut pas prévoir ses réactions. Il vaut mieux attendre encore et, s'il s'en va, le suivre. Il peut nous mener à Maud.

— Il peut le faire aussi sous la menace d'une arme, rétorqua Irwan en tapotant son revolver.

— Tu te crois dans un feuilleton américain, Irwan, ou tu perds la tête? Je te rappelle qu'on n'a aucune preuve contre lui, aucune.

Xavier se tut. Il se dit que, décidément, il y avait une forte affection entre Irwan et Maud, si ce n'était plus. Mais ce n'était pas le moment d'y penser.

Au bout de trente-cinq minutes, Irwan sortit de la voiture, où régnait une chaleur suffocante, car ils se trouvaient dans la partie arrière, réservée à la surveillance.

— On y va. Je suis sûr et certain qu'il n'y a plus personne là-dedans. On frappe et, si ça ne répond pas, je cherche une entrée, ce qui m'évitera toute effraction.

Fataliste, Xavier emboîta le pas à son collègue. Irwan frappa vigoureusement, au moins quatre coups, à l'aide d'un heurtoir de bronze. Rien. Il réitéra, puis soupira :

— Bon, mon vieux, inspection des fenêtres et portes secondaires.

— Tu sais, Irwan, ce n'est pas une construction immense. Enfin, cherchons un trou de souris.

Ils n'eurent pas besoin d'aller loin : la première fenêtre était entrouverte, les volets, à demi accrochés. Le cœur battant la chamade, Xavier vit bientôt Irwan enjamber le rebord, se laisser retomber sans bruit dans une pièce silencieuse, et lui faire aussitôt signe de le suivre.

— Tu es sûr de ce que tu fais ? murmura l'inspecteur Boisseau, qui n'avait jamais pénétré à la sauvette dans un presbytère.

— Oui, dépêche-toi.

Ils traversèrent un petit salon, où s'étendaient

des rayonnages de livres sur des étagères de bois verni. C'est là que le père Rouzière avait reçu Maud et Irwan. Puis ce fut la cuisine, suivie d'une chambre de style monacale, où ils eurent la surprise de voir quelqu'un, manifestement plongé dans un sommeil profond, couché sous un drap.

Ils se regardèrent avec stupeur, figés par cette présence imprévue. En fait, ils ne savaient plus ce qu'ils devaient faire. Pourtant, Irwan s'avança, souleva le drap :

— Viens voir ça, Xavier. On s'est payé notre tête. Une blague vieille comme le monde. C'est un mannequin qui fait la sieste, à l'effigie de notre suspect. Sans oublier les vêtements noirs...

Xavier s'approcha, interloqué, pour constater qu'effectivement, le père Rouzière s'était moqué d'eux et avait filé sous d'autres cieux. Par contre, leur conviction d'avoir affaire à un coupable de premier ordre s'imposa à eux.

— Dis donc, cette fois, il n'y a plus de doute, commenta Xavier, blême de colère.

Irwan, lui, avait les lèvres pincées, les yeux pleins de fureur. Il dut se retenir de ne pas attraper à deux mains le mannequin pour assouvir sa rage contre ce semblant de prêtre. Il rugit :

— Il nous a eus! Il devait nous conduire à Maud, mais c'est raté. La piste est perdue. On ne le retrouvera pas.

— Attends, calme-toi. Réfléchissons : par où est-il parti ? Apparemment, il n'y a pas d'autre sortie à part la porte principale. Comme nos gars étaient postés, ils voyaient aussi la fenêtre donnant derrière. Si on cherchait la cave, mon vieux? J'ai ma petite idée.

Ils découvrirent une porte dans la cuisine, l'ouvrirent, descendirent un escalier en bois. En bas, ils eurent une nouvelle surprise: une vaste salle voûtée s'étendait sous la maison, désespérément vide, à l'exception d'un énorme tonneau posé dans un coin, le long du mur. Xavier tapota le bois cerclé de fer, s'arc-bouta pour faire glisser l'encombrant objet. Il y parvint sans peine.

— Un puits. T'as une lampe, Irwan?

— Non, un briquet. La torche est restée dans la voiture.

— Passe, je veux voir ce qu'il y a plus bas.

En fait, ils s'aperçurent très vite qu'une échelle en fer permettait de descendre d'un mètre cinquante environ. Il n'y avait pas d'eau, mais tout de suite une galerie d'environ six mètres apparut.

Pour économiser le gaz du briquet, ils avancèrent à tâtons et, deux minutes plus tard, remontèrent un autre passage vertical, soulevèrent une trappe et se retrouvèrent dans la sacristie de l'église.

— Et ce n'était pas plus compliqué que ça. Le père Rouzière s'est enfui par là. Soit un complice l'attendait, soit il avait garé sa voiture derrière l'église. Personne ne pouvait s'étonner de le voir sortir de son lieu de travail, expliqua Xavier très posément, car il devinait Irwan prêt à exploser de fureur.

— Oui, tu as sûrement raison, mais ça ne sert à rien d'en discuter. Il est 19 heures. On fonce à Angoulême. Je ne sais pas si tu es au courant, mais il nous reste environ cinq heures pour trouver le repaire de ces cinglés, leur arracher Maud et les mettre hors d'état de nuire. Viens vite, je crois que j'ai une idée.

Le commissaire Valardy vit entrer Irwan et Xavier dans son bureau, la mine sombre et résolue.

— Patron, on a un petit travail urgent à faire. Si vous pouviez me passer les documents qui concernent Jean-Michel Rouzière, j'en ai besoin. Nous devions obtenir la liste des personnes qui adhéraient à son association d'amateurs d'histoire ancienne. Avons-nous tous les noms et toutes les adresses?

— Je viens de les recevoir par fax, Irwan, répondit le commissaire en lui tendant deux feuilles. J'ai dû penser la même chose que toi. À savoir: on devrait trouver parmi ces gens quelques-uns des membres de la secte.

— Formidable. On a donc encore une chance de les coincer. Xavier, je vais dans mon bureau étudier ces papiers. Raconte ce qui nous est arrivé, je n'en ai pas pour longtemps. Après, je crois qu'il va falloir attaquer en force...

*

Maud était enfermée dans un autre réduit,

encore plus exigu. Elle était assise dans un coin, résignée, brassant une foule d'idées noires. D'après ses appréciations, la soirée était bien avancée. Elle percevait une musique lancinante, assourdie par le mur épais. Il y a déjà un certain temps, on lui avait servi un verre de jus d'orange. D'un signe, son visiteur lui avait fait comprendre de tout avaler en sa présence avant de repartir avec le verre. Depuis, elle se sentait lasse, les jambes molles. Tout son être était privé de volonté.

*Ils m'ont fait boire une drogue quelconque. C'est peut-être mieux, après tout. J'aurai moins peur, moins mal.*

Ce qu'elle redoutait, ce n'était pas la mort, en vérité, puisqu'elle avait choisi un métier à risque, mais ce qui allait précéder l'exécution la révulsait. Son intuition lui soufflait que l'officiant, le moine porteur d'une cagoule noire, allait abuser de son corps, devant tous les autres qui en feraient sans doute autant. Cette pensée lui donna envie de mourir immédiatement. Puis elle se demanda ce qu'il était advenu d'Annie. L'avaient-ils mise à l'écart pour la préparer à leur guise, ou l'avaient-ils déjà humiliée et tuée?

Soudain, tout lui devint indifférent, comme si elle se dédoublait. C'est à cet instant que l'on vint la chercher. Deux personnages apparemment nerveux, en proie à une excitation anormale. Dans un dernier éclair de lucidité, Maud se dit qu'ils avaient pris eux aussi de la drogue, mais d'une autre sorte.

On l'emmena dans la petite pièce où elle avait subi un examen détaillé, et là, tel un pantin entre les mains expertes de trois moines, elle fut dévêtue, maquillée de manière outrée, les lèvres trop rouges, les yeux fardés telle une sultane. Puis on l'habilla de voiles rouges, d'une transparence évocatrice. On voulut encore lui faire boire du jus d'orange, mais, dans un sursaut instinctif, elle repoussa le verre d'une main furieuse, si bien que son contenu se répandit sur le sol de terre battue.

— Tant pis pour toi, ma belle, tu souffriras, dit une voix éraillée, sinistre.

Des doigts la caressèrent, fébriles; elle tenta de les écarter, en vain. Un second groupe apparut alors, mené par l'homme à la cagoule noire. Annie était au centre, agneau blond et blanc que l'on conduisait au sacrifice, elle aussi dénudée sous une mousseline, blanche cependant.

Maud assista à la scène dans une sorte de stupeur. Elle avait l'impression que ses sens étaient endormis, engourdis. Sa vision elle-même était un peu floue, mais, au contraire, un regain de conscience lui restait, qui se débattait contre ce brouillard où elle s'enfonçait.

— Il est presque minuit, la lune est haute, la cérémonie va commencer. Conduisons-les à la salle sacrée de Baal.

Cette voix grave, douce, sensuelle… Toujours cette voix et, par les fentes de la cagoule noire, ce regard clair et limpide qui s'illuminait encore en contemplant avidement les formes de Maud, mises en valeur par ce tulle rouge.

*C'est bien lui, le père Jean-Michel*, songea l'inspecteur Delage, qui titubait, soutenue par deux moines. Combien elle le méprisait de salir son sacerdoce, de tromper ceux qui voyaient en lui un homme de Dieu. C'était un mauvais ange, en vérité, qui avait su l'amadouer comme les autres, la berner. Lorsqu'elle passa tout près de lui, elle trouva la force de se débattre pour échapper quelques secondes à ceux qui la tenaient. D'un geste vif, elle arracha la cagoule, geste inattendu de sa part et qui dévoila le visage de l'imposteur.

— C'est bien vous! bredouilla-t-elle d'une voix pâteuse. Vous n'avez pas honte, père Jean-Michel? Vous entendez, vous n'avez pas honte, espèce de monstre, de porc?

Une violente gifle lui coupa la parole, tandis qu'on l'empoignait durement. Puis elle fut presque soulevée du sol, portée en courant le long d'une galerie. Là, elle fut déposée et attachée sur un autel de pierre, exhibée à tous les regards. Un hurlement l'obséda. C'est Annie qui criait, terrifiée de la voir ainsi, assez consciente pour comprendre qu'elle allait assister à un funeste spectacle: le supplice de la jeune femme.

On la fit taire avec un bâillon, et Maud, éperdue, ranimée par la gifle magistrale du chef de la secte, découvrit au milieu des officiants le pauvre Louis-Marie, défiguré par l'horreur et le chagrin. Il avait les mains liées, un bâillon aussi. Une musique s'éleva, des chants graves et langoureux. Des feux de Bengale verts et bleus furent allumés, qui dispensaient des reflets étranges sur les parois rocheuses.

*Ce n'est pas possible, c'est un cauchemar, un vrai délire!* se dit encore Maud, prise d'une nausée presque douloureuse. Le père Jean-Michel, qui avait remis sa cagoule, s'approcha de l'autel, un poignard à la main. La lame était affilée, brillante, et il en caressa tout le corps offert de sa victime, pour ensuite le reposer. On sentait l'assistance tendue, vibrante de pulsions malsaines. Ils étaient tous là, à guetter les gestes de leur gourou, impatients de participer eux aussi à cette fête d'un genre dangereux.

Enfin, le prêtre repoussa les voiles qui couvraient le corps de Maud, et, à son attitude gourmande, impudique, la jeune femme comprit qu'il allait la violer. Elle serra les dents pour ne pas crier, ferma les yeux en souhaitant que tout se passe très vite et qu'elle soit débarrassée de cette terreur insupportable.

Mais un concert de bruits et de hurlements éclata non loin de l'autel, un vacarme tel que personne ne bougea, incrédule, hébété. Puis un des moines sortit un revolver, tira, ce qui déclencha d'autres coups de feu, plus virulents, suivis d'une incroyable panique. Le père Rouzière fut terrassé par six hommes casqués et armés, et quelqu'un délivra Maud, la couvrit d'un tissu épais, la serra dans ses bras: c'était Irwan. Elle enfouit son visage contre son épaule, se mit à sangloter, car elle ne parvenait pas à admettre que tout était fini, qu'elle était hors de danger.

Ils étaient tous là, le commissaire, en pleine activité, qui lançait des ordres, menait ses hommes d'une main de maître. Xavier, Antoine et Marcel – même Élisabeth, les traits durs, une arme au poing, ses yeux noirs pleins de mépris pour la vingtaine de personnes à présent dominées et menottes aux poignets. Tout s'était déroulé à une allure folle, un film en accéléré, qui les laissait, vaincus et justiciers, haletants, épuisés, les uns démasqués et pétris d'angoisse quant à leur avenir, les autres merveilleusement heureux d'être arrivés à temps.

Une heure plus tard, Xavier roulait doucement sur une étroite route de campagne, vers la paisible cité de Villebois-Lavalette. À l'avant, son passager n'était autre que Louis-Marie Muller, que l'on ramenait chez lui. Sur la banquette arrière, Maud était blottie contre Irwan. Tous deux étaient visiblement émus. Le drame était si récent qu'ils ne pouvaient pas réaliser la violence de ce qu'ils avaient tous vécu. Pour se donner le change, ils discutaient tous les quatre avec véhémence, même si Maud présentait parfois des signes de faiblesse.

— Comment nous avez-vous dénichés? demanda Louis-Marie, ébloui par sa liberté retrouvée.

— En examinant la liste de ceux qui faisaient partie de l'association «Les amis de l'histoire», créée par Rouzière, répondit Xavier joyeusement. On a téléphoné à tous, noté les absents, écouté attentivement les déclarations des épouses esseulées, dont le mari découchait ou disparaissait les soirs de pleine lune. Une idée lumineuse du patron et de l'inspecteur Vernier. Comme par hasard, un seul des membres résidait entre Villebois et Gardes-le-Pontaroux, une luxueuse propriété bien cachée.

— Oui, ajouta Irwan, je l'avais vue et observée lors des patrouilles, mais c'était cossu, habité. J'ai songé à une résidence secondaire bien honnête. Mais, lorsque j'ai constaté que son propriétaire était un des premiers adhérents de Rouzière, j'ai tout de suite compris. On a débarqué là, et ils n'avaient laissé qu'un vigile dans la maison. Nous l'avons aisément maîtrisé grâce à l'effet de surprise. Par contre, il refusait de nous donner la moindre indication. On a laissé deux de nos hommes l'interroger. Nous, on a cherché la cave, par habitude, puisque, dans cette affaire, tout se passait en sous-sol. Elle était d'une banalité désolante, à part un four à pain de conception étrange, qui donnait accès à tout un réseau souterrain du Moyen Âge. En fait, c'était une ancienne ferme de notable, retapée depuis six ans. Mais dessous il y avait des structures très vieilles, des silos, des écuries, des porcheries, qui d'ailleurs vous ont servi de cachot. Il n'y avait personne, mais on entendait des chants et de la musique. En se guidant là-dessus, on est arrivés près de la salle où se déroulait la cérémonie. Tout ce vilain monde était si absorbé qu'on a pu se mettre en position d'intervention. Le patron a donné le signal quand le chef était en plein recueillement, penché sur Maud. Moi, conclut

Irwan, si vous ne vous étiez pas trouvés là avec Annie, j'aurais volontiers fait un joli carton. Mais il fallait faire au mieux, le moins de casse possible, et sauver notre cher inspecteur Delage.

— En plus, continua Xavier, il y a un autre accès par un chemin. On a découvert ça tout à l'heure en explorant l'endroit. On peut entrer dans la propriété par une sorte de champignonnière, murée, mais avec un portail en bois. Là, on a trouvé un camion, les voitures de Villeret et d'Ozon. Et ton Austin, Maud. Ils avaient pensé à tout.

Devant eux se profilait le château de Villebois, savamment éclairé par des projecteurs rehaussant d'un jaune somptueux les remparts séculaires et les tourelles. Le bourg en tenue de fête semblait endormi sous cette tutelle vaillante, qui avait vu naître et s'éteindre tant de familles. Ils montèrent jusqu'à l'église, redescendirent ensuite par le chemin de l'Enclos des-Dames jusqu'à la rue André-Bouyer. Hélène avait été prévenue du retour imminent de son bien-aimé. Elle était assise sur le seuil de la maison et guettait la voiture depuis une bonne demi-heure.

— Vous voici de retour au bercail, chuchota Xavier.

Louis-Marie sourit, leur serra la main avant de se pencher sur Maud pour l'embrasser tendrement sur la joue.

— Au revoir, inspecteur Delage, au plaisir de partager encore un cachot avec vous. La paille était douce.

Dans la pénombre, Maud sentit son visage s'empourprer et elle murmura un bonsoir ému. Elle savait qu'elle n'oublierait pas son séduisant compagnon d'infortune, ni le réconfort bien particulier qu'il lui avait prodigué. Sereine, elle observa même d'un regard tendre et amusé les retrouvailles de Louis-Marie et d'Hélène, enlacés, indifférents à tout le reste.

Xavier démarra en trombe, tandis qu'Irwan dit à l'oreille de Maud:

— Tu me donneras quelques explications quand tu iras mieux.

— Aucune. Il n'y en a aucune. Cela appartient à un passé révolu, oublié. Toi, tu devrais me parler d'Annie. Où est-elle, comment va-t-elle?

— Ça peut aller. Elle est en bonnes mains. Le patron la raccompagne en personne chez sa mère. Tu sais, madame Darmon n'était vraiment pas mêlée à cette sale histoire. Quand on l'a appelée, elle suffoquait de bonheur. J'espère qu'elle changera de comportement après ça. Et, tu sais, j'ai eu le temps d'interroger Annie au sujet de la barrette trouvée chez Villeret. Elle m'a dit l'avoir perdue le premier jour de sa captivité. Je pense qu'un des faux moines l'avait gardée et s'en est débarrassé stupidement lors d'un passage dans la cave de l'historien. Il a dû la cacher sous les gravats. Cela nous aura permis au moins d'acquérir la certitude que les deux affaires étaient liées.

— Et toi, chère enfant! s'écria Xavier. Quand nous raconteras-tu tes aventures? Par exemple, comment tu as réussi à rejoindre les cinglés de cette secte pour les supplier de te garder prisonnière? Et, bien sûr, t'infliger les derniers outrages…

— Oh! Ne plaisante pas, Xavier, je m'en suis assez voulu. Je vous raconte tout demain matin, devant un bol de café, avec des croissants chauds. Promis. Maintenant, je voudrais dormir un peu. Vous me réveillerez à la maison.

Irwan sourit, attendri. Il lui caressa le front d'un geste fraternel. Il la revit sur l'autel, offerte à ce dément, son corps adorable frémissant sous le voile rouge. Curieusement, il la respectait encore plus en l'ayant vue en si mauvaise posture. Pour lui, cette nuit, elle était avant tout l'amie, la compagne de travail, vaillante, courageuse, d'une nature gaie et généreuse. Il lui dirait bientôt qu'il préférait en rester là, préserver leur précieuse complicité.

Maud, qui s'endormit doucement, pensa un instant la même chose. De plus, elle savourait cette confiance unique que lui inspirait Irwan, son tendre et fidèle ami, un policier haut de gamme pour qui elle avait cru éprouver de l'amour alors que ce n'était que désir latent, besoin de communion.

Oui, demain ils parleraient, ils sauraient aussi, quand ils interrogeraient le père Rouzière, comment il s'était enrichi en soumettant des personnalités aussi perverses que lui, en leur offrant des rêves de fortune, des jouissances dépravées au mépris de la vie d'autrui. Il testait les

adhérents de son association, afin de sélection-
ner les individus prédisposés au vice et en faire
les membres d'une secte. Pour les mettre à
l'épreuve, il n'hésitait pas à leur révéler son statut
de prêtre et s'assurer ainsi de leur manque total
de piété ou de scrupules.

Ensuite, il organisait pour eux des orgies
bien orchestrées. Parfois, il les emmenait aussi
visiter de nuit d'antiques églises, toujours sur la
trace de ce fameux trésor des Templiers, en qui
lui, personnellement, ne croyait pas.

Lucide, il pensait mettre prochainement un
terme à ces exactions en disparaissant sans laisser de traces pour un pays étranger où l'attendaient des amis. Bien sûr, il aurait joui alors d'un
confortable pactole, grâce aux dons généreux de
ses anciens adeptes et, un jour ou l'autre, aurait
sans doute donné vie à une autre secte meurtrière
et fanatique.

Ce qui l'avait perdu, c'était un peu trop
d'audace, de provocation. En exhibant les corps
de deux de leurs victimes, dont Villeret, un des
anciens officiants – détail que la police appren-
drait avec surprise –, le prêtre avait lancé plus
puissant que lui sur ses traces. L'enlèvement de
Maud avait précipité sa perte.

Quant à ceux qui l'avaient suivi dans cette
voie sanglante, l'enquête révélerait bien des
noms que l'on croyait dignes de respect, et leur
défense, vis-à-vis de la justice, serait difficile.

Oui, ils en parleraient longtemps de ce
mois de juillet 1997, des souterrains, des caves

mystérieuses et des prêtres maudits. Pour l'instant, Maud sommeillait, tranquillement, Irwan fumait une cigarette et Xavier chantonnait. Ils avaient retrouvé cette sérénité faite de complicité et d'amitié qui leur était propre. Tout était bien.

## II – *Drame à Bouteville*

## 1

*Angoulême, fin de l'été 1997*

— Une autre tasse de café, Rosanna? Il est léger, tu sais…

Maud Delage, inspecteur de police – pour l'instant en congé –, jouait à la perfection son rôle d'hôtesse, toute contente qu'elle était de recevoir sa nouvelle amie. Les deux jeunes femmes s'étaient installées dans le jardin, devant une table ronde où trônaient une cafetière, des tasses de porcelaine et un bouquet de roses.

— Tu ne peux pas imaginer comme je me plais ici, ajouta Maud. J'ai emménagé il y a à peine quinze jours, mais je me sens vraiment chez moi. Mieux, je revis!

Rosanna Lazure sourit gentiment, car elle appréciait à sa juste valeur la spontanéité joyeuse de Maud. Elles s'étaient rencontrées une semaine auparavant, lors d'un vernissage au Musée des beaux-arts d'Angoulême. Par le plus grand des hasards, un ami commun les avait présentées l'une à l'autre. Un verre à la main, elles avaient commencé à discuter avec entrain et, au fil de la conversation, avaient eu l'heureuse surprise de se découvrir toutes deux d'origine bretonne, de

Lorient plus exactement. Si Maud avait pris ses fonctions à Angoulême depuis deux ans environ, Rosanna, elle, était arrivée plus récemment dans la région, afin d'assumer la direction d'une grande librairie de la ville.

Amusées et cédant à une sympathie mutuelle, elles avaient dîné ensemble le soir même dans une crêperie pour mieux faire connaissance et évoquer, bien sûr, leur chère Bretagne. Rosanna se disait enchantée de rencontrer un inspecteur de police aussi charmant. Maud, de son côté, fervente lectrice, lui avait fait part de son désir d'acheter un ouvrage sur l'histoire de la Charente, car elle avait l'intention de battre son collègue Xavier sur son propre terrain. Ce personnage jovial, à la moustache brune, lui aussi inspecteur, aimait faire état de sa culture à chacune de leurs sorties, aussi bien professionnelles que touristiques.

Rosanna avait aussitôt promis à cette jolie jeune femme d'une trentaine d'années de l'aider dans son choix, lui conseillant d'ores et déjà deux ouvrages de qualité consacrés à la région.

En ce premier samedi de septembre, elles avaient décidé d'aller se promener dans la campagne, car un soleil éblouissant brillait déjà malgré l'heure matinale, ce qui était caractéristique des fins d'été en terre charentaise. Rosanna, longue et mince, les yeux d'un bleu très clair, demanda soudain :

— Tu habitais où avant de trouver cette adorable maison ?

— Un studio, dans une résidence, les Terrasses de Lavalette, rue de Lavalette, bien entendu, répondit la jeune femme en riant. En fait, je ne me plaisais pas là-bas. Je rêvais d'un petit jardin, et ce cher Xavier, dont je t'ai tant parlé, a déniché cette location ici, au Gond-Pontouvre. Comme par hasard, c'est non loin de chez lui. Il est ravi de m'avoir pour voisine, et moi, je ne regrette rien. Quant à mon chat Albert, il est enchanté du changement. Il peut faire ses griffes tranquillement sur le tronc du sapin. Et il n'a jamais été si câlin. C'est un gros jaloux; il n'aime pas les visites.

— Bien, je m'en vais! plaisanta Rosanna qui n'en avait aucune envie.

— Non, pas question! s'écria Maud. C'est mon avant-dernier jour de vacances, et je veux en profiter.

— Je n'arrive pas à croire que tu es dans la police, et de plus inspecteur principal! Tu n'as pas le physique de l'emploi! déclara Rosanna en détaillant la silhouette parfaite de son amie, vêtue en l'occurrence d'un body blanc et d'un short qui dévoilait ses longues jambes bronzées. Elle la trouvait d'une séduction particulière, avec son visage malicieux aux grands yeux d'un bleu océan, sa poitrine ronde, ses cheveux d'un blond foncé, dû au soleil de l'été.

— Dis donc, Maud, ajoute-t-elle, tu dois en faire battre des cœurs à l'hôtel de police?

— Oh! si peu! répliqua la jeune femme sur un ton énigmatique. De toute façon, côté physique, tu n'es pas trop à plaindre, toi non plus!

Elles rirent, et Rosanna en fut encore plus jolie.

— En vérité! continua Maud, mon brave Xavier me fait une cour discrète depuis mon arrivée à Angoulême. Des fleurs de temps en temps, des invitations à dîner, des petites allusions à mes charmes, lourdes de sous-entendus. Il est inlassable! Je t'assure qu'il est ravi de m'avoir à portée de main. Mais, pour moi, ce n'est qu'un ami, un véritable ami, c'est certain, pour qui j'éprouve de la tendresse, sans plus.

— Et il n'y a personne d'autre dans ta vie? questionna Rosanna, surprise.

— Non, enfin, si…, enfin, non…, je ne sais pas… Oh! et puis après tout, je peux bien t'en parler. Je t'avouerai que je suis un peu attirée par notre inspecteur divisionnaire, le flegmatique Irwan Vernier, un Breton comme nous. Il est grand, mince, a les yeux clairs, bien évidemment, les cheveux châtains à peine ondulés. C'est un personnage à part, ironique, mais au cœur d'or, grognon à ses heures. J'ai eu une brève aventure avec lui, au début de l'été, mais nous avons choisi d'un commun accord d'en rester là, de ne pas récidiver. Pourtant, parfois, je suis troublée en sa présence, j'ai envie de le toucher, de l'embrasser. C'était juste avant cette terrible affaire du prêtre assassin dont je t'ai parlé un soir. Remarque, j'ai vécu des moments vraiment pénibles. Tu imagines? Me retrouver, presque nue, sur un autel voué à des sacrifices. Ce religieux de bas étage, qui préférait le diable à Dieu, a failli me violer, et devant une nombreuse assistance, tous des malades comme lui!

— Tu fais vraiment un métier à risques, commenta Rosanna. Ciel! Je n'aurais pas aimé être à ta place.

— Heureusement, Irwan est arrivé in extremis et j'ai pleuré sur son épaule.

— Au sujet d'Irwan justement, pourquoi avoir choisi de garder vos distances? Enfin, excuse-moi, je suis peut-être indiscrète.

— Non, pas du tout. Je pense que nous voulons éviter une intimité qui serait gênante pour notre travail. Et Xavier ne sait rien. Nous sommes inséparables, tous les trois. Je ne veux pas gâcher notre amitié. Tant pis, je m'habitue. J'ai pris trois semaines de congé en août, Irwan ne m'a pas appelée, n'a pas cherché à me voir. C'est la vie...

— Vous avez peut-être tort de lutter contre ce qui vous pousse l'un vers l'autre, dit Rosanna.

— N'en parlons plus. On y va? La campagne nous attend.

— D'accord!

Les deux jeunes femmes se levèrent, prirent leurs sacs. Maud passa par sa cuisine récupérer le panier du pique-nique. Un merle chantait dans les lilas; la journée s'annonçait belle et paisible.

*

À la même heure, au sud-ouest d'Angoulême, au cœur du pays des vignes – comme le nomment les gens de Charente et d'ailleurs –, du côté de Châteauneuf, à Bouteville plus exactement, un

215

mariage se préparait. Deux familles aisées de la région étaient en pleine effervescence, car, dans moins d'une heure, le maire du village allait unir Julie et Pierre-Marc, leurs enfants respectifs.

Pour l'instant, un groupe de personnes en tenue de circonstance s'était réuni devant l'église, une des merveilles de l'art roman, qui avait fait naître dans toute l'Aquitaine ces édifices religieux aux formes pures, aux pierres claires, érodées par des siècles d'intempéries.

À Bouteville, l'église Saint-Paul demeurait un témoin prestigieux du passé. Entourée de grands arbres et de vignobles, elle dressait vers le ciel limpide son clocher trapu, de forme carrée, et l'on devinait en étudiant son architecture complexe maints remaniements antérieurs. La première pierre avait été posée au IX$^e$ siècle par Ildegarde, vicomtesse des lieux, qui, pour mieux honorer Dieu, voulait un sanctuaire vaste et somptueux.

Sur une butte voisine qui surplombait les toits du vieux bourg, les ruines d'un imposant château s'illuminaient sous la lumière vive du matin. C'était l'ancien bastion des Taillefer, une illustre famille qui régnait sur Angoulême au Moyen Âge.

À l'occasion du mariage qui allait s'y dérouler, l'autel de l'église était fleuri en abondance : gerbes de roses et de glaïeuls, bouquets de dahlias blancs. Les familles étaient venues vérifier la décoration et discuter avec le prêtre de la paroisse du déroulement de la cérémonie.

Julie, une très jolie fille de vingt ans, venait de sortir et se tenait immobile sur le seuil de la porte à deux battants. Son regard d'un brun velouté semblait absent, fixé sur le vieux porche qui lui faisait face, un vestige de l'ancienne église. À sa droite s'élevait un haut mur frappé de soleil, sur lequel on distinguait des demi-colonnes couronnées d'un chapiteau ouvragé. La jeune fille portait une toilette rose, un ensemble de soie qui laissait deviner un corps ferme et souple. Songeait-elle à la ravissante robe blanche qu'elle revêtirait bientôt après être passée devant le maire de Bouteville pour unir son destin à celui de Pierre-Marc, son fiancé depuis deux ans?

Nul ne pouvait lire dans ses pensées, mais un observateur attentif l'aurait trouvée un peu mélancolique en un tel jour de fête. Son père s'approcha, la prit par le bras :

— Alors, ma chérie, tu es prête, on y va? La famille est au complet. Il ne faudrait pas faire attendre monsieur le maire. Et tu dois avoir hâte de dire oui à ton fiancé.

Julie approuva d'un signe de tête sans dire un mot. En vérité, elle avait envie de pleurer, mais se contenait courageusement. Pourtant, comme pour demander du secours, elle se tourna vers Pierre-Marc qui l'attendait plus loin, accompagné de sa mère, une dame très élégante à l'expression enchantée. Le jeune homme lui sourit. En somme, tous se réjouissaient des heures à venir, sans oublier la réception donnée dans le parc de la propriété des parents de la mariée.

Il y aurait tant de bonnes choses à déguster, du pineau et du champagne, on danserait le soir sur la pelouse…

Julie eut soudain envie de s'enfuir, alors qu'elle venait de prendre le bras de son futur époux, ce pauvre Pierre-Marc, bien incapable de soupçonner les tourments qui agitaient sa séduisante fiancée.

Tout avait commencé la veille, comme si un maléfice s'était abattu sur ce coin de campagne où la vie était si tranquille, rythmée par les saisons. François, un cousin éloigné de la famille de Pierre-Marc, était arrivé de Marseille, son lieu de résidence et de travail. C'était en quelque sorte l'invité de marque, car ce bel homme aux boucles noires, grand et bâti en athlète, disposait de revenus impressionnants. Il avait débarqué au volant d'un coupé sport décapotable. Après avoir ôté ses lunettes noires, il avait embrassé tout le monde, Julie y compris, qui était venue boire un digestif chez ses futurs beaux-parents. La jeune fille, qui se croyait très amoureuse de son fiancé, avait ressenti un choc quand François l'avait enlacée avec familiarité en plaisantant sur sa beauté et son charme.

Troublée par tous les compliments qu'il lui faisait d'une voix grave et basse, teintée d'un léger accent méditerranéen, Julie, fascinée par le nouveau venu, avait vite perdu la tête. Il faut dire également qu'en séducteur accompli, il l'avait prise pour cible et l'accablait d'attentions mielleuses. Un peu plus tard, il l'avait ramenée chez elle, dans son propre véhicule, et, durant le trajet, il s'était empressé de la questionner, ce qui avait achevé de la bouleverser:

— Tu comptes vraiment épouser mon cousin? avait-il dit une cigarette aux lèvres. Il ne te vient pas à la cheville. Une fille superbe comme toi! Tu n'es pas faite pour cette existence. Pierre-Marc va te donner une ribambelle de gosses et tu vas vieillir au-dessus de tes fourneaux.

Julie avait protesté sans conviction. Elle s'était souvent imaginée mariée à Pierre-Marc et jugeait cet avenir plaisant. Ils devaient continuer à seconder leurs parents sur l'exploitation dans laquelle les deux familles étaient de toute façon associées, et Julie avait toujours cru que c'était une excellente solution. Elle connaissait son fiancé depuis l'enfance et, il y a un an, les choses avaient évolué. Ils avaient fait l'amour à la fin d'une joyeuse soirée entre copains, et Pierre-Marc lui avait aussitôt parlé mariage, vie commune. Dans ses bras, elle avait ressenti une agréable griserie, beaucoup de tendresse, mais rien de ces sensations fabuleuses dont étaient remplis les romans à l'eau de rose qu'elle lisait sur la plage, l'été. Raisonnable, Julie s'était consolée à sa manière en accusant cette littérature de quatre sous de fausses promesses. Mais, confrontée à la séduction virile de François, tout son être s'était réveillé. Quand il l'avait embrassée sur la bouche, elle n'avait pas lutté un instant et, par ce seul baiser, avait découvert la violence de la passion.

Maintenant, un quart d'heure à peine avant la cérémonie civile à la mairie, Julie ne savait plus ce qu'elle devait faire. Impossible de changer d'avis, de faire marche arrière, ce serait un scandale. Une centaine d'invitations avaient été lancées, le cocktail et le banquet étaient prêts, ainsi que cette fameuse robe de dentelle blanche, immaculée, qui l'attendait dans sa chambre, sur son lit. Elle marcha vers la voiture de ses parents dans un état second, sans même entendre le bavardage de sa sœur et les questions de Pierre-Marc.

Julie ne voyait que François, là-bas, près du vieux porche auprès duquel gisait un sarcophage en pierre de taille. Il était là, celui qu'elle aimait aujourd'hui, son regard de braise caché sous des lunettes noires. Il portait un costume de flanelle ivoire, il était beau, irrésistible, et, ce matin encore, à l'aube, il lui avait dit et redit au téléphone qu'il l'adorait, qu'il la voulait pour lui seul. Le cœur de Julie battait à grands coups, elle se sentait oppressée, au bord de la syncope. De François, elle n'avait reçu qu'un baiser, mais quel baiser! Il l'avait rendue femme en une minute, ce que les gentilles étreintes de son futur compagnon n'avaient pas su accomplir.

C'est à cet instant précis, alors que les deux familles discutaient encore des derniers détails à mettre au point, que François s'approcha de sa démarche nonchalante. Il déclara alors en riant:

— Si personne n'y voit d'objection, je conduis la mariée à la mairie. Elle est toute pâle; un peu d'air va lui redonner des couleurs.

Pierre-Marc accepta mollement, surpris, et des plaisanteries fusèrent de toutes parts, des blagues douteuses que certains regretteraient bientôt. Telle une somnambule, Julie monta dans le coupé dont la capote était rabattue. Elle fit un petit signe de la main à ses parents, adressa un sourire rassurant à son fiancé. Entre ses dents, François murmura en démarrant:

— Regarde-le, ton «promis». Quelle allure! Petit, court sur jambes, un brave type, bien sûr, mais pas un gramme de charme. Et puis, il est un peu roux, un peu grassouillet. Je l'aime bien, mon cousin, mais tu es trop belle pour lui. Tu vas gâcher ta vie.

— Tais-toi! souffla Julie, nerveuse. Pierre-Marc est gentil, sérieux, et il m'aime.

— Moi aussi, je t'aime! Je t'aime comme un fou! Quand je t'ai vue, quand j'ai compris que c'était toi la fiancée en question, j'ai cru devenir enragé. Jamais une femme ne m'a plu autant.

La voix chaude de François enveloppa Julie de ses inflexions sensuelles. La voiture prit de la vitesse, emprunta une petite route et fonça à plus de cent kilomètres à l'heure.

— Qu'est-ce que tu fais? hurla Julie, terrifiée. Ce n'est pas la route de la mairie! Tu es fou!

— Oui, de toi, et je vais te prouver que tu fais une grave erreur en épousant Pierre-Marc.

Un coup de frein, le coupé braqua et se gara sur un chemin de terre. François descendit, ouvrit la portière de sa passagère et l'obligea à sortir. Cet homme de trente ans possédait un pouvoir de conviction hors du commun. Il ne cessait de parler, de dire à Julie, au creux de l'oreille, des paroles enflammées, d'une logique implacable. Puis il répéta, entre deux baisers :

— Tu es si belle. Viens avec moi, je t'enlève. Ce soir, on sera à Nice, je t'achèterai une garde-robe complète, on longera la Côte d'Azur, de palace en palace.

François la garda contre lui, la sentit tressaillir. Avec autorité, il ouvrit son corsage, embrassa ses seins, puis l'allongea sur l'herbe, releva sa jupe, explora d'une main experte les dessous de satin blanc. Julie succomba à ses caresses, à cet amour insensé qu'elle pensait vivre enfin. Il lui semblait désormais inacceptable de rejoindre sa famille et son fiancé, qui devaient l'attendre à la mairie. Non, il serait insupportable de renoncer à celui qui émouvait chaque parcelle de son corps et de son âme. Elle sanglota :

— Je veux bien partir avec toi, François. Mais que diront-ils tous ? Ils ont ton numéro de téléphone, ton adresse. Mon père sera fou de douleur, il me tuera s'il me retrouve.

— Mais non, et personne ne te retrouvera. Tu leur écriras une lettre pour expliquer ton départ, et ton choix. J'ai un studio à Saint-Tropez. Je te logerai là-bas. Ils n'ont pas cette adresse, c'est trop récent. Tu es libre, quand même…

Il la sentait hésiter et, emporté par un désir impérieux, il redoubla d'arguments, l'embrassa avec ardeur, jusqu'à ce qu'elle gémisse de plaisir.

— On y va, Julie. Il est préférable de quitter la région rapidement. Tu ne le regretteras pas. Je vais te traiter comme une reine, ma petite reine d'amour, ma beauté.

— Oui! Emmène-moi loin, loin, je t'aime trop! J'espère que Pierre-Marc me pardonnera un jour.

— Bien sûr, tu verras.

Le coupé Alfa Romeo rouge redémarra en trombe en soulevant un nuage de poussière. En quelques minutes, il avait disparu.

*

Dans un hôtel trois étoiles, une chambre demeura les volets clos tout un après-midi. À l'heure où le soleil déclinait, un couple allongé sur le lit défait s'embrassait encore avec une passion fébrile. Il s'était livré à des jeux amoureux qui avaient su arracher des cris de plaisir à la belle fille brune prénommée Julie. Oui, Julie, aux lèvres gonflées par des baisers violents, aux yeux un peu cernés, mais aussi plus ardents. François ne lui avait pas laissé une minute de répit. On aurait dit un affamé, un homme privé de toute joie sensuelle depuis des années.

Après avoir quitté Bouteville, ils avaient roulé à plus de cent vingt à l'heure sur la route de Barbezieux, en direction de Bordeaux. Mais il la sentait encore hésitante, malheureuse de sa conduite extravagante. La seule chose qui la ramenait à lui, c'était de la tenir contre lui, de la bercer, de l'enivrer de promesses et de mots d'amour. Il s'était arrêté de nouveau sur le bas-côté et l'avait prise dans ses bras pour lui redire :

— Tu es toute ma vie, Julie. J'arrangerai tout, n'y pense plus, je t'aime, je t'aime. Ma chérie, j'ai une idée : trouvons un hôtel dans le coin. On sera seuls enfin, tous les deux. Je ferai monter un repas dans la chambre, je te verrai nue, toute nue, pour moi seul. Je t'adore.

Elle avait accepté pour ne pas le contrarier, pour s'offrir à lui, puisque désormais il était son univers, son idole. Bien sûr, Julie aurait préféré s'éloigner de la Charente, mettre des centaines de kilomètres entre elle et son passé tout proche. Ce n'était pas une fille ingrate, elle avait du cœur, de la loyauté, mais ce qui s'était passé lui semblait une extraordinaire aventure, peut-être écrite dans son destin. Elle regrettait tout le mal qu'elle avait dû faire à ses parents, à son fiancé, et se promettait, une fois mariée à François, de leur envoyer une longue lettre d'excuses et d'explications. Naïve, elle se persuadait qu'un jour tous la comprendraient, lui pardonneraient. Pour se donner bonne conscience, Julie se répétait aussi qu'il valait mieux que cette rencontre merveilleuse ait eu lieu avant son mariage qu'après. Pierre-Marc aurait une seconde chance.

La plupart de ces raisonnements avaient pour source les propos de François, qui avait réussi à la convaincre du bien-fondé de leur fuite. Quand ils étaient entrés dans la chambre d'hôtel, il lui avait pris la tête entre ses larges mains chaudes, déclarant gravement :

— Julie, n'aie pas peur. Je t'aime, tu seras ma femme. Si je t'ai amenée ici, c'est pour te rendre heureuse. Je ne pouvais pas attendre davantage. Tu es si belle, tu me rends fou.

Quelques heures s'étaient écoulées depuis cet instant solennel qui avait transporté de bonheur la jeune fille. Des heures de frénésie charnelle, de rires et d'ébats audacieux. François avait dévêtu son trésor fraîchement conquis avec des gestes minutieux, en savourant le moindre détail de ce corps magnifique qui se tendait vers lui : les seins ronds, un peu lourds, le ventre plat, si tendre, les longues jambes de statue, la peau fine, soyeuse, couleur de miel. Puis il avait défait le chignon de Julie pour étaler sa chevelure brune sur ses belles épaules, et là, les yeux brillants d'un désir insensé, il l'avait étendue sur le lit, afin de lui enseigner sans impatience les rites du plaisir contenu, d'une volupté savante.

À présent, ils se reposaient, un peu las, blottis l'un contre l'autre. Sur la table, il y avait une bouteille de champagne, qu'un serveur avait montée avec deux flûtes de cristal et des sorbets aux fruits. Le couple ne se pressait pas de savourer cette collation. Les deux n'avaient pas faim, encore éblouis qu'ils étaient par la jouissance intense qu'ils venaient d'éprouver.

— C'est la belle vie ! déclara François, une main possessive posée sur le ventre de sa jeune compagne.

— Je n'aurais jamais cru que l'on pouvait aimer comme ça, aussi fort, chuchota-t-elle avec un petit roucoulement de gorge. Je ne veux plus te quitter, jamais. Tu sais, tu m'as rendue très heureuse.

— Je te l'avais promis.

Cinq minutes plus tard, ils trinquaient à leur bonheur tout neuf, toujours nus, sans gêne ni fausse pudeur. Julie tirait un trait sur son ancienne personnalité; elle rayonnait de joie, et cela la rendait encore plus jolie.

— Nous partirons tout à l'heure! dit enfin François. Je vais descendre régler; tu te prépareras pendant ce temps. Il vaut mieux voyager de nuit, la route sera longue.

Julie approuva de la tête, n'osa pas lui faire remarquer qu'elle n'avait aucun vêtement de rechange. De toute façon, n'avait-il pas affirmé qu'il lui achèterait une garde-robe complète?

— Si tu as froid ce soir, ajouta-t-il alors, comme s'il suivait le fil de ses pensées, je te prêterai un pull. J'ai tout ce qu'il faut dans ma valise, ma petite chérie.

Sur ces mots, il lui enleva des mains son verre de champagne, posa le sien, la reprit contre lui et se jeta sur son corps en lui mordillant le cou. Elle ferma les yeux, replongea dans un univers de délices et d'amour.

## 2

C'était le dernier jour de vacances pour Maud. Elle comptait profiter pleinement de ce dimanche, et son premier projet était de se réconcilier avec son chat. Depuis la veille, Albert boudait sur le canapé de cuir noir et opposait aux caresses de sa maîtresse une attitude dédaigneuse. Il lui en voulait sûrement de s'être absentée un samedi après-midi entier.

— Continue de m'ignorer! lui dit-elle après sa douche. J'ai le droit d'avoir une amie, grincheux! J'ai pu me détendre avec Rosanna et figure-toi que nous avons papoté à notre aise!

Albert finit par s'amadouer aux environs de 16 heures. Maud envisageait déjà une soirée tranquille devant la télévision, ce qui achèverait de la réconcilier avec son chat, car il appréciait par-dessus tout les longues heures de câlins en tête-à-tête. Mais le téléphone sonna.

— Oh! non! ronchonna-t-elle. Je parie que c'est Xavier. Bon, je réponds.

Elle ne s'était pas trompée : c'était bien Xavier. Il lui demanda de ses nouvelles avant d'enchaîner d'un ton ennuyé :

— Ma chère petite voisine, j'ai un problème.

Je viens, à l'instant, de recevoir un coup de fil d'un des vieux amis de mes parents. Il a besoin de mes bons conseils. C'est un viticulteur qui habite du côté de Châteauneuf. Hier, sa fille a filé à l'anglaise un quart d'heure avant d'épouser le fils de son associé. La famille nage en plein scandale. Il m'appelle au secours. Je lui ai dit que j'arrivais. Tu ne veux pas m'accompagner? Ensuite, je t'invite au restaurant, aux Ombrages, c'est à Vibrac. Le coin est charmant, au bord de la Charente.

Maud n'avait pas encore pu placer un mot. Agacée, elle soupira avant de répondre:

— Écoute, Xavier, j'avais l'intention de passer la soirée ici! Je me suis promenée toute la journée d'hier avec Rosanna Lazure, tu sais, ma nouvelle amie dont je t'ai déjà parlé. Je n'ai pas envie de ressortir! En plus, Albert me fera encore la tête!

— Maud, je t'en prie! Je ne t'ai pas vue depuis deux jours au moins. Je suis en manque! Et puis cette visite ne va pas être très drôle. J'ai pensé que tu saurais rassurer ces pauvres gens. Tu trouves toujours des paroles apaisantes. C'est à la sortie de Bouteville, un adorable petit village, avec un magnifique château en ruines. Une église remarquable!

— D'accord, tu as gagné. Je viens. Tu passes me prendre dans combien de temps?

— Trois minutes.

Xavier raccrocha. Maud haussa les épaules, fataliste, et monta s'habiller en vue de la soirée.

Elle choisit une robe noire, très simple, assez longue, sans manches. D'un geste vif, elle brossa ses cheveux, prit un gilet de lainage bleu et jeta un coup d'œil dans le miroir qui lui faisait face. Elle accrocha à son cou une chaînette en or, deux boucles d'oreilles assorties. Ainsi parée, la jeune femme se jugea prête pour une soirée en compagnie de l'inspecteur Xavier Boisseau, qui, à l'instant même, se garait devant la grille du jardin et klaxonnait sans gêne. Maud se précipita au rez-de-chaussée, distribua à son chat une ration de croquettes et attrapa son sac au passage.

Une minute plus tard, elle s'installait à côté de son collègue et ami qui démarra aussitôt.

Ils sortirent bientôt de la ville, prirent la route de Jarnac. Ils étaient silencieux, ce qui ne leur ressemblait pas, car, d'ordinaire, Xavier ne pouvait pas passer plus de trois minutes sans faire un petit commentaire sur le paysage.

Maud était un peu surprise par son attitude inhabituelle. Elle lui dit gentiment:

— Il y a quelque chose qui ne va pas?

— Non, je réfléchis. Je me demande quel peut être l'itinéraire le plus joli et le plus intéressant pour toi. Tu comprends, en vérité, j'ai dit à ces braves gens que nous arriverions vers 18h30, afin de ne pas nous éterniser. J'ai donc largement le temps de te faire découvrir un ou deux villages de cette région.

— Je vois. C'est un coup monté pour m'éblouir encore une fois avec tes connaissances! Tu ne perds rien pour attendre.

— Qu'est-ce que tu veux dire?

— Rien, rien! Tu auras la surprise…

Perplexe, Xavier haussa les sourcils. Il ralentit, tourna à gauche, en direction de Bassac. Maud lui adressa un sourire énigmatique en déclarant d'un ton indifférent:

— Bassac… C'est bien là qu'on peut admirer une magnifique abbaye de style roman, qui date du XIe siècle…

— Tiens, tiens, comment le sais-tu? s'écria l'inspecteur Boisseau, déconfit.

— Je le sais, et je parie que, vers Bassac, il y a une série d'anciens ponts sur la Charente, un paysage charmant, verdoyant, où l'on découvre les bords du fleuve, etc.

— Maud, protesta Xavier, tu es déjà venue ici?

— Non, je peux te l'assurer. Ne t'inquiète pas, mais il m'arrive de lire, moi aussi, et comme j'ai un peu de mémoire…

— Bien, bien… Nous voici à Bassac, d'ailleurs. Regarde l'abbaye. Sous ce soleil de fin d'été, elle est encore plus belle. Quant aux maisons, elles sont caractéristiques du coin: de grands porches, des murs hauts, couverts d'une rangée de ces tuiles ocre qui prennent si bien la lumière. La pierre est blanche, c'est le calcaire de la région.

Maud approuva, rêveuse. Des rosiers ornaient les façades, un ruisseau longeait une ruelle paisible, qui évoquait à la perfection certaines images d'autrefois. Ils roulèrent au ralenti, heureux de cette promenade à une heure si douce de la journée. Ensuite, Xavier prit la route des Ponts et Bras de la Charente, qui les conduisit à Vibrac.

— Maud, je t'en prie, marchons un peu. Nous venons de découvrir l'écluse. Je voudrais te montrer un coin ravissant.

Elle accepta. Le lendemain, lundi, elle retrouverait l'atmosphère de l'hôtel de police, ses autres collègues, Irwan, par exemple... Que faisait donc l'inspecteur Vernier alors qu'elle-même parcourait d'un pas nonchalant les rues étroites de Vibrac, guidée par un Xavier intarissable?

— Nous y sommes. Tu vois, la Charente passe là. Ces larges marches qui plongent dans l'eau devaient servir d'embarcadère ou de lavoir.

Maud écouta, observa. Une avancée, qui servait sans doute de quai, abritait à présent deux énormes abreuvoirs taillés dans le roc, où fleurissaient des pensées. Des arbres ombrageaient quelques mètres carrés d'herbe, et, non loin de là, sur la droite, une belle demeure s'abritait derrière une enceinte impressionnante, d'où s'élevait, en surplomb du fleuve, un gigantesque platane.

À gauche, au contraire, des maisons plus modestes semblaient construites sur la rivière, car des jardins étroits s'avançaient au-dessus des flots, avec, à leur extrémité, un escalier qui permettait jadis d'accéder à une barque. Sous l'une de ces constructions, on pouvait voir une sorte de couloir voûté, telle une entrée de souterrain, qui abritait un bras du fleuve et donnait à l'endroit une petite touche de mystère.

— L'église est là, au bout de cette impasse. Elle date du XIII<sup>e</sup> siècle. Toujours le style roman, mais ici d'une simplicité assez désarmante. Sans oublier ce clocher original, qui ressemble à un fronton, et cette fenêtre ronde au-dessus du portail.

— On se croirait des centaines d'années plus tôt! déclara Maud, séduite. Toutes ces ruelles, le bruit de l'eau, et cette petite église bien cachée au cœur du village…

— Alors, ça valait le détour, non?

— Tu as raison. Dommage que nous devions repartir!

— Mais non, Bouteville te plaira aussi, et, de toute façon, nous revenons dîner tout près d'ici.

— Suis-je vraiment assez élégante pour un repas en ta compagnie? plaisanta-t-elle en tournant sur elle-même, ce qui fit onduler le tissu de sa large robe noire.

— Adorable, exquise! Allez, viens, il est temps de rendre visite à ces malheureux parents. Leur fille aînée, Julie, que je connais un peu, leur a vraiment joué un sale tour. Quand la cadette décidera de se marier, ils vont la conduire à la mairie pieds et poings liés!

Xavier reprit le volant, alluma un cigarillo. La route traversait la campagne, transfigurée par une clarté dorée qui faisait paraître plus vertes les prairies et les feuilles des peupliers alignés le long des berges de la Charente.

— Que veulent-ils exactement de toi, ces gens? demanda Maud, qui avait presque oublié le but initial de leur excursion.

— Je crois qu'ils ont besoin de conseils ou de renseignements du point de vue juridique. Je ne pouvais pas refuser: ils sont désespérés par cette affaire. Tiens, si nous pouvions passer par Saint-Simon, la visite serait intéressante…

— Une autre fois, Xavier, c'est promis! le coupa sa passagère. Je rêve de visiter ce site pittoresque, un ancien village gabarier, lui aussi au bord du fleuve, où l'on construisait et réparait des gabares, ces bateaux à fond plat qui assuraient le transport des hommes ou des marchandises dans toute la région, et même vers l'océan.

— Mais ce n'est pas possible! soupira Xavier en hochant la tête. Tu as appris par cœur un guide touristique? Simplement pour te moquer de moi, me narguer, c'est bien ça?

— Oh! Juste pour te faire enrager, et ça marche, j'en suis ravie. Ne ronchonne pas. C'est de bonne guerre. Tu me répétais sans cesse de me pencher sur l'histoire de ton cher département. J'ai obéi sagement. Tu devrais être content que j'aie employé mes vacances à de studieuses lectures.

— Hum! D'accord! Je suis enchanté. Mais connais-tu Juac, où l'on voit le « Mur des gabariers », recouvert de graffitis et de dessins qui représentent ces fameux bateaux?

— Non… ou j'ai oublié. Un point pour vous, inspecteur Boisseau! clama Maud en éclatant de rire, car elle savait que son ami avait horreur du vouvoiement assorti de son statut de policier.

Xavier lissa d'un doigt nerveux sa moustache.

Ils venaient de prendre un virage, et la route descendait peu après vers une vaste plaine. Là-bas, sur un promontoire, se découpaient en contre-jour des ruines majestueuses.

— Bouteville et son château, un fief renommé, où s'illustrèrent de grands noms de l'histoire. Qu'en dis-tu, charmante enfant? interrogea Xavier d'une voix triomphante.

— C'est sublime et bouleversant. Les ruines sont parfois plus fascinantes que des châteaux restaurés, en raison de leur ambiance particulière. On imagine ce que l'on veut dans de tels cadres, enfin en ce qui me concerne.

— Cela ne me surprend pas de toi, avec ta sensibilité à fleur de peau! Bien, nous sommes arrivés chez mes amis. Nous monterons au château avant d'aller dîner. Je le connais un peu, c'est grandiose.

Ils se garèrent devant la grille d'une superbe maison charentaise, restaurée avec goût, dont le parc offrait de nombreuses essences d'arbustes d'ornement, ainsi qu'une extravagante profusion de rosiers et de dahlias aux vives couleurs.

Xavier sonna. Un homme apparut aussitôt sur le perron, leur fit signe d'entrer malgré l'accueil peu chaleureux d'un énorme berger allemand qui aboyait et grognait, menaçant. Heureusement, le chien repartit bientôt en foulées souples, au premier rappel de son maître, monsieur Nicolas Vallentin, le père de la fiancée disparue.

— Bonsoir, Xavier. C'est vraiment gentil

d'être venu si vite, dit l'homme en tendant la main à l'inspecteur. Je vois que tu n'es pas seul…

En vérité, la présence de Maud paraissait gêner le maître des lieux. Xavier joua les innocents :

— C'est Maud Delage, ma collègue, inspecteur principal. J'ai jugé bon de l'amener, car elle est encore plus calée que moi dans tous les domaines. Tu peux compter sur sa discrétion.

— Bonsoir, mademoiselle. Merci de vous être dérangée, fit Nicolas Vallentin d'un ton rassuré. Entrez, mon épouse est dans un état! Elle surmonte mal le choc. Il faut la comprendre!

Dans une immense salle de séjour, une femme d'une cinquantaine d'années était prostrée dans un fauteuil. À ses traits marqués, à ses paupières rougies, on voyait qu'elle avait beaucoup pleuré. Très digne cependant, elle se leva, vint vers ses visiteurs et leur sourit tristement.

— Bonsoir, mademoiselle, bonsoir, mon cher Xavier. Quelle histoire! J'en suis malade.

Un silence embarrassé s'instaura quelques minutes, car aucun des quatre personnages présents dans la pièce n'osait aborder de front le sujet. De plus, cette demeure cossue était envahie par toutes les décorations propres à une cérémonie longuement préparée, et à grands frais, bien sûr. Maud ne put s'empêcher d'observer les différentes gerbes déposées près de la porte-fenêtre, les cadeaux entassés sur le buffet colossal et, dehors, sur la terrasse de dimension imposante, elle découvrit des tables drapées de nappes roses, où se dressaient des chandeliers.

Fabienne Vallentin, qui avait jeté elle aussi un œil humide sur tout cela, reprit la parole, soudain véhémente:

— Vous voyez? Nous avons l'air de quoi? Le banquet est perdu, tout va finir à la poubelle! C'est un désastre, un scandale. Je voulais tout faire enlever, mais j'espérais je ne sais quoi. Un miracle, peut-être…

— Je suis furieux! ajouta son mari. Furieux et malheureux. Tout cet argent jeté par la fenêtre, c'est le cas de le dire. Tenez, pour vous donner une idée, regardez ces compositions florales. Je les ai commandées à Châteauneuf, au Val fleuri. Julie en rêvait. Elle m'avait montré le catalogue d'une de ses amies, qui est fleuriste. Elle a fait son choix avec sa mère, et nous n'avons pas lésiné sur la qualité ni la quantité. C'est du beau travail, remarquez, et les fleurs sont magnifiques. Et tout ça pour rien. Si je tenais ce bellâtre qui a embarqué la petite, je lui tordrais le cou!

Xavier leva la main, comme pour apaiser la colère, somme toute bien compréhensible, du père bafoué.

— Allons, allons, Nicolas, ne dis pas des choses pareilles. On ne sait jamais ce qui peut arriver. Si quelqu'un t'entendait… Explique-moi ce qui s'est passé exactement. Nous ferons le point ensuite.

— Tu as raison. Voilà, c'est très simple. Hier matin, samedi donc, nous sommes passés à l'église pour vérifier que tout était en place. Nous étions attendus à la mairie à 10 heures. François, le cousin de Pierre-Marc, notre futur gendre, a proposé d'y conduire Julie dans son Alfa Romeo décapotable. Personne n'a songé à mal.

— Quand même! l'interrompit son épouse. Je n'ai pas aimé ses manières autoritaires. Et tu oublies de dire à Xavier que ce matin aussi, très tôt, ce monsieur a fait livrer une gerbe de roses rouges à notre fille! Il y avait un message. Julie l'a lu. Elle avait l'air troublée. À mon avis, dès son arrivée, il a eu une attitude équivoque. Madame Labrousse, la mère de Pierre-Marc, nous l'a confirmé.

Maud, par déformation professionnelle, écoutait attentivement le récit du couple visiblement à bout de nerfs. Ils faisaient tous deux de grands gestes, tournaient en rond, les prenaient à témoin, Xavier et elle, de cette catastrophe familiale.

— Fabienne a raison, il y a eu ce bouquet de roses. Un geste qui m'a paru un peu déplacé. Enfin, pour en finir, la petite est montée dans la voiture de ce voyou, et on ne les a pas revus depuis. Nous les avons attendus à la mairie. À 10 h 15, personne! On s'inquiétait. Les invités étaient là, la famille de Pierre-Marc nous posait des tas de questions. Normal! Et ce pauvre garçon, il était blanc comme un linge, espérant le retour de Julie. Le maire, monsieur Jacques Bouyer, nous a questionnés à son tour. J'étais dans de beaux draps. On a cru à un accident, mais, sur un trajet aussi court, on aurait vu quelque chose. À 11 heures, nous avons dû annuler la cérémonie.

Monsieur et madame Labrousse, les parents de Pierre-Marc, ont piqué une crise terrible; on en est venus aux insultes, aux menaces. Le pire, c'est que ce sont mes associés! Vous pouvez imaginer les conséquences pour l'exploitation.

— En résumé, vous avez tous conclu que Julie s'était enfuie avec ce François, qui m'a l'air d'être un individu peu recommandable, déclara Xavier.

— Oui, évidemment, d'où la prise de bec avec ses parents. Après tout, François est un de leurs cousins. Nous avons son adresse à Marseille. C'est un type qui roule sur l'or.

Maud, qui aurait bien aimé s'asseoir, fit quelques pas dans la pièce. Sur un meuble, elle aperçut la photographie encadrée d'une jeune fille. Elle s'approcha discrètement, mais Fabienne Vallentin la rejoignit et murmura en reniflant, les larmes aux yeux :

— C'est Julie, l'année dernière, le jour de ses dix-neuf ans. Je lui avais offert cette robe. Elle était si contente! Elle est belle, n'est-ce pas?

Ne sachant pas si la pauvre femme parlait de la robe ou Julie, Maud fit oui de la tête. Elle se dit également que la fiancée de Pierre-Marc appartenait sans aucun doute à cette catégorie de filles d'une beauté irrésistible, faite de sensualité inconsciente et d'une plastique parfaite, avec, hélas, quant au caractère, une sorte de naïveté qui les rendait fragiles et facilement influençables face à certains hommes. Son métier lui avait appris à juger d'après une simple photo la personnalité

238

des gens, et elle se trompait rarement. Xavier s'approcha à son tour, regarda lui aussi l'image flatteuse de Julie. Il ne fit aucun commentaire, mais, d'une voix douce, il demanda à son hôte:

— Que puis-je faire pour t'aider, Nicolas? Je suis désolé de te voir dans cet état.

Le viticulteur ne répondit pas tout de suite. Il se dirigea vers un bar en chêne massif, sortit une bouteille de pineau et marmonna:

— Je manque à tous mes devoirs. Excusez-moi, vous prendrez bien un apéritif, mademoiselle?

Maud accepta et s'installa dans le canapé, près de Fabienne, qui sanglotait nerveusement. Xavier resta debout, l'air gêné. De la cuisine où il était parti chercher des glaçons, monsieur Vallentin leur cria:

— En tout cas, nous sommes la risée de toute la commune. Et cette montagne de nourriture gâchée… Si ce n'est pas honteux!

Il revint, s'affala dans un fauteuil, engagea Xavier à faire de même. Le père de Julie, homme assez corpulent, au teint vif, la chevelure déjà argentée, semblait saisi d'une rage intérieure.

— Écoute-moi bien, Xavier: je veux retrouver ma fille. C'est quand même une brave gosse, et je ne comprends pas pourquoi elle nous a fait une saleté pareille. Elle savait combien nous coûtait son mariage, le nombre des invités… Je leur avais même trouvé un pavillon dans la région de Cognac. Nous allions l'acheter le mois prochain. Alors, je me demande si ce François, avec ses façons de grand seigneur, ne l'a pas tout bonnement enlevée, contre son gré. Tiens, la preuve, encore quelque chose de bizarre : en début d'après-midi, aujourd'hui, ma femme et moi sommes allés à Angoulême, car Julie a un studio là-bas, rue Montalembert. Une location, près de l'école où elle suit des cours de comptabilité. J'ai un double des clefs! Eh bien, je t'assure, Xavier, elle n'y a pas mis les pieds! Toutes ses affaires y sont, tous ses vêtements. C'est là que j'ai besoin de toi. Il faut les rechercher pour savoir ce qui s'est passé en réalité. Soit ma fille était d'accord pour le suivre et nous laisser dans le pétrin, soit il l'a emmenée contre son gré, et on ne sait pas ce qui peut lui arriver. Un type comme lui, qui brasse des sommes énormes, sans bien expliquer d'où lui vient cet argent, n'est peut-être pas très clair, si tu vois ce que je veux dire. Tu es flic; tu dois pouvoir te renseigner sur lui, faire une petite enquête. Quand même, pour ma réputation et l'avenir de mon entreprise, je préférerais que ma gamine soit une victime dans cette affaire. Vis-à-vis de Pierre-Marc et de ses parents aussi, cela arrangerait bien des choses.

Un peu essoufflé par sa tirade, Nicolas Vallentin avala d'un seul trait son verre de pineau. Sa femme hocha la tête, essuya ses yeux avec un mouchoir. Petite, menue, brune comme sa fille disparue, la mère éplorée ressemblait à un oiseau blessé qui ose à peine se manifester. Xavier la regarda un instant, toussota, prit la parole d'un ton grave :

— Nicolas, Fabienne… Il y a un problème. Julie est majeure. Il est donc difficile d'accuser François de rapt ou d'un quelconque abus. Il nous faudrait des témoins, des faits. Quant à rechercher Julie, ce serait envisageable, mais à quel titre? Nous ne pouvons pas faire grand-chose. Enfin, d'après moi. Je peux me tromper.

Sur ces mots, Xavier jeta un regard interrogateur à Maud, comme s'il lui demandait du secours. La jeune femme réfléchit. Elle était persuadée que Julie était partie de son plein gré après s'être laissé séduire corps et âme par le Méditerranéen. Désireuse de rendre service, elle dit pourtant:

— Il y a une solution. Comme votre fille est domiciliée à Angoulême, je peux sans problème ouvrir un dossier, à titre de disparition dans des circonstances indéterminées, et ainsi faire une recherche dans l'intérêt des familles. Par contre, Xavier a raison: Julie étant majeure, si nous la retrouvons, il nous sera impossible de vous communiquer le lieu où elle se trouve. Nous pourrons seulement lui demander de vous contacter pour s'expliquer. En ce qui concerne le cousin de Pierre-Marc, puisque vous avez ses coordonnées, nous pouvons très bien, par le biais de nos collègues de Marseille, demander des renseignements sur lui. Je vais noter son nom de famille et son adresse. Si ce monsieur a des activités douteuses, cela pourrait changer beaucoup de choses pour vous. Je vous promets de m'en occuper personnellement, monsieur Vallentin.

— Je vous remercie, mademoiselle, ou madame, peut-être? demanda le viticulteur, embarrassé.

— Toujours mademoiselle, malgré mon grand âge, car j'ai presque trente-trois ans, et aucune envie de perdre ma liberté! plaisanta Maud qui aurait bien voulu détendre un peu l'atmosphère.

Elle y parvint, car les parents de Julie eurent un petit rire triste. À cet instant précis, on sonna à la grille et, peu de temps après, trois coups retentirent à la porte du vestibule. Ce devait être un habitué de la maison, puisque le chien ne s'était pas manifesté.

— C'est sûrement Pierre-Marc. Il devait passer nous voir. Il s'est mis en rapport, cet après-midi, avec un frère de ce François.

Nicolas Vallentin se leva, alla ouvrir, et on l'entendit échanger quelques mots avec le nouveau venu. Très vite, les deux hommes gagnèrent la salle de séjour, et, après les présentations d'usage, la conversation reprit. Pierre-Marc aurait fait pitié au plus endurci. Son visage rond, dont les joues étaient parsemées de légères taches de rousseur, était d'une pâleur morbide. Il avait les yeux fatigués, un peu rouges, et se tenait courbé sous le poids de ce terrible chagrin qui l'avait frappé par surprise. Ce jour qui devait être « le plus beau de sa vie », selon le lieu commun, s'était révélé un véritable cauchemar. Le malheureux jeune homme avait dû encaisser tous les coups : apparemment, sa fiancée l'avait quitté le matin de leurs noces pour un de ses cousins, ce qui était en soi une cuisante humiliation. Au contraire des Vallentin, il n'avait pas encore pensé à un enlèvement. À ce drame s'étaient ajoutés la colère et les cris des deux familles concernées. Julie avait été traitée de tous les noms inimaginables par celle qui aurait dû devenir sa belle-mère, et, de surcroît, il avait fallu renvoyer chez eux la majeure partie des invités sous des prétextes inventés à la dernière minute, auxquels nul n'avait cru une seconde. Ceux qui étaient restés jusqu'en début d'après-midi, témoins de son infortune, l'avaient harcelé de questions ainsi que de bons ou de mauvais conseils.

Là encore, dépité, désespéré, assis en face de Fabienne Vallentin, il se tenait les épaules tombantes, les mains jointes entre ses cuisses. D'une voix lasse, il demanda sans lever la tête:

— Alors, vous n'avez eu aucune nouvelle?

On devinait à son expression avide que, contre toute logique, Pierre-Marc espérait de tout son cœur un improbable quiproquo, un retournement imprévu de l'incident. Au fond de lui, il n'était pas tout à fait persuadé de la culpabilité de sa fiancée, et l'amour passionné qu'il lui vouait le poussait à l'indulgence, aux rêves les plus fous. Il avait même songé que Julie avait eu peur de s'engager, au dernier moment, et qu'elle reviendrait vite à la raison. Maud l'étudia du coin de l'œil, intriguée par sa douceur soumise, alors qu'elle pensait rencontrer un exalté prêt aux pires violences. Nicolas Vallentin servit à son « gendre » un verre de pineau.

— Ça va te remonter un peu. Mon pauvre, tu en as autant besoin que nous.

— Même si elle ne voulait plus se marier avec moi, balbutia le jeune homme, elle pouvait me le dire en face ou me téléphoner. Ça ne lui ressemble pas, cette façon d'agir. François est un beau salaud. Je n'aurais jamais dû l'inviter, celui-là. Me faire un coup pareil! Si je le tenais, je crois qu'il passerait un mauvais moment.

Encore un silence gêné. Xavier aurait bien aimé prendre congé, mais ne savait pas comment faire. Pierre-Marc s'était relevé, avait pris un objet dans sa poche de pantalon. C'était une petite boîte en cuir rouge qu'il tendit à la mère de Julie :

— Tenez, ce sont nos alliances. Je ne veux pas les garder. Ça me fait trop de peine.

Fabienne ouvrit l'écrin, contempla les bijoux. Maud, elle-même émue, se leva aussi. Pierre-Marc jeta un dernier coup d'œil aux deux bagues.

— Pour celle de Julie, j'avais fait ajouter des diamants. J'ai commandé ces anneaux sur mesure à Châteauneuf. Nous avions été tous les deux. Julie aimait bien le magasin, la vitrine est moderne, tout illuminée. Ça lui plaisait. Comme monsieur Timonier est joaillier, il a créé ces modèles spécialement pour nous. Elles sont belles, n'est-ce pas, mademoiselle?

Il s'était adressé à Maud, qui, debout à leurs côtés, regardait, apitoyée, les alliances inutiles.

— Elles sont vraiment splendides, monsieur. Je suis navrée pour vous. Mais on ne sait jamais…

Si vous vous sentez capable de pardonner, elles joueront peut-être leur rôle un jour.

Xavier leva les yeux au ciel, poussa un soupir agacé. Les paroles de sa collègue lui semblaient un peu ridicules et sans fondement. D'ailleurs, Nicolas Vallentin en profita pour rugir :

— Pardonner! Je voudrais voir ça! Enfin, Pierre-Marc fera ce qu'il voudra, mais, de mon côté, je ne veux plus entendre parler de noces ou de fiançailles. De rien! Et Julie, si je la revois, j'aime mieux vous dire qu'elle ne mettra plus les pieds ici. Jamais!

— Nicolas! gémit sa femme. Calme-toi. Devant mademoiselle… et Xavier.

— Ce n'est pas grave, affirma l'inspecteur Boisseau. Nous devons repartir, excusez-nous. Tenez-moi au courant et, surtout, gardez votre sang-froid.

Maud regrettait d'avoir parlé ainsi à Pierre-Marc qui semblait à présent animé d'un espoir imprécis. Il lui donna une chaleureuse poignée de main, lui sourit, au bord des larmes.

Épuisés par la tension nerveuse qui y régnait, les deux inspecteurs quittèrent la belle propriété de la famille Vallentin.

— Eh bien, quelle ambiance! chuchota Xavier. Si t'es d'accord, on monte au château. Ça nous fera du bien de marcher un peu.

— Bonne idée.

## 3

— Que penses-tu du charme poétique de ce petit village? Nous sommes ici en Grande Champagne, la terre du pays qui produit les meilleures eaux-de-vie. Regarde, à gauche, cette petite maison couverte de roses, avec son vieil escalier de pierre.

— C'est ravissant, mais je me sens oppressée, Xavier. C'était vraiment pénible chez tes amis! Ces gens me faisaient pitié, au milieu de tout le décorum propre à une belle noce!

— N'y pense plus. Nous allons grimper tous les deux à l'assaut de la forteresse, teintée d'or par le soleil. Quelle chance! Nous allons avoir une vue sublime de là-haut.

Cette fois, Maud ne répondit pas. Distraite, elle contemplait par la vitre grande ouverte ce qui l'entourait. Elle constata qu'il n'y avait sans doute aucun commerce à Bouteville, admira au passage une autre habitation, assez pittoresque, plantée à l'intersection de deux routes, avec ses volets verts et sa porte vitrée, le tout à l'abri d'un immense marronnier.

Xavier roula au ralenti, suivant le chemin qui montait au château. Majestueuse malgré son aspect abandonné, ceinte le long des fossés de ronciers et de lierres monstrueux, l'ancienne place forte des Taillefer se dressait fièrement sous le ciel d'un bleu très pâle, parcouru de longues traînées d'un rose orangé. Ses murailles de calcaire ivoire étaient nimbées d'or par la lumière douce de ce soir d'été.

— Maud, viens vite. Je voudrais te montrer les fresques et le bûcher voûté, et il fera sombre à l'intérieur, déjà.

Elle descendit de la voiture, leva la tête vers le porche, qui s'ouvrait sur une étendue d'herbe. Elle contempla les douves, les fenêtres aux carreaux absents. Un silence étrange sembla les accueillir, et Maud, sans savoir pourquoi, ressentit une peur sournoise, insidieuse. C'est à regret qu'elle suivit Xavier.

Après avoir franchi le pont qui surplombait les douves du château et admiré l'écu sculpté ornant le fronton du porche, ils marchèrent le long d'une haute muraille, celle des anciens chais. Des oiseaux voletaient dans les halliers voisins, l'air était doux. Ils contournèrent l'aile nord pour rejoindre la cour d'honneur, et là, découvrirent l'ensemble, d'une splendeur harmonieuse, des bâtiments du château. Cette immense terrasse, où jadis avait dû régner une grande animation les jours de fête, était exposée au sud-ouest, tel un vaste balcon sur la vallée. Le bourg s'allongeait plus bas, et, à droite, l'église Saint-Paul semblait protéger ce vallon fertile.

— Ce devait être agréable de vivre ici, murmura Maud, qui n'osait pas parler trop fort.

— Tiens, nous ne sommes pas seuls, remarqua Xavier.

Maud se retourna, aperçut un jeune homme qui venait vers eux. Il était mince, de taille moyenne, avait les cheveux courts, châtain clair, le regard très bleu. Xavier fronça les sourcils, puis s'avança un peu avant de s'exclamer:

— Mais c'est Ronald!

— Lui-même! Bonsoir, mademoiselle, bonsoir, Xavier! Comment vas-tu? Je ne m'attendais vraiment pas à te voir à Bouteville. Qu'est-ce qui t'amène?

— Je suis passé voir des amis de mes parents qui avaient un problème de taille. Tu vas sûrement en entendre parler chez toi. Mais laisse-moi te présenter une de mes collègues, la plus charmante d'ailleurs, l'inspecteur principal Maud Delage. Je lui faisais visiter le château en vitesse. Ensuite, nous irons dîner aux Ombrages. Dis donc, tu pourrais me remplacer, comme guide, si tu as une minute. Maud, tu as en face de toi le président de l'Association de sauvegarde du patrimoine de la Charente. En somme, le mieux placé pour nous présenter ces ruines grandioses.

— Que nous souhaitons sortir de leur état d'abandon, rétorqua le jeune homme avec un grand sourire. Je suis assez pressé, mais je ne refuse jamais de rendre service à un ami.

Maud songea que, décidément, Xavier avait des relations partout. On ne savait comment, ni pourquoi, c'était ainsi. Ronald, au demeurant très sympathique, les entraîna vers un corps de logis. Chemin faisant, il leur expliqua que, intrigué par la Ford Mondeo garée près de l'entrée, il était monté au château.

— J'allais dîner chez mes parents, et, par habitude, j'ai regardé vers l'esplanade. Il y a tellement de visiteurs clandestins, j'ai préféré jeter un œil. Certains viennent ici par curiosité ou par amour des vieilles pierres, d'autres ont des intentions moins claires. Des tas de légendes sont attachées à ces lieux. Par exemple, celle d'un trésor caché, bien sûr, et nous avons donc souvent droit à des promeneurs équipés de détecteurs de métaux, mais aussi celles qui concernent les souterrains.

Ils parcoururent une enfilade de pièces déjà envahies par la pénombre. La grosse tour d'angle leur apparut par une faille béante. Maud eut vraiment le cœur serré devant tant de beautés saccagées, car elle venait de s'arrêter devant des fresques magnifiques, ornant les murs en arc de cercle. C'étaient des guirlandes de fleurs entrelacées de motifs géométriques, dans des teintes pourpres et brunes, ou jaunes et bleues. Plus loin, elle put admirer une peinture murale, à dominance bleue, verte et rose, effacée par le temps, où l'on distinguait pourtant le dessin d'un château, un fleuve, des arbres. Toutes ces merveilles, témoins menacés de la richesse enfuie de la Renaissance, étaient souvent, hélas, couvertes d'innombrables graffitis, d'initiales gros-

sièrement tracées, la signature imbécile des géné-
rations de vandales qui étaient passées là.

— Je ne comprends pas que l'on puisse agir
ainsi, c'est révoltant! s'écria Maud, désolée.

Ronald haussa les épaules, fit un petit geste
résigné.

— Il y a pire, déclara-t-il. Je vous montrerai
le puits tout à l'heure, dans la cour. Il est profond d'au moins quarante mètres. Nous l'avons
scellé plusieurs fois à l'aide d'une grille de pro-
tection pour éviter des accidents. Elle est régu-
lièrement arrachée, jetée au fond, dans l'eau,
où s'entassent déjà dix mètres de gravats, d'anciennes portes, des vélos. Il faudrait un gardien. Mais je voudrais d'abord vous montrer
l'admirable bûcher, une immense salle voûtée,
et l'entrée d'une cave creusée dans le roc sur
quinze mètres. C'est dommage: si tu m'avais
prévenu, Xavier, nous aurions eu un peu plus de
temps... et de lumière.

— Ce n'est pas grave, nous reviendrons.
Maud adore les souterrains!

L'inspecteur Delage fit la moue sans daigner
répondre à la plaisanterie de Xavier, qui savait
pertinemment qu'elle avait horreur des promenades sous terre. Les deux hommes poursuivirent
leur exploration, tandis que Maud s'attardait un
instant pour effleurer d'une main respectueuse le
mur teinté d'azur. Soudain, d'un vol lourd, avec
un bruit de papier froissé, une chouette passa au-
dessus d'elle. Cette forme blanche, surgie d'on
ne sait quel coin de charpente, comme un esprit

venu de l'au-delà, fit sursauter Maud, qui la suivit des yeux jusqu'à ce qu'elle disparaisse par une fenêtre béant sur le vide.

C'est alors que, se tenant presque appuyée au mur, elle crut entendre un chuchotement dans son dos, des mots indistincts, confus. Elle était prête à se retourner, certaine que Xavier lui faisait une mauvaise plaisanterie, mais quelqu'un toucha délicatement son épaule en un geste furtif. Là, agacée, prise d'un singulier malaise, Maud fit volte-face : il n'y avait personne derrière elle…

Une peur irraisonnée, brutale, la saisit, car, à une dizaine de mètres, Xavier et Ronald bavardaient près d'une cheminée. Elle réfléchit le plus vite possible pour ne pas céder à la panique. *Ce ne sont pas eux, ils sont trop loin, mais on m'a touchée, j'en suis sûre et il n'y a personne, personne.* Un frémissement glacé l'envahit, son ventre se tordit d'angoisse. Jamais elle n'avait connu une telle sensation de frayeur. Elle n'eut plus qu'une idée : rejoindre ses compagnons au plus vite.

— Xavier, il m'est arrivé une chose curieuse, je ne sais pas ce que c'est !

Ronald, surpris, la regarda avec une expression inquiète. Sans lui laisser le temps de dire un mot, elle s'écria :

— J'étais contre le mur, une chouette blanche est passée, et, ensuite, j'ai eu l'impression que l'on chuchotait dans mon dos. J'ai voulu me retourner, et là, on m'a touché l'épaule, j'en suis sûre. J'ai cru que vous vouliez me faire peur, mais en vérité il n'y avait personne derrière moi. Vous vous rendez compte? Vraiment personne! C'est insensé, et je n'y comprends rien, rien du tout!

— C'est impossible! s'exclama Ronald. Il y a sûrement quelqu'un qui vous a joué un tour. Dans quelle pièce étiez-vous exactement?

— Celle où il y a une si belle peinture murale.

— Ah! Je m'en doutais, la salle des secrets! Venez, retournons là-bas, je vais vous expliquer le phénomène acoustique assez particulier qui s'y produit. Mais qui me prouve aussi que vous ne deviez pas être seule…

Maud doutait à présent. Elle aurait bien voulu croire le jeune homme, replonger dans un monde logique, mais on aurait dit au contraire qu'elle perdait pied dans un univers mystérieux, où ses repères habituels étaient vains, fragiles. Ils firent demi-tour, marchèrent vers la fameuse pièce. Ce fut à cet instant qu'elle aperçut, au bout de l'alignement des portes, la silhouette d'une femme.

— Ronald, dit-elle très vite. Regardez, là-bas! Il y a quelqu'un, en effet! Ce doit être une dame qui vous cherche. Oh! Elle s'en va!

— Mais non! Il n'y a personne! s'étonna le jeune homme.

— Je vous assure que j'ai vu une femme! insista Maud.

Perplexe, Xavier scruta les pièces plongées dans l'ombre.

— Peut-être qu'elle est déjà repartie! hasarda-t-il. Remarque, Ronald, ta voiture est garée devant le château. Si c'est toi qu'on veut voir, on t'attendra à côté. En tout cas, cette visiteuse n'est pas bruyante et, de plus, elle risque de se tordre une cheville sans lampe.

— Nous aussi, d'ailleurs! lança Ronald.

On le devinait inquiet, nerveux, quand il entra avec Maud et Xavier dans la salle des secrets.

— Voilà, nous y sommes. Je serai bref. Cet endroit a donc une propriété étrange, qui en amuse beaucoup. Si l'on se tient dans un de ses angles et que l'on chuchote, justement, contre le mur, une personne située dans l'angle opposé va percevoir sans peine, comme au creux de son oreille, ce que dit l'autre. Faites l'essai et vous verrez!

Les deux inspecteurs, peu convaincus, firent le test aussitôt. Pourtant, le phénomène se manifesta comme prévu. Maud entendit Xavier lui dire une bêtise – bien sûr – et elle aurait juré qu'il était debout à ses côtés.

— C'est épatant, incroyable! s'écria-t-elle. Tu es témoin, Xavier! Mais ça ne me rassure pas, puisque moi, j'étais seule. Je n'ai pas rêvé! Là, je vous vois. Or, tout à l'heure, la pièce était déserte.

Ronald se voulut conciliant et réaliste. Il sourit gentiment.

— Je pense que vous avez dû capter l'écho de conversations venues de l'extérieur. Il peut s'agir de cette femme qui aurait été accompagnée et a dû rebrousser chemin à cause de la pénombre. Nous allons sûrement trouver qui très bientôt. C'est plus prudent de retourner dans la cour d'honneur.

— Mais la main sur mon épaule, c'était quoi?

Xavier prit le bras de son amie et se mit à rire:

— Écoute, Maud, à mon avis, tu as eu si peur des chuchotements que tu as cru que l'on te touchait. C'est fréquent. Dans une situation identique, un château plongé dans les ténèbres, une chouette, des bruits de voix venus de nulle part, et te voici prête à tous les délires. C'était une impression, une réaction de ton corps, un spasme nerveux, que sais-je encore! Allons, du sérieux, du sang-froid! Sortons d'ici.

Maud se dit que Xavier avait sans doute raison, mais elle éprouva à nouveau cette sensation d'angoisse, d'oppression qui la déconcertait. Elle l'attribua à l'ambiance un peu sinistre de ces ruines de proportions impressionnantes, surtout à la tombée de la nuit. Par contraste, la cour d'honneur, où s'attardait un reste de luminosité, lui parut accueillante. Désireuse de se changer les idées, elle sortit la première, descendit les marches d'un perron et observa mieux l'aile nord, les balustres ouvragés qui ornaient le bord de la toiture.

Lorsque Xavier et Ronald se décidèrent à s'engager dans la cour d'honneur, elle les précéda d'un pas vif, puis, stupéfaite, s'arrêta net. Au milieu du vaste espace herbeux se tenait une femme, debout, qui semblait les attendre. Silencieuse dans une longue robe noire, l'inconnue ne bougeait pas. Malgré la distance, Maud eut la certitude qu'elle les fixait intensément.

Vite, elle fit un signe de tête discret à ses compagnons.

— Ce doit être cette personne que j'ai vue tout à l'heure! leur dit-elle très bas.

— Je suis désolé, mais je ne vois rien! répliqua Xavier, tandis que Ronald avait un geste d'impuissance qui signifiait la même chose.

Mue par une impulsion toute-puissante, Maud s'élança, en courant presque, comme si cette énigmatique visiteuse l'appelait par la seule force de ses yeux brillants. Il lui suffit de quelques secondes pour se retrouver à un mètre d'elle. C'était une grande femme aux cheveux grisonnants, tirés en arrière, relevés en chignon. Son visage fin, émacié, au grand front aristocratique, parut d'une blancheur de cire dans l'obscurité, mais il s'en dégageait une beauté surnaturelle, de celle qu'on prête aux anges ou aux démons. Elle devait avoir une cinquantaine d'années.

Xavier et Ronald se rapprochèrent sans hâte, perplexes, car pour eux, les alentours étaient déserts.

— Madame, reprit Maud d'une petite voix timide, ce qui ne lui ressemblait pas. Est-ce que vous allez bien? Vous vous êtes égarée?

— Non, répondit la femme très bas. Non. Je voulais vous dire que le malheur a frappé ici, en ces lieux, car l'histoire est un perpétuel recommencement, et, sur nos terres, les amours sont condamnées.

— Comment? interrogea encore Maud, qui dut tendre l'oreille pour saisir le sens exact des mots.

— Le malheur a frappé…

Cette fois, l'inspecteur Delage fut persuadée d'avoir vraiment affaire à une folle ou à quelqu'un de malade. Désemparée, elle se tourna vers Ronald et Xavier pour leur demander de l'aide.

— Xavier, que devons-nous faire? demanda-t-elle dans un souffle anxieux. Cette dame prétend que...

Les deux hommes dévisagèrent Maud avec une expression de totale incompréhension. Exaspérée par leur attitude, elle se retourna vivement vers celle qui lui avait tenu de si étranges propos. Il n'y avait plus personne à côté du puits, ni aux abords. Et la cour était déserte, absolument déserte.

— Mais ce n'est pas possible! hurla Maud, prise de panique. Elle n'a pas pu partir aussi vite.

Inquiets, ses compagnons jetèrent des regards intrigués en tous sens. Le soleil se couchait, certes, mais il faisait encore très clair. On y voyait distinctement, et ils avaient la certitude qu'aucun être humain ne se trouvait là auparavant. Xavier prit la main de sa collègue, qui tremblait de tout son corps.

— C'est une histoire de fous! Je n'ai pas menti! gémit-elle. Une femme se tenait là il y a quelques secondes.

— Maud, je suis navré, nous n'avons rien vu du tout! Mais tu avais l'air de parler à quelqu'un, je te l'accorde! affirma l'inspecteur Boisseau, vaguement troublé.

Ronald, quant à lui, semblait sidéré et s'obstinait à guetter le moindre bruit. Puis il fit rapidement le tour de la cour et revint. Au bord des larmes, Maud respirait mal. Elle déclara, comme pour s'en convaincre:

— Elle m'a parlé! Elle était là, aussi réelle que vous et moi. Une femme encore belle malgré son âge, distinguée. J'ai vu ses lèvres bouger, ses yeux brillaient, ce n'était pas un fantôme! Où est-elle passée?

— C'est peut-être une hallucination! avança Ronald. Ou bien autre chose... Je ne crois guère aux phénomènes surnaturels, mais là, je ne vois guère d'autre explication. J'ai des copains qui habitent en Normandie, près d'un endroit où, paraît-il, se manifeste une «dame blanche», une jeune fille qui fait de l'auto-stop et, une fois dans le véhicule, pousse un grand cri à l'approche d'un virage et se volatilise. Alors, qui sait?

— Je vous assure que c'était d'un réalisme surprenant! soupira Maud. Et ce qu'elle a dit, surtout! Des paroles vraiment étranges!

— Explique-toi, dit gentiment Xavier. Je te connais, tu es choquée, donc il s'est passé quelque chose. Que t'a dit ton fantôme?

Sur ces mots, il retint un soupir. Son dîner aux Ombrages, en tête-à-tête avec la ravissante Maud, lui semblait compromis. D'abord, ils allaient arriver un peu en retard; ensuite, l'ambiance risquait d'être sombre. Il alluma un cigarillo.

Maud le regarda intensément et ses beaux yeux bleus exprimaient un profond désarroi.

— Elle parlait si bas. Elle m'a dit que le

malheur avait frappé, que l'histoire est un perpétuel recommencement... Je ne sais plus très
bien... Il y avait autre chose, au sujet de l'amour.

Toujours professionnel, Xavier nota ces
quelques mots sur son agenda de poche. Ronald
jeta un regard surpris sur « son » château, ces
pierres séculaires qu'il aimait tant, à qui il voulait redonner une chance, un renouveau. Se
pouvait-il vraiment que Maud ait été témoin
d'une apparition? Et dans ce cas, que signifiaient
les paroles tragiques de cette femme? Il haussa
les épaules, se jugeant stupide. Il y avait fort à
parier que l'ambiance particulière du site soit la
seule en cause. Tout inspecteur de police qu'elle
était, cette jolie personne devait être très impres-
sionnable et trop imaginative.

— Bien, je vous laisse! dit-il en regardant sa
montre. Bonsoir, mademoiselle. Désolé d'avoir
fait votre connaissance en de telles circonstances.

Il allait s'éloigner quand un détail d'importance s'imposa à lui. La grille fermant le puits était
légèrement déplacée, si bien qu'elle n'obturait
pas l'ouverture.

— Qu'est-ce que je vous disais tout à l'heure!
enragea-t-il. Des idiots sont encore venus fouiner
ici.

Maud se souvenait que leur guide occa-
sionnel voulait leur montrer le fameux puits,
et, la curiosité aidant, elle le suivit. Xavier lui
emboîta le pas.

Ils virent tous deux Ronald s'agenouiller au
bord de la cavité, taillée en cercle régulier dans

le roc. Comme le jeune homme se penchait, la mine soucieuse, Xavier protesta :

— Fais attention, quand même! Qu'est-ce qu'il y a?

— Regarde et dis-moi si je me trompe! riposta son ami d'un ton anxieux.

L'inspecteur Boisseau s'accroupit à son tour et scruta lui aussi le fond du puits.

Le cœur étreint d'un sinistre pressentiment, Maud retint son souffle. Son collègue avait changé de visage. Elle le vit pâlir, serrer les poings, pour redevenir sous ses yeux un policier qualifié qui, confronté à l'horreur, se composait une expression imperturbable.

— Il y a quelqu'un au fond, déclara Xavier en se relevant. Une femme. À mon humble avis, elle est morte...

— J'appelle les gendarmes! ajouta Ronald d'une voix rauque, altérée par l'émotion.

Maud recula d'un pas, toute tremblante. L'apparition n'avait pas menti : le malheur avait frappé.

## 4

Autour du puits, Ronald et Xavier étaient figés sur place, muets, stupéfaits. La gendarmerie ne tarderait pas et, en l'attendant, ils n'osaient émettre aucune hypothèse.

Maud, elle, faisait les cent pas, bouleversée, livide. Sans cesse, elle se repassait l'image de l'apparition, se répétait ses paroles, sans trouver d'explications tangibles. Soudain, un malaise la terrassa, dû à la faim, à la chaleur, à cette révélation brutale. Mollement, elle s'assit par terre, se cacha le visage dans ses mains.

Maud, qu'est-ce que tu as?

Xavier s'était précipité. Elle leva vers lui un visage pathétique et, d'une voix tremblante, elle murmura :

— Quelqu'un est mort, là, dans ce puits! Fantôme ou non, la femme qui se tenait là le savait et elle m'a choisie, moi, pour nous le dire. Cela me rend malade, ce genre de phénomène incompréhensible! Je n'y ai jamais été confrontée, alors je suis terrifiée!

— Je l'admets, c'est troublant! concéda Xavier. À ta place, c'est vrai, j'éprouverais sûrement la même chose. Ta réaction est normale.

Maintenant, le plus urgent, c'est de savoir qui est cette personne et, surtout, comment elle est tombée dans le puits. Accident ou crime? J'ai bien envie d'appeler Irwan.

— À quoi bon! soupira-t-elle en se relevant. Voilà la gendarmerie, l'affaire est de leur ressort, pas encore du nôtre.

Blême, consterné, Ronald accueillit le brigadier et ses hommes qui entraient dans la cour d'une démarche rapide.

— Ce genre de choses devait arriver! leur dit-il d'un ton désespéré. Mon père a beau sceller une grille fréquemment, il y a toujours des gens pour l'arracher. Ils n'ont pas l'air de se rendre compte du danger. Des enfants viennent jouer en cachette au château. Et aujourd'hui, il y a une victime… Je ne peux pas y croire.

Maud et Xavier se présentèrent. Les gendarmes, surpris de rencontrer deux inspecteurs sur les lieux, semblèrent agacés, comme s'ils craignaient de voir l'enquête leur échapper.

— Nous sommes là par le plus grand des hasards! affirma Xavier. Faites votre travail.

Tout se déroula assez vite. Les pompiers de Châteauneuf arrivaient à leur tour sur les lieux. Une demi-heure plus tard, après maintes difficultés techniques, multiples interrogations et discussions, ils remontaient le corps et l'allongeaient sur une civière, sous une couverture marron. Le soleil couchant éclairait la scène, et sa clarté d'un rouge orangé faisait paraître plus tragique encore cette forme inerte, tache sombre sur l'herbe verte.

— On dirait que c'est une jeune fille! chuchota Maud sans oser s'approcher.

— Ouais! grogna son collègue. Mais on n'y voit plus guère! Viens, de toute façon, l'Identité judiciaire va débarquer, on pourra discuter avec les gars de l'équipe.

Le cœur serré, ils se décidèrent à se mêler aux gendarmes. Les traits crispés, Ronald se précipita vers eux:

— C'est Julie Vallentin! leur confia-t-il. Je l'ai reconnue immédiatement. Mais elle devait se marier…

— C'est incroyable, ça! s'exclama Xavier. Ses parents la pensaient loin d'ici! En fait, je suis allé leur rendre visite, aujourd'hui. Julie avait disparu hier matin, le jour de son mariage. Je n'en reviens pas. Tu n'étais pas au courant?

— Non, je venais d'Angoulême! Mais si j'étais allé directement chez mes parents, ils m'en auraient parlé. Qu'est-ce qui a pu se passer?

*Julie Vallentin!* songeait Maud. *Certains la croyaient avec le beau François, heureuse peut-être, vivante à coup sûr.*

Elle observa la malheureuse. La mort n'avait en rien altéré sa beauté, et tous les hommes présents frémirent d'horreur devant cette jeunesse foudroyée, cette si jolie fille vêtue de rose, avec sa longue chevelure brune, souillée de boue et de sang.

— Il faut appeler le maire, chuchota Ronald, et prévenir ses parents. Je ne sais pas qui en aura le courage. Quelle tragédie!

Une autre heure s'écoula, ponctuée par l'arrivée de diverses personnes. Parmi elles, le maire, révolté par l'accident. Frappé d'une émotion bien compréhensible, il raconta à nouveau la pénible attente à la mairie, la veille, quand tout le monde avait compris assez vite qu'il s'était passé un fait insolite, que la future mariée s'était envolée avec le cousin de son fiancé. Bouteville avait rarement connu de tels événements.

Xavier prit enfin la décision d'aller lui-même annoncer la triste nouvelle aux parents de Julie.

— Ce pénible devoir me revient, ce sont des amis. Je suis habitué à ce genre de démarche, mais là, j'en ai le cœur brisé.

— Je viens avec vous, proposa le maire. Inspecteur, est-ce qu'il s'agit d'un meurtre? Que dois-je leur dire?

— Pour l'instant, il faut qu'ils viennent l'identifier. Nous ne pouvons rien affirmer, c'est là le problème, répondit Xavier avec un soupir ennuyé. Cet homme qui l'a emmenée avant la cérémonie devient suspect. Il faudrait le retrouver, et vite. Nous obtiendrons peut-être une commission rogatoire du procureur afin de nous en occuper et d'avoir les mains libres sur tout le territoire. Ma collègue ici présente, l'inspecteur Delage, devait ouvrir un dossier sur la disparition de Julie Vallentin.

Maud regarda s'éloigner le maire et Xavier. Elle n'avait pratiquement rien dit, n'avait posé aucune question. Assise à l'écart, sur la balustrade de la terrasse, elle tournait et retournait dans son esprit un flot de pensées amères, négatives, cruelles. Tout lui semblait obscur, confus : la mystérieuse apparition de cette femme, son message fatidique, la mort violente de Julie, alors qu'elle était censée être dans les bras de son amant.

Exaspérée, elle se décida à aller interroger le médecin légiste. Ce dernier avait conclu à une blessure grave, une perforation à la poitrine, qui avait provoqué une hémorragie. Les pompiers, les seuls à avoir pu examiner de près le fond du puits avec une lampe puissante, affirmaient qu'il s'y trouvait quelques ferrailles. Un simple morceau de fer avait suffi.

Ronald, lui aussi tendu et las, vint rejoindre Maud.

— C'est un cas de figure des plus angoissants, décréta-t-il. Impossible de savoir si c'est un crime ou un accident. Il faut demander une autopsie au procureur, vu les circonstances de son départ. Pauvre Julie. Elle a peut-être fait une bêtise, mais elle l'a payée bien assez cher. Nous étions ensemble au collège, c'était une fille adorable.

Maud se redressa. Ses yeux bleus prirent un éclat dur, effrayé cependant. Elle murmura d'un ton plaintif :

— Le fantôme… Si c'est un fantôme que j'ai vu, à qui j'ai posé des questions… Comment pouvait-il savoir que ce drame avait eu lieu ? Cette femme m'obsède, avec son visage blanc. Elle ne se trompait pas. « Sur nos terres, les amours sont condamnées… » C'est ce qu'elle a dit. J'avais oublié cette phrase.

— Oui, tout ceci est bizarre! répondit le jeune homme. Hélas, le surnaturel se manifeste surtout dans les situations néfastes, la preuve en est.

Bientôt, Xavier fut de retour avec le maire et le père de Julie. Maud et Ronald restèrent un peu à l'écart. Nicolas Vallentin regarda avec une insistance désespérée le visage de son enfant, puis il se mit à sangloter.

Gênée, l'assistance se dispersa, à l'exception du brigadier de la gendarmerie et de l'un de ses hommes. Maud s'était retirée dans un coin de la cour, près des dépendances. Xavier l'observait avec inquiétude. Il travaillait avec elle depuis deux ans et ne l'avait jamais vue ainsi, dans un tel état d'angoisse.

L'intervention du père de Julie mit fin à sa méditation. Le pauvre homme avait les yeux rouges, les mâchoires crispées. Il posa une main sur l'épaule de l'inspecteur Boisseau et, d'une voix enrouée, lui dit calmement, en détachant chaque mot:

— Je compte sur toi, Xavier. Je veux que tu te charges de cette affaire.

— Je ferai tout ce qui est en mon pouvoir, Nicolas, mais je ne te promets rien. Nous aviserons avec mes supérieurs, l'inspecteur divisionnaire Vernier, notamment.

— Ma gamine est morte. Je ne peux pas y croire. Moi qui l'ai maudite, insultée! Ah! bon sang, je donnerais tout ce que j'ai pour la savoir à Marseille, avec ce salaud. Il faut mettre la main sur ce type; c'est lui qui l'a tuée, j'en suis sûr! D'ailleurs, il a pu l'emmener de force, la droguer, je ne sais pas, moi!

Le malheureux fut incapable de continuer. Il sanglota à nouveau, se frottant les paupières avec violence pour essuyer les larmes qui ruisselaient contre sa volonté.

Maud, émue par son chagrin, crut bon intervenir :

— Monsieur, je vous en prie, calmez-vous! lui dit-elle, apitoyée. D'autres épreuves vous attendent. Une autopsie est nécessaire, et vous devez donner votre accord. Ensuite, une ambulance emportera le corps de votre fille à Girac.

— Faites au mieux. Au point où nous en sommes… C'est ma pauvre femme… Elle ne s'en remettra pas. De toute façon, inutile de lui montrer la petite dans cet état.

Nicolas Vallentin les salua. Le brigadier de gendarmerie lui faisait signe. Une fois seuls, Maud et Xavier échangèrent un regard navré.

— J'aimerais bien récupérer l'enquête déclara l'inspecteur Boisseau. Pas toi?

— Si. Au moins, j'aurais l'impression d'agir. Le plus urgent serait de lancer un avis de recherche sur ce François.

— Oui, reste à le dénicher. Mais si c'est lui le coupable, il a dû prendre des précautions pour ne pas laisser de traces derrière lui. Il faudrait également interroger le fiancé, Pierre-Marc. Si nous partions, à présent? Je suppose que tu n'as plus envie de dîner aux Ombrages?

— Je préfère rentrer chez moi! avoua Maud.

L'air un peu perdu, elle prit le bras de son collègue.

— Je te ramène! promit-il, touché.

Le château de Bouteville et ses vieilles pierres retrouvèrent enfin le silence et la paix. La cour d'honneur était déserte. Plus de traces de tous ces gens qui s'étaient agités là. Un lapin traversa l'esplanade, des chauves-souris voletèrent près de la petite tour. La grille avait été remise sur l'ouverture béante du puits. On aurait dit qu'il ne s'était jamais rien passé ici.

\*

Une heure plus tard, ils arrivèrent rue Aristide-Briand, puis entrèrent en silence dans le jardinet situé devant la maison. Maud chercha ses clefs, entra dans le couloir, fit de la lumière. La vision de son nouveau foyer, qu'elle avait aménagé avec tant de soin et de goût, la réconforta.

— Je meurs de faim, déclara Xavier. Tu n'as rien dans ton réfrigérateur que je pourrais réchauffer? Pour nous deux, bien sûr!

— Si, des confits de canard, et je peux préparer de la salade. Mais personnellement, je n'ai guère d'appétit.

— Tu as surtout besoin d'un remontant, et moi aussi! Je sais où tu ranges les apéritifs, je m'occupe de tout.

Maud s'installa dans le salon, toujours songeuse. La présence de son «nouveau voisin» la rassurait, car elle ne se débarrassait pas du malaise que lui avaient causé les événements de Bouteville.

Xavier se démena pour lui proposer un dîner alléchant, qu'ils dégustèrent après avoir bu un verre de vin blanc, assis face à face. Chacun aborda le drame dont ils avaient été témoins, sans évoquer cependant l'intervention de la dame blanche, comme l'avait surnommée Ronald.

Mais au dessert, l'inspecteur Delage battit en retraite pour se montrer une simple jeune personne envahie d'une crainte superstitieuse.

— Xavier, pour être franche, je ne me sens pas bien du tout. C'est à cause de cette femme que j'ai vue! Si elle a disparu par enchantement, pourquoi ne pourrait-elle pas réapparaître de la même manière? Dans ma chambre, par exemple?

— Je suis prêt à dormir au pied de votre lit, s'il le faut, mademoiselle...

Maud eut un petit rire nerveux. Elle dit ensuite, très vite:

— Je n'aurais jamais osé te demander de coucher à la maison. Tu aurais pu croire à une proposition malhonnête. Mais, puisque tu m'offres ta présence virile et rassurante, j'accepte volontiers. J'ai une chambre d'amis. Tu seras mieux qu'allongé sur ma descente de lit.

— À la bonne heure! Me voici promu ton chevalier servant!

— Merci, c'est vraiment gentil! murmura-t-elle. Bon, je suis vannée! On monte se coucher. Tu connais les lieux de toute façon, puisque tu m'as aidée à m'installer.

— Oui, mais tu as mis tellement de plantes vertes sur le palier que je ne sais plus où je suis.

Ils se souhaitèrent une bonne nuit devant la porte de la salle de bains. Là, Xavier prit Maud par les épaules, l'attira contre lui, l'embrassa sur le front, puis sur les joues, très tendrement, en effleurant ses lèvres. Avec délicatesse, elle se dégagea, lui lança un regard réprobateur et s'enferma dans sa chambre. Il l'entendit crier d'un ton serein:

— Bonne nuit, mon garde du corps!

Ils s'endormirent tous les deux assez rapidement et, quelques heures plus tard, c'est une sonnerie de téléphone qui réveilla Xavier. Comme Maud ne répondait pas, bien qu'elle eût un appareil sur sa table de chevet, il descendit en caleçon dans le salon et décrocha. Avant de pouvoir placer un mot, une voix familière résonna au creux de son oreille:

— Salut, c'est Irwan. Tu vas bien? Je voulais m'assurer que tu n'oublierais pas de « pointer », à 15 heures.

Xavier hésita, toussota, lança un bonjour joyeux et plein de vigueur, puis enchaîna:

— Tu tombes mal, je crois que Maud dort encore. Il faut dire que tu nous réveilles aux aurores…

Silence à l'autre bout du fil. On sentait que

l'inspecteur divisionnaire Vernier réfléchissait à ce qu'il devait dire ou faire. Brusquement, il rugit :

— Qu'est-ce que tu fiches là, toi, « aux aurores », comme tu le dis si bien ? Tu es passé du voisinage à la cohabitation ? Prévenez-moi pour la date du mariage.

— Ne te mets pas dans un état pareil. Ça devait arriver… Je préparais le petit-déjeuner. Maud adore boire son café au lit…

Irwan, furieux d'avoir réagi aussi violemment, s'apprêtait à raccrocher quand il entendit la voix de Maud, qui venait d'intercepter la communication dans sa chambre après avoir été réveillée par la dernière sonnerie. Elle avait écouté, encore ensommeillée, la conversation houleuse de ses deux amis.

Irwan ! s'écria-t-elle. Ne crois pas cet ignoble individu. Il a dormi ici, c'est vrai, mais c'est la première fois. Je vais t'expliquer pourquoi.

Un déclic… Qui était encore au bout du fil ? Xavier avait dû raccrocher, car Irwan décréta froidement :

— Tu n'as pas à te justifier, Maud, et tu n'as aucun compte à me rendre. Tu mènes ta vie comme tu veux. Désolé de t'avoir dérangée. À plus tard.

— Irwan, attends, ne fais pas l'imbécile. Je dois te parler. Tu comprendras tout. Il m'est arrivé une chose extraordinaire hier soir.

— Je ne veux pas de détails. Tant mieux pour toi !

La voix d'Irwan s'était adoucie. Maud le sentit attentif et devina qu'il plaisantait à son tour.

— Irwan, je t'en prie, viens vite. Xavier doit faire du café pour tenter de m'amadouer. Je vais préparer des tartines, tu déjeuneras avec nous. Je veux te raconter ce qui s'est passé et avoir ton avis. J'ai vu un fantôme au château de Bouteville. Si, si, je t'assure! Tu viens? Merci, c'est gentil.

Elle reposa le téléphone, poussa un soupir de soulagement, enfila un peignoir de satin rose et se précipita au rez-de-chaussée, les yeux assombris par une rage froide qui ne demandait qu'à éclater. Elle trouva Xavier dans la cuisine, toujours en caleçon, torse nu. Comme prévu, il faisait du café.

— Mon cher Xavier… Va t'habiller décemment et laisse-moi ma cuisine. Irwan nous rejoint ici.

Xavier se retira sans dire un mot vers la salle de séjour, la moustache rebelle. Maud entendit ses pas sur le palier, puis le bruit de la douche, et, enfin, d'insupportables vocalises.

*En plus, il chante!* songea-t-elle. *Il est content de lui…*

## 5

Un quart d'heure plus tard, de la fenêtre de son salon, Maud aperçut la silhouette d'Irwan sur le trottoir et le regarda traverser à pas rapides le jardinet gravillonné, orné seulement de quelques touffes d'iris et de trois rosiers rouges. Lorsqu'elle ouvrit la porte, elle dut se contenir pour ne pas se jeter au cou de son visiteur, qu'elle n'avait pas vu depuis trois longues semaines. Il l'embrassa sur la joue, du bout des lèvres, et pénétra dans la maison en regardant autour de lui.

— Tu veux visiter? demanda-t-elle avec un sourire charmeur. Voici mon petit salon, qui communique avec une salle à manger, la cuisine qui donne sur le jardin de derrière. Mon cher jardin... Viens!

Elle lui prit la main, montra d'un air satisfait ses lilas, son frêle érable d'ornement, aux feuilles pourpres, ses parterres de dahlias et l'alignement des rosiers grimpants, qui recouvraient le mur mitoyen.

— Ils ont fleuri en juin et fleurissent encore. Tu sens ce parfum?

— Ouais, grogna Irwan, les mains derrière le dos, l'air perplexe.

— Je mange là, à midi, et j'ai passé mes vacances ici, à lire, à écouter de la musique.

Irwan lui sourit à son tour, attendri, avant de la dévisager longuement.

— Tu es bien mieux logée que rue de Lavalette, et Albert doit être heureux comme un roi.

— Café chaud! hurla Xavier, qui fit son apparition à la porte de la cuisine.

— Là-haut, poursuivit Maud, il y a deux chambres et la salle de bains. Allez, viens boire un café.

Malgré l'air encore frais, ils s'installèrent tous les trois à la table de jardin. Sur une assiette, il y avait une pile de tartines beurrées et nappées de confiture de fraises, dans un pichet, du jus d'orange. Xavier et Irwan se lancèrent un regard farouche, puis, en chœur, éclatèrent de rire. Maud haussa les sourcils, avala une gorgée de café. Une joie enfantine l'envahit, parce qu'ils étaient enfin réunis et que d'emblée s'instaurait cette complicité profonde qui les unissait. La présence d'Irwan apportait une touche singulière de sécurité, de détente. Il lui avait beaucoup manqué.

— Alors! s'écria-t-il. Vous me la racontez, cette histoire de fantôme?

Xavier s'en chargea, résumant tout d'abord leur visite chez Fabienne et Nicolas Vallentin, et le fâcheux incident du mariage annulé. Mais, dès qu'il parla du château, Maud prit la relève, car elle jugeait qu'il n'était pas assez bon nar-

274

rateur. Elle décrivit avec passion l'atmosphère oppressante des ruines, l'apparition, sans oublier de relater les étranges paroles de cette femme vêtue de noir, qui s'était évanouie dans les airs en une seconde. Ce fut d'un ton tragique qu'elle raconta ensuite la découverte du corps de Julie dans le puits.

— On dirait un mauvais roman fantastique! fit simplement Irwan. Hormis la malheureuse victime remontée par les pompiers, tout sonne faux.

— Mais c'est vrai, je t'assure! protesta Maud. Hélas, je suis la seule à l'avoir vue, cette femme, et à l'avoir entendue parler. Tu as confiance en moi, tu me connais! Je ne te mens pas, je n'invente rien. Cela m'a fait un choc terrible, surtout quand ses paroles se sont révélées exactes. Après ça, j'étais bouleversée, j'avais peur. Je n'aurais jamais pu rester seule ici cette nuit!

Irwan eut un petit ricanement désagréable avant de répliquer:

— Tu devrais prendre ce brave Xavier en pension, au cas où le fantôme reviendrait te chatouiller les pieds.

— Très drôle, répondit Maud. Mais ça ne me donne pas ton avis. Toi qui es si malin, dis-moi ce que tu en penses.

— Je pense qu'il s'agit d'une mascarade, que cette femme est mêlée à la mort de Julie Vallentin! Tu n'as vraiment rien vu, Xavier? Ou le pineau t'a rendu aveugle?

— Tu vas un peu loin! enragea l'interpellé.

Inutile de me prendre pour un abruti! Je ne suis pas aussi gradé que toi, mais je reste un flic! J'en ai vu de toutes les couleurs, des morts, des égorgés, j'ai fait des planques, suivi des gens de nuit. Bref, si j'avais eu la possibilité de voir cette femme et qu'elle avait disparu sous mon nez, je me serais assuré qu'elle ne nous avait pas joué un tour de passe-passe.

— O. K., j'ai compris! trancha Irwan, amusé par la colère de son collègue. Alors, au boulot! Maud, redis-moi les déclarations de ton fantôme.

Les deux hommes se turent pour mieux l'écouter. Dans le silence, les mots énoncés par sa voix chaude, vibrante d'émotion, prirent une force insolite, presque angoissante. Elle baissa un peu le ton pour conclure :

— Sur nos terres, les amours sont condamnées!

Irwan l'observa. Elle était toute pâle, avec un air triste qui lui donnait l'apparence d'une fillette vulnérable. À cet instant précis, il eut une envie folle de la serrer contre lui, de l'embrasser.

— Et si nous allions faire un tour à Bouteville cet après-midi, ou ce matin? proposa-t-il. Il est 9 h 15. On peut être là-bas vers 10 h 30. J'aimerais bien examiner le lieu exact de l'apparition, et ce fameux puits…

Ils acceptèrent aussitôt. Xavier, qui souhaitait aller se changer chez lui, les quitta en promettant de faire vite. Maud monta dans sa chambre, le cœur en fête. Elle ressentait un trouble délicieux et ne voulait pas en chercher la raison. Elle était

276

à peine entrée dans la salle de bains qu'une main posée sur son épaule la retint. Irwan l'avait suivie et la contemplait avec une expression avide.

— Tu es bien jolie dans ce peignoir rose!

Elle ne répondit pas, le laissa s'approcher. Il l'enlaça tendrement, glissa ses doigts sous le tissu, entrouvrit le décolleté, caressa un bout de peau, effleura ses seins.

Il chuchota son nom et, tout en l'embrassant, la dénuda pour retrouver la chaleur de ce corps ravissant, ferme et lisse, tout en lignes harmonieuses. Tremblant de désir, il perdit la tête, cherca à l'entraîner vers sa chambre. Maud s'accrocha à lui, abandonnée, offerte. Ils s'étaient promis de ne plus céder à cette attirance qui les poussait l'un vers l'autre, mais là, une pulsion plus forte, impérieuse, les dominait.

Alors qu'ils allaient succomber à cet élan irrésistible, sans même penser au retour imminent de Xavier, la sonnerie du téléphone les fit sursauter. L'enchantement fut rompu. Irwan fit un geste rageur, Maud décrocha pour entendre la voix de leur collègue et ami, l'inévitable inspecteur Boisseau.

— J'ai préféré t'appeler tout de suite. J'avais un message de Ronald sur mon répondeur. Il a passé la moitié de la nuit à réfléchir aux propos de ton fantôme. Il a une idée. Il m'a dit de le contacter rapidement. Je l'appelle d'ici ou de chez toi? Je ne veux pas te laisser seule trop longtemps avec ce redoutable séducteur venu de Bretagne pour semer le trouble en Charente. On ne sait jamais…

Maud soupira, regarda Irwan. Elle comprit à son air désinvolte qu'il avait repris le contrôle de lui-même.

— Tu as raison, Xavier. Viens téléphoner chez moi, ce sera plus simple pour tout le monde. Je suis presque prête.

En vérité, elle était nue de la tête aux pieds. Silencieux, Irwan ne la quittait pas des yeux. Il sourit. Devant lui, comme pour le provoquer, elle s'habilla tranquillement, éprouvant un plaisir trouble, sensuel. Bientôt, elle eut revêtu sa tenue de combat : un jean délavé, un léger pull noir qui moulait ses seins et ses bras minces.

— Tu peux descendre, maintenant, Irwan. Je te rejoins dans une minute. Tu ouvriras à Xavier. J'ai hâte de savoir ce que Ronald veut nous dire.

— O. K., je descends. Mais je t'assure que tu es une drôle de fille! Logiquement, les femmes font sortir les hommes de leur chambre quand elles sont toutes nues. Toi, tu fais le contraire!

Elle haussa les épaules, courut vers lui, l'embrassa sur la bouche :

— Nous réglerons nos comptes plus tard, inspecteur Vernier. Et cette fois, personne ne nous dérangera.

*

Xavier venait de composer le numéro de téléphone de Ronald. Il attendit, compta les sonneries sous le regard impatient de Maud.

— Il ne doit pas être là. Ah! Si! Ronald?

Bonjour, tu vas bien? Je te rappelle comme tu me l'as demandé. Alors, ton idée? interrogea l'inspecteur Boisseau en appuyant sur la touche du haut-parleur pour que ses collègues puissent suivre la conversation.

— Eh bien, voilà : tu sais, hier soir, j'ai beaucoup réfléchi. En fait, c'est grâce à ma mère, qui m'a raconté en détail toute l'histoire du mariage annulé. Tu comprends, c'est elle qui s'occupe de l'église. Elle avait aidé madame Vallentin à décorer. Maintenant, avec la mort de Julie, l'affaire prend des proportions inouïes. Les gens ne parlent plus que de ça!

— J'imagine, le coupa Xavier. C'est du jamais vu dans la région. Mais quel rapport avec l'apparition?

— Justement, j'y viens. Bien sûr, j'ai mis mes parents au courant. Ils étaient incrédules. Mon père a même prétendu que c'était impossible, ce genre de choses, que ta collègue a eu une hallucination. Mais, plus tard, comme nous discutions du château, de son passé, ça a fait tilt dans nos têtes.

— Ah! s'exclama Xavier qui observait la mine passionnée de Maud.

— Oui, j'ai répété les paroles de la femme en noir à mon père. Nous les avons tournées en tous sens. Ce qui est le plus étrange, vois-tu, c'est une de ses phrases, celle qui dit «L'histoire est un perpétuel recommencement», car, en fait, les historiens de Charente savent parfaitement qu'au tout début du XIIIᵉ siècle, il y a eu une anecdote similaire, à quelques détails près. Bien sûr, il y a des avis contraires : certains ont une autre version, et il peut s'agir d'une sorte de légende, mais elle est tenace. Voilà. Il paraît que Jean sans Terre, le roi d'Angleterre, frère de Richard Cœur de Lion, aurait ainsi enlevé le jour même de ses noces une très belle demoiselle, Isabelle Taillefer, fille d'un comte d'Angoulême, qui devait épouser Hugues X de Lusignan. Je précise que la jeune fille était consentante. Jean sans Terre serait tombé amoureux fou en la menant à l'autel et, vu son prestige et le nombre de ses hommes d'armes, il aurait obligé le prêtre à les marier. Isabelle est donc devenue reine d'Angleterre, et ils ont passé leur nuit de noces dans le pays après avoir festoyé à Châteauneuf. Le château de Bouteville a été une de leurs résidences favorites. Avoue, Xavier, qu'il y a une petite ressemblance avec ce qui s'est passé hier. Julie était très belle, comme l'était Isabelle. Ce François venu de Marseille est un peu un étranger pour nous. Il est riche, vaniteux, autoritaire et a enlevé la mariée avant les noces ! Comme Hugues X, le pauvre Pierre-Marc était affligé, mais résigné.

— Ouais, à présent, ces deux types sont des suspects ! grogna Irwan en haussant les épaules.

Maud se mordait les lèvres, intriguée. Quant à Xavier, surpris, il se gratta le menton en déclarant :

— C'est vrai qu'il y a un vague rapport, mais, dis, Ronald, tu ne crois pas qu'en sept siècles, ce genre de situations a dû abonder ?

— Peut-être! Moi, je te dis ça simplement pour trouver une explication aux propos du fantôme, car je ne mets pas en doute les propos de ta collègue. D'autant plus que le malheur avait bel et bien frappé. Voilà! Tu es habitué aux déductions en tous genres, à toi de conclure.

— Nous allons y réfléchir, Ronald. Irwan Vernier, tu sais, notre inspecteur divisionnaire, est ici, avec nous, chez Maud. On a envie de faire un saut au château tous les trois pour explorer les lieux en plein soleil. Tu peux nous accompagner?

— Désolé, pas ce matin, mais je vous rejoindrai peut-être vers midi!

Après quelques banalités, Xavier raccrocha, dévisagea Maud et Irwan. Puis, les mains dans les poches, il poussa un soupir.

— On y va, les amis? Je ne sais pas ce que vous pensez de Jean sans Terre et de la belle Isabelle, mais moi, personnellement, la version de Ronald me semble un peu romanesque.

— Il a voulu nous aider à éclaircir un mystère, protesta Maud. De toute façon, ce n'est pas impossible, cette répétition de deux événements similaires. Puisque j'ai été témoin d'un phénomène surnaturel, pourquoi ne pas chercher la solution dans le passé?

— Bon, les enfants, je vous rappelle que cette affaire concerne la gendarmerie de Châteauneuf! s'écria Irwan en imitant la voix du commissaire Valardy, leur cher patron. Si on demandait une petite commission rogatoire à qui de droit?

— Ce serait bien, mon vieux! s'enflamma

Xavier. D'autant plus que j'ai promis au père de Julie de mener l'enquête, enfin… avec vous!

— D'accord, je m'en occupe.

Par goût du risque, sans doute, Maud et Xavier acceptèrent de partir pour Bouteville dans la voiture d'Irwan, celle qu'il utilisait d'ordinaire le dimanche uniquement. Cabossé, bruyant, avec à l'arrière du matériel de pêche installé à demeure, le pittoresque véhicule prit la route de Cognac. Cette fois, ils évitèrent de suivre un itinéraire touristique afin de gagner du temps.

Maud était assise devant, Xavier à l'arrière, maussade, un de ses éternels cigarillos aux lèvres. Irwan, d'ordinaire assez silencieux, leur tenait, depuis la sortie d'Angoulême, un véritable discours sur le surnaturel.

— En fait, je me suis toujours intéressé aux phénomènes paranormaux, surtout quand j'étais adolescent. J'ai lu des tas de bouquins là-dessus et, en tant qu'inspecteur, j'ai recueilli parfois des témoignages troublants. C'est ce qui me pousse à visiter le château.

— Tu ne nous avais jamais parlé de cet aspect de ta personnalité, commenta Maud. Tu es un homme à plusieurs facettes!

— Si je n'en ai rien dit, c'est parce que nous n'avions pas encore abordé le sujet. Tiens, je vous confierai même que je suis sourcier!

Xavier toussota avant de laisser échapper un petit rire incrédule. Maud, qui se débattait avec ses cheveux blonds, ébouriffés par l'air chaud entrant par les vitres, déclara d'un ton modeste :

— Tu peux me donner des précisions ? Je connais le mot, mais je ne sais pas ce que ça signifie exactement. Toujours mon manque de culture, n'est-ce pas, Xavier ?

Il approuva, désinvolte, tandis qu'Irwan donnait dans une explication succincte :

— C'est très simple : je peux trouver une source souterraine en marchant dans la campagne ou dans un jardin. Je tiens dans les mains une baguette de coudrier, du noisetier si tu préfères, en forme de fourche. Quand elle s'agite, ça m'indique la présence de l'eau.

Maud sourit. Sans le regarder, elle dit d'une voix distraite :

— Tu me feras une démonstration.

Il lui en fit la promesse, puis se concentra sur la route pour suivre la direction de Bouteville.

Bientôt, ils traversèrent Châteauneuf, où régnait en cette fin de matinée une agitation toute dominicale. Les gens marchaient sur les trottoirs ensoleillés, un carton de pâtisserie ou un bouquet de fleurs à la main. Station verte de vacances, cette très ancienne bourgade édifiée au bord de la Charente leur parut riante et paisible.

— C'était l'ancienne Berdeville, commenta Xavier, fidèle à son rôle d'historien amateur. Un site habité depuis la préhistoire, comme en témoignent les grottes de Haute-Roche et des vestiges gaulois et romains. Et savez-vous pourquoi la ville se nomme Châteauneuf ?

— Non, Xavier! répondirent en chœur ses amis.

— Tout simplement parce que l'on y construisit, au XIIIᵉ siècle, une des plus importantes forteresses de la région, à l'emplacement d'un petit château détruit par le feu. Le château neuf, en somme! Les Anglais occupèrent cette place forte durant la guerre de Cent Ans, et, plus tard, François Iᵉʳ y passa sa lune de miel avec Éléonore d'Autriche. Mais, de tout cela, il ne reste rien. Ce fameux château neuf est tombé en ruine au début du XVIIIᵉ siècle. Tenez, voici l'église Saint-Pierre, avec la superbe statue équestre de l'empereur Constantin, classée monument historique.

— Mon cher Xavier! l'interrompit Irwan. Je me demande souvent ce que tu fais dans la police. Tu aurais dû être archéologue ou professeur d'histoire. Tu es intarissable et, sincèrement, tu as une mémoire qui m'étonnera toujours.

— Attention! plaisanta Maud. Professeur d'histoire en Charente, c'est parfois dangereux.

Elle faisait allusion à l'affaire qu'ils avaient eue à éclaircir au début de l'été, quand deux historiens de la région avaient été assassinés. Elle avait de bonnes raisons de ne pas oublier cette enquête particulière, puisque, lors d'une planque dans une estafette banalisée, Irwan et elle avaient fait l'amour, éperdus de désir, sans plus se poser de questions sur les conséquences de ce coup de folie.

Troublée, elle le regarda discrètement. Il conduisait, ses yeux clairs fixés sur la route, son profil un peu hautain adouci par un léger sourire. Il pensait peut-être à la même chose qu'elle, à ce souvenir intime qui n'appartenait qu'à eux deux.

Xavier, lui aussi songeur, ne se manifesta qu'à l'entrée de Bouteville. Là-haut, sur sa colline, le château semblait les attendre, riche de tant de faste oublié, empreint de tant d'émotions, larmes ou rires, mariages ou deuils, guerres ou fêtes brillantes. Ils se garèrent sur l'esplanade, non loin de la grosse tour située au sud-est des bâtiments. Les douves sèches, le pont de pierre, les hautes fenêtres sans carreaux, les balustres carrés de la terrasse étaient frappés de la vive lumière du soleil, qui semblait avoir chassé tous les sortilèges.

Des voitures passaient plus bas, dans le bourg, un couple de merles chantait dans les buissons de sureaux et de ronces. De ces splendides ruines orgueilleuses, rien de sinistre ne se dégageait, si ce n'est un peu de mélancolie.

— Alors, Irwan, tes premières impressions, toi le sourcier? demanda Xavier d'un ton sec.

— Je te dirai ça plus tard, une fois dans les murs. Par contre, je n'étais jamais venu ici. J'ai eu tort. Ce château est fascinant, magnifique.

Ils suivirent le même chemin que la veille, mais, passé le porche, ils entrèrent tout de suite dans le château par une porte latérale. Ils visitèrent sans hâte les grandes salles au sol pierreux, encombrées de gravats et de morceaux de bois. Sur leur gauche, un escalier très raide, taillé dans le roc, descendait vers une porte, gouffre d'ombre, l'entrée présumée des souterrains de jadis, aménagés plus tard en une grande cave. Irwan s'aventura sur la pente, et Xavier, avec un air de triomphe, lui tendit la lampe de poche qu'il avait emportée.

— Heureusement que je pense à tout! dit-il sobrement, tout fier de son initiative. Tu nous suis, Maud?

— Bien sûr. Cette galerie ne fait que vingt-cinq mètres de long d'après Ronald. J'ai connu pire.

Ils s'engagèrent tous les trois dans le conduit obscur, et Xavier leur fit remarquer que le souterrain était creusé en direction de l'église. Puis, d'une voix passionnée de grand gamin, il ajouta :

— On a trouvé là-dedans, paraît-il, des vieilles épées, des restes de poteries. Vous imaginez un peu la vie autrefois. Tout ce travail, fait par de pauvres tâcherons pour que les seigneurs et leurs familles puissent s'approvisionner ou se sauver en cas de siège!

— En tout cas, répliqua Irwan, on ne peut pas aller plus loin : la galerie s'arrête là.

— On retourne dans le château pour voir les fresques des chambres? demanda Maud d'une petite voix.

Elle fermait la marche et, malgré tout son courage, ne pouvait s'empêcher de frissonner, car il était facile d'imaginer qu'on la suivait, qu'une main surgie de l'ombre allait se poser sur son épaule ou agripper ses cheveux. Elle se demandait aussi si son apparition lui ferait l'honneur de se montrer, avec le frêle espoir que cette fois, elle ne serait pas la seule à la voir.

Cinq minutes plus tard, ils montèrent à l'étage supérieur, se promenèrent de pièce en pièce. En pleine clarté, les anciennes peintures murales offraient des couleurs avivées, et les visiteurs se turent un instant, chacun imaginant, malgré la diversité de leurs caractères respectifs, ce qu'avait pu être l'atmosphère du château autrefois, quand un mobilier choisi ornait chaque chambre, quand des gens vivaient là, dans un décor harmonieux, assorti aux costumes brodés, aux robes longues. Une autre époque, d'autres mœurs. Ils tentèrent de faire abstraction des graffitis, des dépravations.

— Les imbéciles! murmura Irwan, l'air méprisant. Si ceux qui viennent ici se livrer à ces petits jeux stupides tentaient, au contraire, de retaper ces lieux, ces ruines auraient sans doute un aspect différent.

— Incroyable! s'exclama Xavier, entendant l'inspecteur Vernier prêcher la bonne parole.

— Et alors? protesta Irwan. Tu me prends pour une brute sans foi ni loi? Tu n'es pas le seul, mon vieux, à apprécier les vieilles pierres. Ce château me parle, oui. Ris si tu veux. Il s'est passé tant de choses ici… Je ne suis plus surpris que Maud ait vu un fantôme. J'ai même envie d'attendre la nuit pour le voir moi aussi!

Elle les regarda et leur dit d'un ton de reproche:

— Vous êtes de vrais gosses! Si vous pouviez vous voir et vous entendre! Je n'en reviens pas! Si on continuait la visite? Il y a un corps de logis dans l'aile nord, je crois, où nous ne sommes pas allés hier soir.

Penauds, ils la suivirent, débouchèrent en plein soleil dans la cour d'honneur. Là, l'atmosphère poétique était sérieusement entachée par les cordons en plastique jaune que les gendarmes avaient tendus autour du puits.

— Drôle d'endroit pour mourir! marmonna Irwan. Et pas très discret, en fait.

— Que veux-tu dire? demanda Maud.

— Si ce château attire des vandales, des curieux, des touristes, ce n'est pas malin de se débarrasser d'un corps ici, précisément.

— Excepté pour un étranger au pays! hasarda-t-elle. Je pense à ce François, il ne pouvait pas savoir que ces ruines étaient souvent visitées.

— Ouais! soupira l'inspecteur Vernier, son regard vert brillant de sagacité.

Xavier hocha la tête sans donner son avis. Ils allèrent s'appuyer un moment à la balustrade, face au sud. Le paysage entier étincelait sous la lumière blanche de midi, les toits ocre rose, les murs de tendre calcaire, les peupliers et les vignes presque parvenues à maturité, lourdes de belles grappes.

Ils s'aventurèrent jusqu'aux dépendances, en ruines elles aussi, traversèrent l'étendue herbeuse pour entrer dans l'aile nord, dont la façade grise se parait de quelques fleurs sauvages, accrochées sur la pierre comme par enchantement.

— C'est toujours le même spectacle, commenta Maud, qui s'appuya à une fenêtre. Des gravats, des portes brisées, des cheminées mutilées… C'est décourageant. Ronald et ses amis ont bien du courage de vouloir sauvegarder le château.

Irwan se tenait à côté d'elle. Tous deux observaient la cour, avec son bassin sans eau, jadis agrémenté d'une fontaine, et l'emplacement du puits, pratiquement sans margelle.

— Tu vois, Irwan, elle se tenait là, près de ces pierres qui jonchent le sol. Mais, avant, j'avais aperçu sa silhouette dans une des chambres, celle où il y a un tableau peint sur la voûte. Et je suis certaine que c'est elle qui m'a touché l'épaule.

Xavier, qui était reparti rôder vers la petite tour édifiée à l'est, dont ils avaient déjà admiré les meurtrières plus ornementales que défensives, revint et, d'autorité, se plaça entre eux. Il était plus de midi, il faisait chaud, et ils avaient un peu faim. Tout était paisible, baigné d'un silence propre aux lieux déserts où ne vivaient que les lézards et les oiseaux. Jamais endroit n'avait paru si calme, si loin des drames et des agitations de la société moderne.

Maud, qui ne quittait pas le puits des yeux, s'interrogeait en vain. Pourquoi avait-elle eu le privilège, dont elle se serait bien passée, d'être confrontée à une apparition?

— Elle était belle, cette femme? questionna soudain Irwan.

— Oui, je l'ai trouvée d'une grande beauté, malgré ses cheveux gris, ses yeux tristes. Elle avait une dignité exceptionnelle, une voix prenante, répliqua Maud. C'est pour cette raison que je n'ai pas cru une seconde à une personne ordinaire me faisant une plaisanterie.

— De toute façon, dit Irwan, je suis entièrement d'accord sur un point. Maintenant que j'ai vu les lieux, elle n'a pu se cacher ni s'enfuir en courant. Donc, si elle a disparu, c'était bien une apparition surnaturelle. Moi, je reviens ce soir, et je reste aussi longtemps qu'il le faut. Avec toi, Maud, car, après tout, tu as peut-être des talents de médium. Une chose est sûre, elle t'a dit que le malheur avait frappé et c'était vrai.

— Je viendrai aussi! protesta Xavier. Mais n'oublie pas, Irwan, il nous faut le feu vert du patron. Si les gendarmes reviennent par ici et nous trouvent sur les lieux, ce sera la guerre des nerfs!

— Je n'oublie pas. Mais pour cette nuit, tu es dispensé. On n'a pas besoin de toi. Et Maud ne risque rien en ma compagnie. Pour le moment, il n'y a rien à faire ici de très utile…

## 6

De retour au Gond-Pontouvre, Irwan se gara devant une petite maison aux volets blancs. Irwan coupa le contact, regarda sa passagère.

— Ça va, Maud? Prête pour retourner au Central?

— Oui, je suis même pressée de reprendre le travail!

De la banquette arrière, Xavier les observait. L'idée de les savoir réunis ce soir dans les ruines de Bouteville le rendait morose.

Maud descendit de voiture. Elle poussa presque aussitôt une exclamation navrée:

— J'avais complètement oublié que j'ai invité Rosanna à dîner ce soir! Je vais l'appeler pour annuler. Je préfère aller guetter les fantômes avec toi!

— Ben voyons! grommela Xavier.

— Non, ne change rien, dans ce cas! fit Irwan. Je ne sais pas qui est Rosanna, mais elle est sûrement plus rassurante que la dame du château! Nous irons un autre jour.

— Irwan a raison! s'empressa de renchérir l'inspecteur Boisseau. D'après ce que tu m'en as dit, c'est une jeune femme charmante, qui a du cœur.

— Alors, venez vous aussi. Je lui ai tellement parlé de vous qu'elle a très envie de vous connaître. Acceptez. Soyez gentils.

Elle les regarda tour à tour d'un air suppliant, et, comme ils n'avaient pas la force de résister à ses beaux yeux bleus, nuancés de vert, ils cédèrent aussitôt. Les deux hommes lui promirent d'être là pour l'apéritif.

— Vous êtes des amours! Cela me donne du courage! Et fais au mieux auprès du patron, Irwan, qu'on se lance tous les trois dans cette enquête.

— D'accord! lança-t-il en redémarrant. Mais ce soir, on met tout de côté et on fait une petite fête.

\*

Le soir venu, Maud eut tout le temps de se faire belle, de choisir une robe, de mettre le couvert. Elle avait passé quelques heures à l'hôtel de police, un peu déboussolée comme chaque fois qu'elle avait pris des congés et renouait avec l'ambiance bien particulière du fameux « Central ».

La perspective de recevoir Rosanna, Irwan et Xavier lui procurait une légère euphorie, mais, dès qu'elle arrêtait de s'activer, ses obsessions reprenaient le dessus. Elle mit de la musique, des chants folkloriques bretons, fredonna un des refrains, mais le cœur n'y était pas. Le visage de Julie, aux paupières closes, à la joue droite marquée d'une ecchymose, ainsi que le front, s'imposait à elle comme un reproche.

*Faire la fête. Quelle idée!* songea-t-elle en se mordant les lèvres. *Je devrais avoir honte. Je sais bien pourquoi Irwan et Xavier ont accepté de venir. C'est justement pour me détendre, oublier mon fantôme et cette tragédie. Mais je ne peux pas. Ces pauvres parents, ils ont perdu leur enfant, et je n'ai pas osé raconter l'histoire de l'apparition. Pourtant, ça se saura.*

Éperdue, nerveuse, elle se servit une vodka orange et se dévisagea dans le miroir du salon. C'est à peine si elle se reconnut : pâle malgré son bronzage, ses cheveux défaits frôlant ses épaules dénudées par une robe bustier, toute blanche, assez courte, qui mettait en valeur sa poitrine ronde, qu'un collier de perles effleurait.

*Je vais me changer,* se dit-elle. *Pas question de jouer les séductrices ce soir. Je remets un jean et un pull. Ce genre de tenue ne me va pas.*

Un coup de sonnette. Albert se hérissa et fila à l'extérieur. Maud jeta un œil par la fenêtre et vit son amie Rosanna entrer dans le jardinet et attendre sur le perron. Elle alla lui ouvrir, remit à plus tard ses préoccupations vestimentaires.

— Dis donc! s'exclama Rosanna en la détaillant. Tu es superbe!

Maud sourit, la fit entrer. L'alcool lui avait fouetté le sang, et elle se sentait plus forte. Pourtant, les premiers mots qu'elle prononça la trahirent :

— Si tu savais…

— Qu'est-ce qui se passe, Maud? demanda Rosanna, alarmée par l'air désemparé de son amie. Si tu as un problème, ne te gêne pas pour m'en parler.

— Je vais t'expliquer… Je suis si contente de te voir. Ça me fait du bien. J'ai vécu une drôle d'aventure.

Elles s'installèrent sur le canapé de cuir, près de la table basse à dessus de marbre où étaient disposés des verres, du pineau, des biscuits apéritifs. Maud lui raconta assez brièvement les faits, du départ inopiné pour Bouteville – et ses raisons – à l'apparition du fantôme porteur de mauvaises nouvelles, avec, en conclusion, le dénouement : la jeune Julie trouvée morte au fond du puits.

Rosanna, d'abord passionnée par le récit, s'assombrit en écoutant la fin tragique de la jeune fille disparue le jour de ses noces.

— Enfin… marmonna Maud en baissant les yeux. Je suis rentrée ici avec Irwan et Xavier, et je ne pensais plus à toi. Ensuite, j'ai eu peur de t'ennuyer avec mes angoisses et j'ai eu l'idée d'inviter mes deux collègues. Tu ne m'en veux pas trop? Comme tu avais envie de les rencontrer…

— Ne t'inquiète pas. Je suis ravie de cet imprévu. Je t'ai déjà dit que j'étais « migraineuse ». J'ai dû prendre un cachet avant de venir. Je n'ai donc pas fait de frais de toilette. Tant pis.

— Tu es ravissante, sois tranquille, et cette robe bleue te va très bien. Je suis désolée pour ta migraine. Tu es sûre que ça va?

— Oui! Merci. Ce qui m'attriste, à présent, c'est ce que tu m'as raconté! Remarque, vu ton métier, tu dois avoir l'habitude de ce genre de choses. Moi, je ne sais pas comment je réagirais. Mais tu crois vraiment que la femme en noir était un fantôme? J'adore le surnaturel, mais parfois les témoignages des gens sur ce plan sont peu crédibles. Par contre, je ne mets pas ta parole en doute, et cette histoire me fascine!

— Oui, je ressens un peu la même impression. Ah! Voici « mon voisin », Xavier. Il va te faire la cour dans les cinq minutes qui suivent. Tu verras, c'est un sacré personnage.

Xavier s'était habillé avec soin: chemise blanche et pantalon de velours noir. Il tenait à la main un bouquet de roses jaunes, cueillies dans son jardin. La tenue de Maud, qui avait renoncé à se changer, lui causa un léger choc, mais il ne le montra pas.

— Entre, je vais te présenter à Rosanna. Merci pour les fleurs! dit-elle en l'embrassant sur la joue.

Quand Irwan sonna à son tour à la porte, une joyeuse animation régnait déjà dans le salon. Assis entre les deux jeunes femmes, l'inspecteur Boisseau s'évertuait à les distraire, et y parvenait sans peine, car il leur racontait des anecdotes burlesques de son adolescence. Cet enfant du Gond-Pontouvre n'hésitait pas à révéler ses pires bêtises de jadis, et Rosanna riait de bon cœur.

Maud se leva vivement et alla ouvrir, légère et gracieuse. Irwan était un peu en retard, mais si séduisant.

— J'ai pris une douche, je me suis rasé, j'ai donné quelques coups de fil. Tu vas mieux? lui demanda-t-il à voix basse, sans avancer dans le couloir.

— Oui! Beaucoup mieux!

— Tu es belle! Trop belle.

Très vite, il l'embrassa sur la bouche, et cette caresse furtive, inattendue, acheva de donner des ailes à la jeune femme. Ils entrèrent enfin dans le salon avec un sourire innocent.

— Mon amie Rosanna Lazure, une Bretonne, comme toi et moi. Rosanna, Irwan Vernier, notre supérieur hiérarchique, plaisanta Maud.

Rosanna serra la main du nouveau venu, l'observa ensuite discrètement. Elle le trouva très séduisant: grand, mince, un visage intéressant, qui intriguait par son expression vaguement hautaine, sarcastique, mais aussi généreuse. Il était vêtu d'une chemise bleue, sous un blouson de cuir noir, et d'un jean. Ses yeux très clairs étaient captivants; un regard de félin au repos.

Elle comprenait mieux à présent pourquoi cet homme attirait Maud comme un aimant. D'ailleurs, elle put constater que son amie, exquise dans sa petite robe blanche, semblait s'être pour ainsi dire ranimée depuis l'arrivée d'Irwan. Tout heureuse de les recevoir dans sa nouvelle maison, elle servait à boire, offrait des olives, resplendissait d'une joie sensuelle. Les discussions reprirent, des banalités qui leur permirent d'apprécier ces précieux instants de détente où l'on parle de tout et de rien.

Maud se servit une deuxième vodka orange, avec trois glaçons, et la but d'un trait. Surpris, Xavier haussa les sourcils. Il capta la même réaction chez Irwan, et les deux hommes s'adressèrent un regard complice.

— Nous allons passer à table. J'espère que vous allez apprécier ma cuisine! lança-t-elle gaiement en se levant. Tu viens, Rosanna? J'ai mis des bougies, la lumière est plus douce.

Une table ronde les accueillit. Le bouquet de roses jaunes trônait au centre. Xavier fut touché par ce petit geste et s'assit à la place que la maîtresse de maison lui indiqua avant de passer dans la cuisine, d'où s'échappait une bonne odeur.

— Dis-moi, Maud, fit-il d'un ton moqueur, tu nous promets de la vraie cuisine, ta cuisine, mais tout à l'heure, tu as parlé de surgelés. Tu triches?

— Pas du tout, mon cher, répondit elle en riant. Ce sont des surgelés maison. Mais c'est une surprise, tu verras.

Bientôt, ils dégustèrent une salade composée de laitue en fines lamelles, agrémentée de noix, d'avocats émincés et d'œufs durs émiettés.

— C'est excellent, affirma Rosanna, dont les grands yeux bleus avaient un éclat inhabituel. Assise entre Irwan et Xavier, en face de Maud, elle semblait parfaitement à l'aise et, entre deux bouchées, évoquait discrètement son travail à la librairie, son arrivée à Angoulême. Sa voix était posée, ses propos, vifs et enjoués.

*Elle est vraiment charmante*, pensa Maud dont la tête tournait un peu, car elle n'avait guère coutume de boire de l'alcool. Pourtant, ce soir, elle avait besoin de cette griserie légère qui repoussait au loin l'amertume et la peur. Dans la clarté dorée dispensée par les flammes des bougies, ses amis lui apparaissaient sublimés: Rosanna, encore plus séduisante, Xavier, viril et protecteur, Irwan, irrésistible.

— Maintenant, la surprise! s'écria-t-elle en les quittant pour retourner dans la cuisine.

D'abord, elle apporta deux bouteilles de cidre, puis un grand plat garni de crêpes pliées en quatre.

— Les véritables galettes bretonnes, que votre hôtesse confectionne à ses heures perdues, en l'honneur de ses invités bretons! De la farine de blé noir, du jambon, du fromage. Voici mes surgelés, Xavier. Je les prépare moi-même, et, ensuite, je les confie à mon congélateur. Il suffit de les repasser au four, et le tour est joué! Seule Rosanna devait en profiter, mais, par chance, j'en avais assez pour tous.

— Formidable! s'exclama Irwan. Et vive la Bretagne et les jolies femmes à qui elle a donné le jour.

— Oh! Merci, inspecteur! dit Rosanna d'une voix tendre.

— Appelez-moi Irwan, et laissons tomber le vouvoiement.

— D'accord, je préfère.

Maud rit en les écoutant, mais un petit

pincement au cœur la surprit. Était-elle jalouse? Elle n'en avait pas le droit. Irwan était libre comme l'air. Ce n'était pas un coup de folie d'une heure qui lui permettait de jouer les femmes offensées. D'ailleurs, aussitôt, Rosanna la regarda droit dans les yeux, lui sourit affectueusement.

— Maud, lui dit-elle d'un ton câlin, tu ne pouvais pas me faire plus plaisir qu'en me servant des galettes. Elles sont délicieuses. Je me régale, mais je t'avouerai que j'adore aussi les coquillettes au jambon. C'est vraiment très simple à préparer : tu recouvres de pâtes, au beurre salé, bien entendu, une tranche de jambon. On ne sait jamais, si tu m'invitais encore… ajouta-t-elle malicieusement.

Xavier éclata de rire, but un peu de cidre. Ses prunelles sombres, pétillantes de bonne humeur, cherchaient celles de Rosanna, leur adressaient un message muet, tentative de séduction dont il usait souvent. D'une voix douce, il l'interrogea :

— Alors, comme ça, tu es bretonne, toi aussi! Je suis le seul Charentais pure souche dans cette assemblée de Celtes. Je me sens terriblement étranger, c'en est presque gênant.

— Il a raison, le pauvre, plaisanta Rosanna en prenant à témoin Maud et Irwan. Mais c'est si beau, la Bretagne, Xavier. On ne peut pas l'oublier, ce pays, avec ses landes fleuries de genêts, ses granits roses, son océan. C'est ce qui nous a rapprochées immédiatement, Maud et moi.

— Et, coïncidence incroyable, la maman de

Rosanna habite à Locminé, reprit Maud, là où vit mon oncle Loïc. Une ville d'environ trois mille habitants, à vingt-six kilomètres de Josselin.

— Josselin, où un de mes arrière-grands-pères a vécu longtemps, intervint Irwan, follement amusé par ce concours de circonstances. Josselin, où l'on peut admirer un remarquable château bâti au XIᵉ siècle par le vicomte de Porhoët, Guéthénoc, qui a donné à la ville le nom de son fils. Le célèbre combat des « Trente » eut lieu là-bas, en 1351, pendant la guerre de succession de la Bretagne. Tu vois, Xavier, quand on parle de mon pays, moi aussi, je peux jouer les historiens.

Les deux jeunes femmes en furent sidérées, et la discussion repartit de plus belle, sur les menhirs et les récifs, sur l'île d'Ouessant et les marins.

Agacé, Xavier les interrompit. Il prit un air solennel et décréta très sérieusement :

— Nous aussi, au Gond-Pontouvre, nous avons notre île, plus verdoyante, plus paisible. Je t'y emmènerai, Maud. C'est tout près d'ici.

— Voilà ! Il est vexé, rétorqua Irwan. Écoute, mon vieux, la prochaine fois que je vais en Bretagne, je t'invite. Là-bas, au moins, je serai sûr d'une chose : tu ne pourras pas jouer les historiens intarissables, car ça m'étonnerait que tu puisses te documenter suffisamment.

— Méfie-toi, je suis prévenu, et capable d'acheter tout ce qui est écrit sur le passé de votre chère « patrie ».

Rosanna rit doucement, heureuse d'être là, entourée de personnalités aussi variées et agréables. Elle s'étonna cependant:

— Xavier, tu es vraiment passionné d'histoire?

— Oui, c'est un de mes loisirs.

— Tu serais enchanté en Bretagne. Nous avons la forêt de Brocéliande et Merlin, des châteaux, des légendes troublantes. Les farfadets, moi, j'y croyais quand j'étais toute petite.

Maud sourit, mais elle avait pâli, à cause du mot « château ». Elle se leva pour desservir et rapporter un magnifique paris-brest, fait par ses soins, une couronne de pâte à choux décorée d'amandes effilées, saupoudrée de sucre, garnie de crème pâtissière au pralin. En revenant vers la table, dans la salle à manger, elle découvrit Irwan et Rosanna penchés l'un vers l'autre, leurs visages tout proches. Ils chuchotèrent, puis se séparèrent avec un sourire de connivence. Un frisson glacé envahit Maud qui manqua de renverser une bouteille de cidre. Il lui avait été insupportable de les voir ainsi, et une souffrance oubliée, éprouvée lors de son premier amour, l'oppressa. Elle respirait mal, sentait ses jambes trembler.

*Je dois être amoureuse de lui*, constata-t-elle avec une stupeur anxieuse. *Il ne faut pas, je ne veux pas. Et je n'aurais pas dû boire de vodka.*

Xavier alluma un cigarillo, lui prit l'assiette des mains et la posa sur la table. Puis, avec un air étrange, il saisit le bras de Maud, l'obligea à s'asseoir. Il tenta alors une diversion, car un drôle de silence s'était instauré:

— Alors, ma petite Bretonne! Tu es livide. Qu'est-ce qui se passe encore dans cette tête? Tu as peur des farfadets, comme Rosanna? Allez, fais un sourire!

Irwan était tendu, sur le qui-vive. Il avait compris la réaction trop violente de Maud, mais aussi la conduite insolite de Xavier. Ils voulaient tous la distraire, l'étourdir de bavardages et de rires, mais le contraire s'était produit. Il ne pouvait quand même pas se justifier tout de suite, avouer à sa collègue que Rosanna s'en voulait d'avoir parlé de légendes, de châteaux, et lui demandait comment rattraper sa gaffe.

*Elle est jalouse, en tout cas*, songea-t-il avec un fugitif sentiment de jubilation. Puis, sans plus réfléchir, il décida de mettre les points sur les « i » et parla justement de l'affaire de Bouteville:

— Au fait, puisque nous avons évoqué des créatures surnaturelles, pourquoi ne pas raconter à Rosanna ce que vous avez vu hier soir? Cette mystérieuse apparition…

— Je suis au courant! Maud m'a tout dit quand je suis arrivée.

— Et qu'en penses-tu?

Xavier sentit sa protégée se raidir, chercher à se dégager de son étreinte qui, pourtant, lui avait redonné des forces, du courage, ainsi qu'une certaine lucidité. Rosanna répondit, l'air rêveur:

— Moi, je crois comme votre ami Ronald que c'était une sorte de « dame blanche », un phénomène connu. Elles annoncent des malheurs ou préviennent d'un danger, mais il est tout à fait normal, en somme, que les gens n'en tiennent pas compte. C'est compréhensible, car nous sommes rarement prêts, à notre époque où prédomine le rationnel, à accepter le surnaturel et ses manifestations. Maud ne se remet pas du choc que cela lui a causé. Je la comprends.

— Tu as raison, déclara Irwan. Mais pour en revenir à des éléments concrets, j'ai une bonne nouvelle : le patron nous confie l'enquête. Alors j'ai commencé à cogiter. Meurtre ou pas, il ne faut rien laisser au hasard ! J'ai songé à plusieurs solutions. La première, qui me paraît la plus cohérente, la voici : Julie, après avoir agi follement, regrette son geste et ne veut plus suivre François. Il est furieux, ils échouent au château, sans doute parce qu'ils sont revenus à Bouteville, et, là, ils ont une violente querelle qui dégénère en meurtre. Deuxième hypothèse, Julie revient seule, appelle Pierre-Marc d'une cabine de Châteauneuf, par exemple. Il va la chercher, ils vont discuter au château, mais il ne lui pardonne pas, et, pire, la tue en la jetant dans le puits. Crime passionnel dans les deux cas. Je pourrais jouer à cela longtemps. Nous n'avons aucune preuve de quoi que ce soit. J'aurai le rapport d'autopsie demain matin. On saura alors à quoi s'en tenir.

Subjuguée, Rosanna l'écoutait attentivement. Le mot « autopsie » la glaça. Elle réalisait soudain les contraintes de la profession que ses nouveaux amis exerçaient.

— Je n'aimerais pas ce côté-là de votre

métier, murmura-t-elle. Et toi, Maud, ça n'a pas été trop dur, au début, les autopsies?

— Si. La première fois, j'ai failli m'évanouir, et j'évite d'y assister quand c'est possible. Il faut avoir le cœur bien accroché.

— N'en parlons plus, coupa Irwan. Avant de venir vous rejoindre, j'ai contacté directement nos collègues de Marseille et je me suis permis d'appeler également la famille de François Pélégri, mais ce monsieur n'est pas rentré chez lui. Un avis de recherche est lancé.

— Tu n'as pas perdu de temps! s'exclama Xavier. Moi qui pensais que tu te faisais beau pour mieux pouvoir séduire ces deux ravissantes créatures, bretonnes de surcroît!

— Gros malin! Quand tu es là, je n'ai aucune chance, tu le sais. Dis donc, toi qui connais si bien la maison, si tu allais faire le café? Maud pourrait se reposer.

— Bonne idée, j'y vais. Mes enfants, vous allez déguster un nectar subtil, du pur Colombie. Je suis bien renseigné, car c'est moi qui l'ai offert à Maud. Servi avec un carré de chocolat noir.

Cet intermède détendit l'atmosphère, et la conversation, quoique toujours axée sur les événements de Bouteville, devint cependant plus légère. Irwan décrivit brièvement le château à Rosanna, suggéra aussi que ces lieux chargés d'un passé tumultueux étaient peut-être hantés. Maud raconta alors l'anecdote du mariage de la belle Isabelle, apparentée à la célèbre famille des Taillefer, avec Jean sans Terre. Aussitôt, elle expliqua à son amie la similitude de situation notée par Ronald au sujet des noces avortées de la pauvre Julie.

— Ainsi, dit alors Rosanna, songeuse et perplexe, cela justifierait les paroles de l'apparition, quand elle a déclaré que l'histoire était un perpétuel recommencement et que les amours étaient condamnées. Mais est-ce que l'union du roi d'Angleterre et de sa jeune épouse a eu une fin aussi sinistre?

— Non! répondit Xavier de la cuisine. Pas du tout, ils ont vécu heureux et ont eu beaucoup d'enfants. Ils revenaient souvent à Bouteville, leur séjour de prédilection en terre française. De plus, la séduisante Isabelle, qui fut veuve vers trente ans, a ensuite épousé son ancien fiancé, Hugues X, et lui a même donné des descendants. Une forte personnalité, cette dame…

Maud murmura, avec un soupir inquiet qui trahissait son angoisse:

— Et si c'était elle que j'ai vue? Cette femme, malgré son âge, était encore d'une beauté exceptionnelle, et si digne, majestueuse.

L'inspecteur Boisseau revint, un plateau à la main, où étaient posées quatre tasses et une cafetière fumante.

— Peut-être bien! Tu as eu l'honneur de rencontrer Isabelle Taillefer, mais sur ses vieux jours.

Maud sourit. Tout ce qui venait de s'énoncer dans la pièce contribuait à la soulager de ses doutes. Il était également difficile de résister à la chaleureuse ambiance qui présidait souvent au moment du café. Rosanna savourait son carré de chocolat, Irwan allumait une cigarette, l'air reposé, tranquille. Xavier, joyeux, bavardait avec l'un ou l'autre. Pourtant, chacun la regardait discrètement, comme pour s'assurer qu'elle avait surmonté sa détresse. Elle le devina rapidement.

— Je suis vraiment bien entourée. Vous me couvez telle une fillette qui a eu un gros chagrin. Mais je me sens en pleine forme. C'est le délicieux café de Xavier. Il était un peu fort, et maintenant, je revis.

Ils éclatèrent tous de rire, et, pour fêter cette bonne nouvelle, décidèrent de boire un cognac. En vérité, les trois inspecteurs se savaient sur le pied de guerre, mais s'appliquaient à savourer l'instant présent avant la lutte. Malgré son sourire, Irwan était préoccupé par la mort de Julie et cherchait le coupable ou la cause de l'accident, tandis que Xavier rêvait de dormir encore une nuit près de Maud, au cas où… Elle, reléguant au loin tout ce qui n'était pas l'homme assis près d'elle, avec ses yeux de chat et sa bouche savante, se demandait comment le retenir quand viendrait l'heure du départ. Seule Rosanna profitait sans arrière-pensée de la soirée, car elle n'avait pas été de visu confrontée au drame.

## 7

Une heure plus tard, les invités de Maud se levèrent, se préparant à rentrer chez eux, bien à regret, mais ils avaient tous des obligations le lendemain matin de bonne heure.

— Vous reviendrez, tous les trois. J'ai passé une soirée merveilleuse. Je vous invite pour mon anniversaire, le mois prochain, d'accord?

Ils acceptèrent tous. Rosanna partit la première en embrassant Maud affectueusement:

— Je t'appelle bientôt, lui dit-elle. Tu me tiendras au courant de l'enquête. Et ne déprime pas.

— Promis.

Xavier et Irwan s'attardèrent dans le couloir. Ils hésitaient à quitter leur collègue, debout entre eux, les yeux pleins d'une supplication que chacun croyait lui être destinée.

*Si je m'en vais avant Irwan*, pensa Xavier, *il va rester et je crains le pire. Maud a tellement besoin de réconfort*

*Si je laisse Xavier ici*, se dit Irwan, *il va trouver un prétexte pour dormir à nouveau chez elle, et après tout, on ne sait jamais.*

Les deux hommes se regardèrent, devinèrent

qu'ils étaient victimes de la même crainte. Il fallait prendre une décision. Maud commença à s'étonner, un petit sourire aux lèvres.

— Si vraiment vous avez peur de m'abandonner, le lit de la chambre d'amis est assez grand. Vous y logerez aussi bien en longueur qu'en largeur, plaisanta-t-elle d'une voix moqueuse. Moi, je suis fatiguée. On ne va pas camper dans l'entrée!

Xavier scruta une seconde les prunelles bleu océan de Maud et se résigna brusquement. D'un ton enjoué, tout en jetant sa veste sur son épaule, il s'écria:

— Moi, je rentre à la maison! J'ai oublié d'arroser mes plantes vertes. À demain matin dans le bureau du patron, les enfants.

Il sortit, traversa le jardinet et rentra chez lui. Irwan n'avait pas bougé, pris au piège de son désir, mêlé d'une prudence dont il savait trop bien les causes. Déjà, au début de l'été, il avait cédé à la tentation de connaître enfin ce corps adorable qu'il côtoyait trop souvent, une attirance à laquelle s'ajoutait une vague tendresse pour Maud. Depuis, il évitait de l'approcher, de la voir en dehors du travail, et c'est pour cette raison qu'il n'avait pas cherché à la joindre durant ses congés. La jeune femme avait respecté sa volonté, ne l'avait pas provoqué, ne lui avait pas téléphoné.

Mais, ce matin même, après avoir été séparés plusieurs semaines, ils s'étaient revus avec une joie évidente. La présence de Xavier aidant, Irwan, jaloux, avide d'elle, avait perdu le contrôle de lui-même. Quand il l'avait suivie dans la salle de bains, plus rien n'avait eu d'importance, hormis la toucher, éprouver encore ce plaisir violent connu ensemble, dans l'estafette, qu'il n'utilisait plus depuis sans une douce nostalgie, presque sensuelle. Une voix tendre le sortit de sa méditation.

— Irwan... Tu t'en vas ou...?

— Je n'en sais rien, dit-il, soudain agressif, incapable de fuir ou de la prendre dans ses bras.

Elle était là, dans la lumière rose d'une veilleuse, toute dorée, la poitrine soulevée par l'émotion, ses longues jambes dénudées, sa bouche entrouverte.

— Irwan, même si tu restais un peu, quelle importance? Tu es libre, moi aussi. Mais la vie, c'est si court, parfois. Pourquoi refuser des bribes de bonheur? Je pense à cette jeune fille, Julie, qui est morte à vingt ans. Qui peut la juger? Si cet homme lui plaisait, elle n'a pas résisté et je la comprends. Ce qu'elle a connu dans ses bras valait peut-être la peine de mourir ensuite.

Irwan faiblit, touché là où il fallait. En effet, à quoi bon se tourmenter? Ils verraient plus tard ce qu'il adviendrait d'eux. Il serait temps d'aviser, de se conduire en personnes raisonnables. D'ailleurs, comment être raisonnable à vingt centimètres d'une très jolie femme qui vous attire avec tant de force, dotée d'un magnétisme inné? Il l'attira contre lui, l'embrassa doucement, sans hâte, se grisant de ses lèvres chaudes, de cette étreinte interminable, qu'ils goûtèrent tous deux avec une langueur voluptueuse.

Elle lui dit quelque chose au creux de l'oreille. Il caressa sa joue, ses épaules, puis répondit:

— Viens, vite, vite!

La chambre de Maud, plongée dans un clair-obscur complice, car seulement éclairée par les lampadaires de la rue, les accueillit, avec ce grand lit défait sur lequel ils s'allongèrent, déjà enlacés, pressés l'un contre l'autre. Irwan se débattit un instant avec la robe blanche, si ajustée qu'il dut la faire glisser sur le corps brûlant ainsi peu à peu révélé.

— Je ne t'avais jamais vue nue! Ce matin, tu m'as ébloui; ce soir, je me sens à moitié fou.

De ses mains adroites, un peu rudes, il explora les formes de Maud, son dos, ses seins, son ventre ferme et ses cuisses. Elle gémit, l'entoura de ses bras, tendrement, et, sans cesser de l'embrasser sur tout le visage, frémit de bonheur, de désir avoué, ardent. Puis elle déboutonna sa chemise, la rejeta comme un obstacle, et c'est elle à présent qui le caressait, frottait son visage contre cette poitrine d'homme dont le contact l'enivrait.

Bientôt, ils furent nus, haletants, transportés d'une joie infinie. Il se coucha sur elle, écrasant sa bouche d'un baiser possessif, violent, tandis qu'il retrouvait, intact, sublime, le plaisir extrême de la posséder, de la sentir comblée.

— Un café, Irwan? proposa Xavier, un thermos à la main, dans le bureau du commissaire Valardy, qui, de toute évidence, était en retard.

Il était 8 h 15. L'hôtel de police était animé d'une agitation familière, des sonneries de téléphone aux appels dans les couloirs, des portes claquées aux bruits des voitures sur le parking tout proche. L'inspecteur Vernier accepta d'un signe de tête une tasse de café. Il était silencieux, ce qui n'était pas trop étonnant chez lui. Mais Xavier était tenaillé par une curiosité latente. L'air indifférent, il demanda, mine de rien :

— Tu es resté tard chez Maud?

— Non, j'ai discuté un peu avec elle et je suis allé me coucher.

Il ne dirait rien de plus, l'inspecteur Boisseau le savait. Ils se connaissaient depuis des années, raison pour laquelle Irwan était certain que son collègue n'allait pas se contenter d'une telle réponse. Comme prévu, Xavier revint à la charge, vivement, de crainte de voir arriver le patron et que cette discussion lui échappe :

— Irwan, tu peux me parler. Je suis ton ami, quand même. J'avais oublié mes cigares, je suis revenu à pied – je n'avais pas sommeil – et j'ai vu ta voiture, une heure au moins après mon départ.

— Tu ne peux pas t'empêcher de surveiller les suspects, c'est ça? Déformation professionnelle. Et si Maud avait été couchée, tu l'aurais réveillée pour une boîte de cigares?

Xavier lissa sa moustache brune, fit les cent pas, déclara enfin:

— Non, peut-être, ça dépend. Si j'avais vu de la lumière dans sa chambre…

— Bon, écoute, mon vieux, je suis désolé, il fallait sonner. Nous étions dans le jardin, derrière la maison. Je réconfortais Maud, c'est vrai. Elle avait un coup de cafard.

— Tiens, tu appelles ça comme ça maintenant?

— Très drôle. Tu sombres dans le ridicule. Si tu es jaloux, dis-le franchement.

Les deux hommes se toisèrent du regard, les nerfs à vif, exaspérés. Irwan lui aurait bien crié la vérité, mais il se retenait, car Xavier était trop bavard. S'il avait la moindre certitude, tout le Central serait au courant à la fin de la journée.

Le commissaire entra en coup de vent, les découvrit face à face, l'air furieux. Surpris, il s'exclama gaiement:

— Bonjour, les enfants! Vous préparez un match de boxe ou vous avez un problème?

Ils n'eurent pas le loisir de répondre, car Maud se glissa par la porte entrebâillée. Elle les salua, un dossier sous le bras, moulée dans un pantalon noir, assorti d'un petit gilet rose, sans manches. Ses cheveux blonds, encore humides d'une douche toute récente, paraissaient plus foncés. Nul n'aurait pu deviner en la voyant ainsi, souriante, naturelle, le visage impassible, qu'elle venait de vivre une torride nuit d'amour. Chacun s'assit en vis-à-vis du bureau où trônait le commissaire, soudain plus sérieux.

— Nous n'avons guère de temps ce matin. Mettez-moi vite au courant de cette histoire farfelue du château de Bouteville. Je dois te dire, Irwan, que même en ayant obtenu la commission rogatoire, vous devrez travailler avec la gendarmerie de Châteauneuf qui reste aussi sur l'affaire. Si tu as un problème, préviens-moi, demande toutes les autorisations nécessaires, je ferai de mon mieux. Pour être sincère, je crois que ce devrait être vite réglé. De fortes présomptions pèsent sur François Pélégri. Tenez, lisez ce fax. Il est arrivé de Marseille vers une heure du matin. Antoine me l'a communiqué à mon domicile. Par chance, j'étais chez moi. C'est si rare!

Irwan parcourut la feuille, la passa à Maud. Elle la lut attentivement, hocha la tête avec une moue éloquente. Xavier attendit patiemment son tour sans dissimuler une humeur morose. Le commissaire, une fois certain qu'ils avaient tous pris connaissance de ce premier rapport, enchaîna:

— Ce type est loin d'être un modèle de bon citoyen. Soupçonné de trafic de drogue, mais jamais pris sur le fait, joueur invétéré, ce n'est sûrement pas en travaillant qu'il est devenu si riche. Réputé violent également, plaintes des victimes à l'appui. Quant aux femmes, pas de détail, mais tout laisse à penser qu'il collectionne les conquêtes. À vous de le retrouver et de l'interroger! Je vous fais confiance.

Irwan se leva, prit son blouson et sortit le premier en déclarant:

— À plus tard. Maud, tu convoques Pierre-Marc Labrousse, le fiancé outragé, ou bien tu vas le voir. Au choix. Salut, patron. Je file étudier le rapport d'autopsie.

Xavier et Maud quittèrent le bureau du commissaire après l'avoir remercié de son aide.

— Irwan a l'air enragé, ce matin, constata l'inspecteur Boisseau sans regarder Maud qui marchait à ses côtés dans le couloir.

— Ah! fit-elle. Je n'ai pas remarqué. Tu sais, se pencher sur une autopsie après le petit-déjeuner, ce n'est pas très réjouissant.

— Tu parles! Ce genre de choses n'a jamais dérangé Irwan. Il est insensible.

Ils entrèrent dans le bureau de Maud, où un stagiaire, installé à une table, tapait à la machine. Le jeune homme leur dit bonjour avec un regard timide. Quand on lui avait indiqué qu'il serait affecté au service de l'inspecteur principal Delage, il était loin d'imaginer que ce policier serait une aussi séduisante créature.

— Salut, Dimitri, en forme?

— Oui, inspecteur, tout va bien.

— Appelle-moi Maud, ce sera plus sympa.

Xavier jeta un œil méprisant au malheureux qui lança un « d'accord » réjoui. Maud expliqua brièvement à Dimitri l'enquête en cours et lui fit une dernière recommandation:

— Un appel à témoins est paru dans la presse ce matin. Si tu as un coup de fil à ce sujet en mon absence, tu notes tout soigneusement.

— Et si tu allais nous chercher du café frais? C'est une de tes plus utiles attributions! lança froidement Xavier.

Le jeune homme, soucieux de ne déplaire à personne, obéit et sortit aussitôt.

— Xavier, tu es odieux. Ne recommence pas! Tu n'as pas à traiter ce garçon de la sorte. Si tu as envie de passer tes nerfs sur quelqu'un, tu peux disposer.

— Non, j'ai à te parler, seul à seule, ma chère.

Maud sentit la colère monter, prête à exploser. Elle avait très bien perçu une tension entre Irwan et Xavier, et se doutait que la soirée de la veille en était la cause. Pour abréger la conversation, elle demanda sèchement:

— Vas-y! Qu'est-ce que tu as? Je suppose que ça t'a rendu malade de voir Irwan partir le dernier hier soir? Il n'est pas resté cinq minutes de plus. Pas de quoi piquer une crise.

— Tiens, vous ne vous êtes pas entendus sur la version à donner! Il m'a affirmé avoir passé une heure avec toi. Bizarre!

— Oh! Et puis zut! Tu m'agaces à la fin! Je ne t'appartiens pas! Il n'y a pas écrit sur mon front «propriété de Xavier Boisseau», ni ailleurs. Je suis une grande fille, célibataire, et je fais ce que je veux! C'est compris?

— Hum! Compris, mais ne compte plus sur moi pour jouer les roues de secours. Et franchement, je ne vois pas ce qui te plaît chez Irwan. Il t'a laissée tomber durant tes vacances, il ne t'a pas donné un coup de main pour ton déménagement, et toi, tu lui fais les yeux doux, sans crainte du ridicule!

— Et toi, toujours à me surveiller, à me poser des questions indiscrètes. Je te croyais mon ami, un véritable ami, serviable, affectueux, loyal. En fait, chaque fois que tu m'as aidée, tu avais des idées derrière la tête. C'est bien ça? Avoue!

— Oui, j'avoue! Je suis un homme, sain, normal, avec des pulsions et un cœur. Je ne t'ai même jamais embrassée. Pourtant, combien de fois j'en ai eu envie!

— Tu aurais dû être plus franc, direct, me dire la vérité depuis longtemps. Qui sait? Je pensais que c'était un jeu, ta jalousie, tes mots doux.

— Oui et non! Maud, allons, calme-toi. Je suis ton ami malgré tout, et si je t'ai parfois rendu service, c'était dénué de tout calcul, crois-moi.

On frappa; la porte s'entrouvrit. C'était Dimitri, une carafe de café à la main, dans l'autre, un échafaudage de tasses et de petites cuillères. Impressionné par les éclats de voix qui emplissaient le bureau, il hésitait à entrer.

— Ah! du café. Merci, Dimitri, tu es gentil. Tu repasses plus tard, Xavier, j'ai des coups de fil à donner.

Elle le congédiait poliment, par ruse, mais il n'osa pas protester. Nerveux, il sortit, claqua la porte. Maud soupira, mordilla son stylo, se servit un peu de café et y ajouta un sucre.

— Pas d'ennuis, Maud? bredouilla le jeune stagiaire, d'un ton compatissant.

— Non. Nous n'étions pas d'accord sur un point de l'affaire, Xavier et moi. Rien de grave. Il faut t'habituer. Il y a des jours, ici, où l'atmosphère est tendue.

— Vous avez passé de bonnes vacances, sinon?

— Oui, merci.

Maud lui sourit, sortit un carnet de son sac et releva des numéros de téléphone qu'elle y avait inscrits. Le silence s'installa, et seul le cliquetis régulier de la machine à écrire fit un bruit de fond, presque apaisant. Avant d'appeler Pierre-Marc, Maud se dit que la mort de Julie était sans aucun doute un crime passionnel, car, vraiment, il lui semblait soudain que les hommes étaient soumis à des réactions étranges: instinct de possession, de jalousie, des attitudes vieilles comme le monde, qui n'avaient pas fini de faire couler du sang et de l'encre.

Elle composa enfin le numéro du fiancé de Julie, à regret, certaine de toucher une plaie vive en l'interrogeant. Comme s'il ne devait pas souffrir assez! D'après elle, Pierre-Marc n'était pas le coupable, mais une seconde victime.

*Il vaudrait peut-être mieux le rencontrer après avoir lu à mon tour le rapport d'autopsie*, songea-t-elle en écoutant les sonneries successives. *D'après l'heure du décès, je pourrai mieux vérifier son alibi.*

Quelqu'un décrocha. C'était une femme,

sans doute la mère du jeune homme. Une voix froide et sèche, rébarbative.

— Madame Labrousse, puis-je parler à Pierre-Marc, je vous prie? Inspecteur Maud Delage.

— Je vais voir si c'est possible. Vous savez, il est très dépressif. Le médecin est venu et…

— Je comprends, madame, mais je dois lui poser quelques questions.

Un petit peu plus tard, Pierre-Marc fut au bout du fil. Il s'exprima clairement, sembla moins abattu que samedi soir, contrairement aux déclarations de sa mère. Maud le convoqua pour 14 heures tout en lui précisant qu'elle pouvait se déplacer, vu les circonstances, s'il préférait rester chez lui.

— Non, ça me fera du bien de bouger un peu. Je viendrai vous voir.

— Merci. Et courage! Je suis de tout cœur avec vous. C'est une tragédie horrible.

— Oui, j'ai reçu un sacré choc. Dites : si vous souhaitez m'interroger, inspecteur, c'est que vous me soupçonnez d'avoir tué Julie?

— Mais non, c'est la procédure ordinaire. Je dois vous entendre, c'est tout.

Contrariée, Maud se mordit les lèvres. Elle n'avait pas à affirmer ainsi ses opinions, car la vie et son métier lui avaient appris qu'on ne devait jamais juger si vite une personne que l'on ne connaissait pas, surtout quand il y avait présomption de meurtre. Elle avait exprimé ses sentiments personnels et le regrettait. Moins cordiale, elle abrégea la conversation et raccrocha. Dimitri s'était absenté pour faire des photocopies. Le téléphone sonna aussitôt.

— Inspecteur Delage.

— C'est Antoine, Maud. Une communication pour toi. Je pense que ça concerne l'affaire de Bouteville, l'appel à témoins.

— Merci.

Un déclic, un silence, puis une voix d'homme assez âgé, rocailleuse, avec un accent traînant. Maud se présenta, écouta attentivement les paroles confuses de son interlocuteur, prit des notes, remercia le vieux monsieur pour son témoignage. Intriguée, elle réfléchit longuement, envisagea de nouvelles possibilités. En effet, si l'on en croyait cet habitant du bourg de Bouteville, qui logeait d'ailleurs dans une maison toute proche du château, il y aurait eu pas mal de remue-ménage dans la nuit de samedi à dimanche sur l'esplanade, et sans doute à l'intérieur de l'enceinte.

Maud relut ses notes, se remémora les mots du témoin : *C'étaient des jeunes, avec des motos. C'est bien souvent qu'ils montent là-haut faire du tapage et des dégâts. Ça devait être vers 3 heures du matin. Je me suis levé, j'ai regardé à ma fenêtre et j'ai vu des lumières de phare. Il y avait aussi une voiture. Et ça criait, ça rigolait sur l'esplanade. Après, ils sont partis, mais ils étaient peut-être bien là depuis un moment. Je sais pas qui c'est, hein, je les ai pas vus.*

*Donc*, se dit-elle, *il y a eu de la visite cette nuit-là au château. Il me faut vite le rapport d'autopsie.*

*Irwan ne devrait pas tarder.* Ses pensées se dispersèrent. Elle revit le lit, l'ombre complice de leur interminable étreinte. Un frisson de volupté rétrospective l'envahit par traîtrise. Quand il l'avait quittée, bien avant le lever du jour, il n'avait pas dit un mot, l'avait embrassée sur la joue. Maintenant, elle devait trouver une attitude propre à le rassurer, se montrer distante, mais amicale, faire un trait sur ces heures de folie, encore une fois renier ce qui commençait à ressembler à de l'amour ou à une passion charnelle indéniable.

Dimitri était de retour. Une heure s'écoula lentement, morne, quoique ponctuée de quelques banalités échangées pour passer le temps. Impatiente, Maud, en vint à déplorer l'absence de Xavier, qui savait si bien la faire rire avec son sourire bon enfant, ses mimiques et ses bavardages. Elle s'en voulait à présent d'avoir été si dure à son égard, de ne pas lui avoir laissé l'occasion de s'expliquer. Ils avaient tant de souvenirs en commun, des promenades, des repas, des enquêtes difficiles ou ordinaires. Elle devait se réconcilier avec lui, discuter de leurs états d'âme respectifs en personnes raisonnables, sans se chamailler comme des gosses.

— Dimitri, vous n'auriez pas vu Xavier, par hasard? demanda-t-elle enfin d'un ton neutre.

— Non. On m'a dit qu'il était parti à Bouteville, qu'il ne rentrerait pas avant ce soir.

— Ah! Tant pis.

Un bruit de pas dans le couloir. La porte s'ouvrit grand sur une haute silhouette, un regard clair. L'inspecteur Vernier entra de son pas nonchalant, serra la main du stagiaire.

— Maud, tu peux venir avec moi? Ce ne sera pas long.

Elle le suivit sans un mot. En vérité, tous deux étaient beaucoup moins détendus et familiers qu'en temps ordinaire, mais, comme le couloir était désert, personne ne put le constater, ni s'en étonner. Irwan s'installa bientôt à son bureau et lui tendit le compte rendu de l'autopsie. Maud s'empressa de le lire tout en remarquant la pâleur singulière de son collègue... et amant.

Ce qu'elle apprit la bouleversa, car ces notes toutes scientifiques, méthodiques, la replongèrent en plein drame. Julie était morte à 1 h 30 du matin, des suites d'une blessure profonde au foie, ayant provoqué une hémorragie. Elle avait plusieurs contusions, imputables à la chute dans le puits, et une fracture de l'épaule gauche. D'après les croquis, et l'étude des chocs, elle était tombée la tête la première. Il y avait aussi traces de plusieurs rapports sexuels, assez violents. Des analyses complémentaires devaient être effectuées pour certaines données.

— Alors, lui dit Irwan, tes impressions?

— Pour l'instant, je ne sais pas. Ça nous apporte des précisions, mais en fait nous ne sommes pas plus éclairés sur ce qui a pu se passer dans cette cour d'honneur.

— Je sais. Sinon, tu as du nouveau?

— Tu n'as pas l'air de te sentir bien, Irwan. Tu es sûr que ça va?

— Ouais, pas trop… Autant te le dire, au point
où nous en sommes, puisque j'ai capitulé hier soir,
j'ai mal supporté l'étude des clichés pris pendant
l'autopsie. C'est bien la première fois et c'est peut-
être à cause de toi, de cette nuit. Cette belle fille
mise à nue, ce qu'ils ont fait de son corps. Elle
semblait juste endormie. J'ai pensé à toi, à la mort.

— N'y pense plus! s'écria Maud en con-
tournant le bureau. Je suis vivante, je…

— Chut! Ne dis rien. Viens là, une seconde.

Il l'attira sur ses genoux, enfouit son visage
dans son cou, sous ses cheveux parfumés. Il resta
immobile, tandis qu'elle l'entourait de ses bras
dans un geste instinctif de réconfort, presque
maternel. Cela ne dura qu'un instant. Très vite,
Irwan releva la tête avec un petit sourire ironique
et déclara à voix basse :

— C'est de mal en pis. On ferait mieux de
se mettre au boulot. Allez, debout, inspecteur
Delage, pas d'attendrissement.

— O. K., chef! On y va quand vous voulez.

— Alors, tout de suite, dans ton bureau.

— D'accord. J'ai eu un appel : un vieux monsieur de Bouteville qui a vu une bande de jeunes
gens, pas très sérieux d'après lui, descendre du
château vers 3 heures. Ils étaient sans doute
ivres. Je me demande s'ils ont pu être témoins de
quelque chose. Il faudrait pouvoir les retrouver et
savoir l'heure exacte de leur arrivée là-bas.

Dimitri les vit entrer, jeta un regard un peu
intimidé à l'inspecteur Vernier, avant de dire à
Maud :

322

— Vous…, euh…, tu as reçu un autre appel. Je n'ai pas voulu vous déranger, j'ai tout noté.

— Tu pouvais me passer la communication sur la ligne d'Irwan. C'était à quel sujet?

— Un autre témoin, toujours pour votre enquête. Monsieur Philippe Desmoulins. Il est cordonnier à Châteauneuf, habite 1, rue Aristide-Briand. Il affirme avoir vu samedi soir, vers 11 h 30 environ, une Alfa Romeo rouge remonter la rue où est situé son magasin. Il était passé chercher des papiers. En fait, ce qui l'a marqué, c'est la voiture, car elle ne passe pas inaperçue. Il n'a pas relevé le numéro d'immatriculation, mais, en lisant le journal, il a tout de suite fait le rapprochement, car il était question d'une voiture identique.

Irwan réfléchit, tandis que Maud, après avoir remercié Dimitri, déclarait avec soulagement:

— C'est intéressant. Même si on ne peut pas être absolument certains que c'était le véhicule de François, il y a des chances pour que ce soit bien lui, car Julie n'est pas revenue à Bouteville par magie.

— Et un coupé Alfa Romeo rouge, ça attire l'attention. La preuve! commenta Irwan. De toute façon, on devrait rapidement mettre la main sur ce type, ou avoir des nouvelles de lui, au pire d'autres témoignages. Bien, il faudrait rappeler ce monsieur Desmoulins. Maud, tu t'en charges, moi, je vais contacter un collègue de Marseille. Je reviens tout de suite. On déjeune ensemble?

— Si tu veux. À plus tard, répondit-elle

d'un ton qui se voulait anodin, mais dans lequel transparaissait une touche de joie.

Dimitri, qui l'observait à la dérobée, s'apprêtait à lui parler quand Irwan fit volte-face en lançant :

— Au fait, où est passé Xavier?

— À Bouteville, paraît-il, lui dit Maud avec un regard ennuyé. Je ne sais pas ce qu'il est parti faire là-bas. Il ne m'a pas prévenue.

— Seul? De mieux en mieux.

Perplexe, Maud haussa les épaules. Puis elle s'installa à son bureau pour téléphoner au cordonnier de Châteauneuf. Irwan sortit en maugréant des commentaires acerbes sur la conduite insolite de l'inspecteur Boisseau.

## 8

Une heure plus tard, comme prévu, Maud et Irwan étaient attablés dans une petite pizzeria. Ils discutaient avec animation d'un élément nouveau. En effet, la police de Nice venait d'appréhender François Pélégri et lui avait transmis la convocation le concernant. Il serait à Angoulême le lendemain, de son plein gré. Il ignorait, paraît-il, d'après ses premières déclarations, le décès de Julie, mais, fait étrange, il n'avait pas regagné son domicile de Marseille et logeait chez un de ses amis.

— Voyons, dit Maud. Nous sommes mardi! S'il est resté à Nice sans joindre sa famille, il avait des raisons. Quant à sa bonne volonté, elle est sans doute calculée.

— Ouais, dit Irwan. Mais nous savons à présent que le cordonnier de Châteauneuf affirme avoir distingué deux personnes dans l'Alfa Romeo, dont une femme brune. Ce grand séducteur nous doit un bon nombre d'explications! Tu veux du vin?

— Non, merci! J'ai décidé de ne plus boire une goutte d'alcool depuis samedi soir. J'étais dans un état second à cause de la vodka.

— Ah! C'était dû à la vodka? Je croyais en être le seul responsable. Dommage pour mon orgueil.

— Irwan, tu exagères. Je ne parlais pas de ça.

Il lui fit un clin d'œil complice, lui prit la main. Elle le dévisageait, rêvait de l'embrasser, encore et encore. La tension qui régnait auparavant entre eux, depuis leur rencontre, n'existait plus, mais une sorte d'exaltation sensuelle lui avait succédé, une sorte de fièvre amoureuse qui les poussait l'un vers l'autre, inexorablement, et contre laquelle ils n'avaient plus la force de lutter. Pour se donner le change, ils se penchèrent sur leur assiette garnie de tagliatelles à la carbonara.

— J'interroge Pierre-Marc Labrousse vers 14 heures, reprit Maud. Mais je ne le crois pas coupable. Il n'a rien d'un violent.

— Méfie-toi des apparences. Tiens, prends notre brave Xavier. Il se doute de quelque chose, pour nous deux, et ce matin j'ai bien cru qu'il allait se jeter sur moi et me frapper. Lui que je jugeais si posé, si tiède.

Maud, qui n'était pas au courant de cette querelle, ouvrit de grands yeux étonnés. Irwan la fixa intensément, hocha la tête et soupira :

— Eh oui, à cause d'une femme, toi. Ah! Les femmes! Qui a donc dit : « Cherchez la femme »? Derrière la plupart des crimes, il y a une femme…

— Merci, c'est charmant! Tu as toujours les mots pour me rassurer, Irwan.

*

— Bonjour, Pierre-Marc, asseyez-vous. Je vais vous poser des questions de routine, mais je dois, hélas, enregistrer votre déposition à compter du vendredi soir, quand votre cousin est arrivé.

Maud regarda le jeune homme, visiblement ému de se trouver là, à l'hôtel de police. Il avait les yeux cernés, les traits tirés, mais semblait très calme. D'ailleurs, il avoua de lui-même :

— Je suis un peu dans le cirage. Le médecin m'a prescrit des comprimés pour les nerfs. C'est mon père qui m'a conduit à Angoulême.

— Ça ne sera pas long ! dit-elle gentiment.

Pierre-Marc, gêné, commença à lui raconter, en détail, la rencontre de François et de Julie :

— J'avais bien remarqué qu'elle était fascinée par lui, avec ses manières autoritaires, sa voiture, son allure de type sûr de lui. J'ai trouvé qu'il n'était pas très correct. Il la regardait sans cesse, lui faisait des compliments, mais, bon... On était en famille, je ne me suis pas méfié. Et je ne voulais pas jouer les rabat-joie alors que le mariage avait lieu le lendemain. Julie, je la connaissais depuis des années ; elle aimait tout ce qui brille, les fêtes, les bals. Moi, je suis un peu renfermé. Pourtant, on s'entendait vraiment bien, je vous assure.

Maud soupira, le dévisagea, prise de pitié pour ce garçon aux airs enfantins, qui avait vécu une épreuve plus que pénible, humiliante, blessante.

— Le soir, il a voulu la raccompagner chez elle, reprit-il, et, là encore, j'ai laissé faire. Ça amusait Julie. Ma mère n'a pas apprécié. Elle m'a lancé un regard perplexe, mais, comme on n'est pas de la même génération, ça m'a rassuré, au contraire. Je me suis dit qu'il ne fallait pas voir le mal partout. Si j'avais su…

— Votre cousin a dû déployer tous ses talents de séducteur. Vous savez que, le samedi, très tôt, il a fait envoyer des roses à votre fiancée?

— Oui, elle me l'a dit elle-même devant l'église.

— Vous n'avez rien noté d'anormal dans son comportement, à ce moment-là? demanda Maud.

— Si, je la trouvais triste, anxieuse. Ce jour avait une telle importance pour nous, avant. Moi, je pensais qu'elle serait gaie, heureuse. J'ai manqué de courage: j'aurais dû lui parler; j'ai fait celui qui ne voyait rien. Si je l'avais poussée à se confier, elle serait peut-être encore vivante. Je l'aimais, j'étais capable de comprendre.

Maud hocha la tête, jeta un œil sur Dimitri qui tapait à la machine, le nez baissé, imperturbable.

— Pierre-Marc, je connais la suite de l'histoire. Monsieur Vallentin nous l'a racontée le soir même, et je vous ai rencontré à ce moment-là. Dites-moi à présent votre emploi du temps dans la nuit de samedi à dimanche.

Elle avait volontairement attendu pour poser cette question fatidique, car elle souhaitait laisser le temps à Pierre-Marc de se détendre un peu tout en le replongeant dans le vif du sujet, pour l'amener en douceur à cet instant crucial où il pouvait se considérer comme un suspect possible. Il la fixa d'un air incrédule avant de tressaillir, de se troubler:

— La nuit de samedi à dimanche? J'étais chez moi, bien sûr, enfin, chez mes parents. Je n'ai rien mangé au dîner, vu l'ambiance, et le reste. Après, je suis allé voir un copain, à Saint-Même-les-Carrières. Il peut vous le confirmer. Son nom est Lionel Poirier. Je suis parti de là-bas vers 10 heures. C'est un gars super. Il avait réussi à me donner un petit coup de pouce, me remettre d'aplomb, quoi. Ensuite, je suis rentré. Mes parents étaient couchés. J'ai regardé la télé, j'ai pris deux somnifères et je suis allé au lit moi aussi. Je voulais dormir, oublier. Ça n'a pas été facile!

— De dormir ou d'oublier? rétorqua Maud.

— Les deux.

Elle réfléchit, l'observa, soupira. Le doute commençait à l'envahir, insidieux, car en fait Pierre-Marc n'avait aucun alibi sérieux. Il pouvait très bien s'être couché, relevé, avoir quitté sans bruit la maison. Oui, mais comment aurait-il su où retrouver Julie? Si elle l'avait appelé, monsieur et madame Labrousse auraient sans doute entendu sonner le téléphone, à moins d'être profondément assoupis, et c'est entre 22 heures et minuit et demi environ que la jeune fille aurait pu le joindre. Maud en conclut qu'elle devrait les interroger sans éveiller les soupçons de leur fils. Pierre-Marc se tenait immobile, la face tendue, les mains jointes entre ses genoux. Était-il capable de violence? Impossible de prononcer un jugement, mais Maud n'avait plus la même impression qu'auparavant en sa présence. Ce qui l'intriguait, c'était l'air apaisé du jeune homme, comme s'il éprouvait, au fond de lui, un véritable soulagement. Elle l'interrogea une dernière fois, d'un ton ferme:

— Pierre-Marc, avez-vous une idée en ce qui concerne le décès de votre fiancée? À votre avis, pourquoi l'a-t-on retrouvée au château, à Bouteville? Elle connaissait bien les lieux?

— Oui, bien sûr. Gamins, on montait souvent jouer là-haut! Mais François aussi... Un jour, il y a longtemps, il était venu passer une semaine chez nous, avec une de ses copines, et je les avais emmenés visiter le château. J'étais gosse. On a au moins dix ans d'écart. Pour être franc, j'ai du mal à comprendre ce qui est arrivé, car je ne vois pas pourquoi mon cousin aurait tué Julie. Ou alors, elle n'a pas voulu le suivre, et c'est un macho, comme disent les gens.

— Merci, Pierre-Marc, vous pouvez rejoindre votre père. Il vous attend dans le couloir.

— D'accord. Vous savez, au début, lui et ma mère ont été furieux. Ils ont cassé du sucre sur le dos de Julie et de sa famille, mais, depuis dimanche soir, ils ne me quittent pas, ils sont d'une patience avec moi! Vis-à-vis de monsieur et madame Vallentin aussi, ça s'est arrangé. Julie est morte. Du coup, les langues se sont tues.

— C'est logique, hélas. Vous pourrez dire à votre père de venir me voir un moment. Juste une formalité.

Maud reçut bientôt Léonard Labrousse, un homme corpulent aux cheveux roux. En sa présence, elle téléphona à madame Labrousse, son épouse, pour leur demander à tous deux s'ils avaient entendu une sonnerie samedi soir, entre 22 heures et minuit, approximativement. La réponse fut évasive. Le couple prétendit s'être endormi très vite, épuisé par cette journée trop mouvementée.

— Le téléphone est dans le salon. Notre chambre est à l'opposé. Nous n'avons rien entendu, conclut la mère de Pierre-Marc, peu aimable.

Lorsque Maud se retrouva seule avec Dimitri, elle nota en vitesse ses impressions. Une chose l'étonnait : tous semblaient oublier l'intervention de la mystérieuse femme en noir qui lui avait annoncé la tragédie. Pourtant, Ronald et ses parents avaient bien dû rapporter l'anecdote, et une telle rumeur se propage vite.

*Décidément*, se dit-elle, *le surnaturel ne surprend plus ou les gens m'ont prise pour une folle. Pour moi, un fait reste certain : ce « fantôme » savait qu'il y avait un cadavre dans le puits!*

Irwan fit irruption et coupa net le fil de sa pensée. Il était souriant, décontracté.

— Alors, que t'a dit Pierre-Marc Labrousse?

Elle lui résuma l'interrogatoire, confia à voix basse ses impressions. Il écouta attentivement, fronça les sourcils, puis alluma une cigarette :

— Nous stagnons. De mon côté, pas moyen de dénicher la bande de rigolos qui est montée cette nuit-là au château. Si François Pélégri a un alibi ou fait la mauvaise tête, nous en serons au point zéro. C'est une drôle d'histoire!

— Oui, j'ai l'impression qu'il nous manque beaucoup d'éléments! On a pu assommer Julie ou l'endormir. Elle a des contusions au crâne. Qui nous prouve qu'elles sont dues à la chute? Le légiste n'a rien trouvé d'anormal?

— Non, d'après l'autopsie, elle n'a pas été brutalisée avant de tomber, sauf sur un certain plan. Mais ce n'est pas un viol, non plus! Enfin, on n'en sait rien. L'enterrement est prévu jeudi.

Ils sortirent du bureau, firent quelques pas dans le couloir. Maud laissa échapper:

— J'irai avec Xavier, si toutefois il arrête de bouder comme un gosse capricieux. Il est jaloux. Je pense que, pour nous, il a tout deviné.

— Et alors? protesta Irwan. Nous sommes libres, non? Par contre, je préfère qu'il n'ait aucune certitude, car il est capable d'en informer tout le Central, et je n'y tiens pas.

— Moi non plus, tu sais. Je suis discrète.

— C'est pour cette raison que j'ai rendu les armes… dans ton lit.

— Chut, voilà Antoine.

Ils échangèrent un regard amusé, se séparèrent.

La journée s'étira, sans aucun événement notable. Vers 5 heures du soir, Maud rangea ses affaires, emporta le dossier et prévint Dimitri qu'elle rentrait chez elle, qu'il pouvait la contacter là-bas si un appel se révélait intéressant. En effet, à part l'arrivée de François Pélégri le lendemain, en fin de matinée, l'enquête était au point mort.

Maud quitta l'hôtel de police et roula vers le Gond-Pontouvre au volant de son Austin. Elle arriva bientôt au rond-point récemment mis en place, non loin de sa petite maison, sur lequel débouchaient plusieurs rues, dont une bordée d'immenses platanes, avenue ombragée qu'elle affectionnait tout particulièrement. Sur le vaste parking qui permettait d'accéder facilement à la poste et à la mairie, elle reconnut la voiture de Xavier.

*Tiens, que fait-il là? Il ne doit pas être loin*, songea-t-elle en bifurquant pour se garer à son tour. *Je crois que son cher jardin public est près d'ici, « son » île où il voulait tant m'emmener.*

Désirant sincèrement se réconcilier avec son collègue et ami, elle s'avança d'un pas rapide vers le grand bâtiment, de conception moderne, qui abritait les services administratifs du Gond-Pontouvre, ainsi que la salle des Fêtes. Sur sa gauche, elle eut la surprise de découvrir un bassin cerné d'arbustes décoratifs, dont l'eau claire, herbeuse, laissait voir de grosses carpes. En face, une passerelle, un portail entrouvert sur une oasis de verdure, une étendue de gazon plantée de beaux peupliers et frênes majestueux. Attirée et charmée, elle franchit le pont qui s'arrondissait au-dessus d'un bras de la Touvre, s'arrêta un instant, regarda autour d'elle, presque surprise de trouver, à ce site préservé de la ville, un côté enchanteur, tant un calme apaisant y régnait, avec, en bruit de fond, ténu comme une musique lointaine, un murmure d'eau vive.

Sur sa gauche, un vieux puits se dressait dans un rayon de soleil, avec sa margelle de pierres d'où s'évadait une profusion de géraniums roses.

*Ce n'est pas dans ce puits-là qu'on pourrait trouver un cadavre!* pensa Maud en se dirigeant vers la berge voisine, telle une enfant heureuse de se promener au gré de sa fantaisie.

Une fois au bord de l'eau, elle découvrit une famille de canards, qui s'affairaient sous des branchages. Dès qu'ils l'aperçurent, les oiseaux, accoutumés à recevoir de la nourriture, obliquèrent dans sa direction, fendant la surface miroitante de la rivière, afin de venir quémander un petit bout de pain. Très vite, ils s'éloignèrent sans bruit après avoir constaté que cette visiteuse avait les mains vides.

*Je reviendrai. Je vais garder les restes de pain, désormais*, se promit-elle.

Maud se sentait bien. Le vent faisait bruire les feuilles à la cime des arbres, la lumière était atténuée, l'air parfumé. Elle longea la rive, contempla un saule pleureur, dont la ramure d'un vert clair illuminait les lieux. Elle aperçut plus loin des jeux pour les enfants. Pourtant, il n'y avait personne. L'agitation des quartiers environnants s'entendait à peine, et ces lieux bucoliques dégageaient à cette heure tranquille une atmosphère presque romantique.

Des paons criaient, sans doute d'un jardin voisin, car elle ne les voyait pas. Soudain, elle repéra un homme, assis sur un banc à une dizaine de mètres d'elle. Il lui tournait le dos, faisant face à la rive, mais immédiatement elle le reconnut. C'était Xavier. Deux minutes plus tard, elle l'avait rejoint. Il sursauta en la voyant apparaître à ses côtés.

— Qu'est-ce que tu fais ici?

— Je profite des agréments de ma nouvelle commune, cher voisin. Et toi, tu me sembles bien sage, bien silencieux.

Il la dévisagea, esquissa un sourire gêné, puis se leva, s'éloigna de quelques pas.

— Viens, lui dit-il. Nous parlerons en marchant. Il y a des passerelles en bois là-bas. C'est amusant et pratique. Notre maire en est très satisfait. Elles permettent d'accéder au jardin plus facilement.

— Xavier, je suis désolée pour ce matin. Ne m'en veux pas. Je me suis montrée un peu vive. Je t'ai cherché ensuite. Tu étais parti. Où es-tu allé?

— À Bouteville, seul. Je suis allé porter une gerbe aux parents de Julie. Tu sais, je suis content que tu sois venue me rejoindre. Tu as vu ma voiture?

— Oui, et comme je tenais à faire la paix…

Ils étaient arrivés près de l'endroit où la Touvre se divise en des remous bruyants, cristallins, face à une passerelle qui donnait de l'autre côté de la rivière que surplombait, un peu plus loin, le viaduc de Foulpougne, construit vers 1898.

— Maud, reprit Xavier. Je me suis conduit comme un imbécile ce matin. Avec Irwan, avec toi. J'y ai pensé toute la journée; je ne suis pas fier de moi. Je ne sais pas ce qui m'a pris! Je ne supportais pas l'idée qu'il y avait peut-être quelque chose entre vous deux. C'est idiot, vous êtes libres, et je n'ai pas le droit de vous épier comme je l'ai fait! Je te demande pardon.

— C'est bon, Xavier, on n'en parle plus. Moi, je ne veux pas perdre mon meilleur ami. Tu me manquais ce matin, je t'assure. L'ambiance était d'une tristesse sans tes éternelles plaisanteries.

— Tu es gentille. Mieux: tu es une chic fille. Et je vais t'avouer autre chose: je ne suis pas vraiment célibataire. Il y a dans ma vie une jeune femme charmante, une petite rousse aux yeux verts, qui m'aime bien, et on passe de bons moments ensemble, sans engagements ni rien, mais mon attitude n'a aucune excuse vis-à-vis d'elle. De plus, il est normal que tu aies toi aussi une vie privée, avec qui tu veux, même avec le terrible inspecteur Vernier, si tu as su lui trouver un peu d'attrait, conclut Xavier d'un ton comique.

Maud éclata de rire. Ils étaient maintenant bras dessus bras dessous et parcouraient le parc en sens inverse. Ils aperçurent une petite fille qui faisait de la balançoire, sous l'œil attendri d'une mamie assise non loin d'elle. Elles avaient dû arriver durant leur discussion au bout de l'île.

— Je te laisse tranquille, désormais, ajouta l'inspecteur Boisseau.

Ils quittèrent le jardin. Maud se retourna, heureuse d'avoir découvert ces lieux où elle pourrait revenir quand il lui plairait. Sur le parking, ils discutèrent encore un moment, tout joyeux d'avoir tiré un trait sur leur discorde.

— J'ai bien fait de partir plus tôt du Central. Nous avons pu renouer le contact.

— J'allais t'appeler, de toute façon. Et l'enquête? Du nouveau? Nicolas Vallentin est certain que sa fille a été tuée. Par François Pélégri, évidemment. Tant de soupçons pèsent sur lui! J'ai dû calmer ce pauvre homme. Il ne rêve que de vengeance.

— Il faut le comprendre. Au fait, tu ne dois pas être au courant: Pélégri sera là demain, en fin de matinée. Il a été appréhendé à Nice et vient déposer de son plein gré. J'ai hâte de l'entendre, celui-là, de voir ce qu'il va nous raconter. À mon avis, il détient une partie de l'énigme, si ce n'est pas plus.

— Je serai avec vous cette fois. Si tu vois Irwan, dis-lui que je regrette mon attitude. Ce soir, j'ai invité Martine à dîner.

— Martine, la petite rousse aux yeux verts?

— Oui, elle-même.

— Moi, je vais bichonner mon pauvre Albert, qui me boude obstinément. Salut, Xavier, et bonne soirée!

— Au revoir, Maud, à demain. On s'embrasse?

La jeune femme accepta de bon cœur. Sur un dernier regard complice, ils se séparèrent, s'installèrent au volant, puis démarrèrent de concert, chacun empruntant une direction opposée.

Une fois chez elle, Maud se précipita sous la douche, choisit une grande robe de cotonnade fleurie. Le chat la suivait partout avec des ronrons fervents et se frottait à ses jambes.

— Tu es de bonne humeur, toi. Viens là.

Elle le prit dans ses bras, le caressa, le nez dans sa fourrure blanche.

— Tu peux me faire des câlins, lui dit-elle. Je crois que personne ne viendra nous déranger.

Maud se trompait. À 8 heures, le téléphone sonna. C'était Irwan qui, d'une voix inhabituelle, lui proposait de venir dîner.

— J'ai acheté des plats vietnamiens, si tu aimes ça? Tu n'es pas obligée de dire oui, mais…

— Mais je dis oui, oui et oui! répondit-elle en se demandant, ravie, si elle ne rêvait pas.

Quelques heures plus tard, ils étaient allongés l'un contre l'autre dans la chambre de Maud, nus sous un drap. Irwan fumait une cigarette et, de sa main libre, effleurait par instants l'épaule de Maud.

— Il ne faudrait pas que ça devienne une habitude, soupira-t-il.

— Ce n'est pas moi qui t'ai traîné ici, dans ce lit.

— Je sais. Mais il arrive ce que je craignais. Des liens se nouent, m'attachent à toi, à ton corps adorable, et au reste. C'est là le danger, cette tendresse qui vient, alors que l'attirance est de plus en plus forte.

— Ne t'inquiète pas, Irwan, je suis habituée à vivre seule. Je tiens à mon indépendance. Ne juge pas l'avenir sur le présent. Je suis sûre que nous allons peu à peu reprendre nos distances.

— Tu ne veux plus de moi? demanda-t-il, jouant les hommes outragés.

— Mais si, au contraire! Je suis bien avec toi, tu me donnes tant de plaisir. J'essaie de te rassurer, simplement. Je n'exigerai rien de toi. Tu viens quand tu veux, c'est tout. Et si je te dis non un jour, nous aviserons. Je serai franche, promis.

— Toi, me dire non? Je voudrais bien voir ça! s'écria-t-il. Attends une minute.

Irwan éteignit sa cigarette, puis se jeta sur Maud, dont le tendre corps féminin ne se débattit pas, mais s'abandonna aussitôt, offert, tiède, prêt à toutes les folies. Ils oublièrent bientôt tout ce qui n'était pas ce tourbillon de passion où leurs sens exaltés se répondaient en un accord parfait, jamais rassasiés, toujours éblouis.

En bas, dans le salon obscur, figé telle une statue, le chat Albert était assis sur l'accoudoir d'un fauteuil. Jaloux et vexé, il boudait.

## 9

Il était là. François Pélégri. Une cigarette au coin des lèvres, les cheveux noirs savamment brossés en arrière, un beau visage, il est vrai, mais déjà marqué par une vie trépidante. Maud, Irwan et Xavier le regardaient du même air intrigué, circonspect. Il était assis dans une pose décontractée, en accord avec son costume clair, très élégant. Tout était prêt pour l'interrogatoire, mais les trois inspecteurs ne se décidaient pas à parler. Ils observaient cet homme sur lequel pesaient de graves soupçons, et, bien entendu, leur attitude insolite l'agaça vite.

— Alors! Vous ne m'avez pas fait monter de Nice pour mieux voir à quoi je ressemblais, quand même! s'exclama-t-il d'une voix grave un peu vulgaire, à l'accent méditerranéen. Posez-les, vos questions! On ne va pas y passer la journée.

— Nous ne sommes pas pressés, rétorqua Xavier en guise de réponse. Et vous resterez bien jusqu'à demain pour assister aux obsèques de Julie Vallentin?

François Pélégri tressaillit, se redressa, l'air mécontent. Il déclara d'un ton rageur:

— Qu'est-ce que ça veut dire, vos insinuations?

— Rien! répondit l'inspecteur Boisseau avec un grand sourire.

Irwan était mécontent de l'intervention de Xavier. Pour éviter que les choses s'enveniment, il prit vite la parole :

— Bien, si monsieur s'impatiente, allons-y. François Pélégri, pouvez-vous nous faire le récit de votre journée de samedi? À partir de 10 heures, par exemple, quand vous êtes parti de l'église de Bouteville, au volant de votre Alfa Romeo, en compagnie de Julie Vallentin.

— Oui, bien sûr. Je suis ici pour me disculper. Je ne suis pas idiot et je sais bien que vous me croyez coupable. Mais de quoi? C'est vrai, j'ai pour ainsi dire enlevé cette fille. À part ça, je ne vois pas ce...

— Les faits, je vous prie, le coupa Irwan. Vos considérations sur l'affaire viendront ensuite.

— D'accord, d'accord. J'ai quitté Bouteville avec Julie et je me suis arrêté un peu plus tard, à une vingtaine de kilomètres, dans un chemin. La gosse était folle de moi, elle me plaisait. Nous nous sommes amusés un moment, et puis je l'ai emmenée dans une hostellerie de la région. Là, eh bien, comment dire? Il vous faut des détails?

— Oui, répliqua Maud, qui eut aussitôt droit à un coup d'œil narquois, déplaisant, vu leur situation respective.

— Les détails, ils sont simples : nous avons

fait l'amour tout l'après-midi, voilà! Elle y prenait goût. Une nana comme ça, qui n'avait jamais connu le grand frisson, je l'ai rendue heureuse. Ce n'est pas un crime, non?

— Cela dépend, marmonna Xavier, tandis que, silencieux, aux aguets, Irwan allumait une cigarette.

François Pélégri décroisa les jambes, et ses yeux sombres, veloutés de brun, les dévisagèrent tour à tour, puis il continua de parler:

— Pour être franc, ensuite, à l'heure du dîner, Julie a commencé à me poser un tas de questions, et là, je me suis un peu emporté. Elle s'est mise à pleurnicher. J'ai horreur de ça, une fille qui pleurniche. Elle voulait savoir où nous allions habiter, que dirait ma famille de Marseille en la voyant arriver, etc. Moi, je lui avais dit que je la logerais dans un studio, que je m'occuperais un peu d'elle là-bas. Mais, à l'entendre, je devais la prendre en charge comme une gamine. Elle me jugeait responsable de tout.

— Une minute, l'interrompit Irwan. Elle n'avait pas tort. Je ne connaissais pas Julie Vallentin, mais une jeune fille issue d'un milieu de viticulteurs aisés n'agit pas comme elle l'a fait sans raison valable. Vous lui aviez sans doute débité de jolies promesses pour réussir à l'embarquer une heure avant son mariage. On peut en savoir plus sur votre technique?

Cette fois, le beau Marseillais sembla gêné. Il hésita, visiblement nerveux.

— Hum! Je lui ai parlé d'une liaison, rien de

plus. Disons aussi que je lui ai ouvert les yeux sur son erreur. J'ai été sincère. Une fille comme elle dans les bras de Pierre-Marc, ça me choquait. Et puis j'ai eu le coup de foudre, je la voulais et je n'ai pas l'habitude d'être repoussé. Le vendredi soir, quand je l'ai raccompagnée chez elle, on s'est embrassés. Elle a compris qu'elle n'aimait plus son fiancé, et ça lui a fait un choc. Je l'ai consolée. Je lui ai dit qu'elle n'avait pas à avoir honte. Julie, c'était une brave gosse. Elle n'avait pas le courage de rompre ses fiançailles la veille de ses noces. Le samedi matin, devant l'église, elle faisait peine à voir. J'ai eu pitié; je l'ai aidée à partir, pour qu'elle ne gâche pas sa vie.

— C'est réussi, commenta froidement Irwan. Je répète ma question, monsieur Pélégri. Comment l'avez-vous convaincue de fuir avec vous? Cessez vos bavardages, soyez précis.

— Comment ça, précis?

— Je veux la vérité. Julie ne vous a pas suivi seulement pour s'éloigner des siens. Elle vous aimait?

— Oui! Enfin, c'est ce qu'elle disait. Vous me demandez comment je l'ai convaincue. Je n'ai pas eu à la forcer, elle voulait à tout prix me suivre.

— Et vous, vous l'aimiez? demanda Maud, qui était persuadée que François mentait depuis le début.

— Moi? Je la trouvais à mon goût, sans plus. D'ailleurs, le soir, vers 22 heures, nous nous étions mis d'accord. Je l'avais raisonnée. Elle a renoncé à me suivre, et je l'ai raccompagnée à Bouteville. C'est tout, je n'ai rien à ajouter. Ensuite, je suis rentré chez moi.

— Non, pas chez vous, chez un de vos amis, à Nice, dit Irwan.

— Et alors? J'ai le droit de passer voir un copain. J'ai la conscience tranquille. La preuve, je suis là.

Maud pensa justement que son apparente bonne volonté était peut-être une ruse très habile. L'homme lui déplaisait; on le sentait cynique et faux. Elle jeta un regard interrogatif à ses collègues qui semblaient éprouver les mêmes sentiments.

— Et où étiez-vous entre minuit et 1 heure du matin, la nuit de samedi à dimanche, monsieur Pélégri? demanda sèchement Irwan.

— De minuit à 1 heure? répéta le suspect en réfléchissant. J'étais sur la route, bien sûr, sur l'autoroute Bordeaux-Toulouse. Oui, c'est ça. Je venais d'entrer sur l'autoroute.

— Vous n'avez aucun justificatif? intervint Xavier.

— Non, je n'en avais pas besoin. Je n'étais pas en déplacement professionnel. Ne soyez pas stupides.

L'inspecteur Boisseau serra les poings sans bien savoir pourquoi il avait envie de se jeter sur cet individu et de le frapper.

— Stupides! s'écria-t-il. Soyez prudent. Modérez vos expressions. C'est un peu faible comme alibi, un passage sur l'autoroute sans preuve tangible.

— Là, je t'approuve, Xavier, dit Maud, le visage dur. Monsieur Pélégri, il faut être logique. Vous êtes la dernière personne à avoir vu Julie Vallentin vivante. D'après vous, elle a décidé de rentrer chez ses parents malgré tout ce qui s'était passé entre vous, sans oublier l'incident – sans doute minime pour vous – du mariage annulé sur un coup de tête. Vous la déposez donc sur la route, je suppose, et vous quittez le département. Le seul problème, c'est le résultat : le lendemain dimanche, cette jeune fille est retrouvée morte au fond du puits du château, et, si cela vous intéresse, j'ajouterais que le rapport d'autopsie indique clairement qu'elle n'a pas succombé immédiatement à ses blessures. On peut seulement espérer, par compassion, qu'elle était inconsciente. Enfin…, j'aimerais que vous cherchiez bien dans vos souvenirs des précisions sur votre séparation, par exemple. Julie n'a pas dû revenir à Bouteville de gaieté de cœur.

— Je viens de vous le dire : je l'ai déposée à l'entrée du bourg. Elle n'avait pas le moral, mais je ne pouvais pas faire plus. Je n'allais pas sonner chez ses parents et leur dire la vérité. Je suis désolé qu'elle soit morte dans de telles conditions, à son âge en plus. Si j'avais pu prévoir ce qui l'attendait, je l'aurais ramenée à Angoulême, dans son studio. Allez savoir ce qui s'est passé après mon départ. Un sale type devait traîner dans le coin ; c'est à vous de le trouver. Ou bien c'est un accident, pourquoi pas ?

— Un accident! s'exclama Xavier, sarcastique. C'est un peu gros. J'en conviens, cela vous arrangerait. Trop facile.

— Je suis vraiment navré, monsieur Pélégri, poursuivit Irwan d'un ton nonchalant, mais il vous faudrait un alibi valable avant de nous suggérer des hypothèses invérifiables. Vous voulez mon avis? Selon moi, il y a deux possibilités. La première, la voici: après dîner, il y a une querelle entre Julie et vous. La jeune fille regrette sa décision, abandonne l'idée de partir pour Marseille. Là, je change votre scénario. Imaginons que vous ne soyez pas enchanté de perdre votre nouvelle conquête. Vous tentez de la persuader grâce à votre charme. Elle résiste, vous la conduisez effectivement à Bouteville, mais là il y a un dernier conflit et vous devenez violent. La suite, c'est à vous de nous la raconter. Elle s'évanouit, ou vous la blessez grièvement, et là, pris de panique, vous décidez de vous en débarrasser. Et vous connaissiez le puits du château. Quoi de plus facile que de la porter là-haut et de la jeter au fond?

— Elle ne tient pas debout, votre histoire! Je ne suis pas un assassin! J'ai déjà houspillé des filles, quand j'avais un peu bu, mais je n'ai jamais tué personne! hurla François, furieux.

La colère faisait ressortir son accent et prêtait à la scène un ton tragicomique.

Imperturbable, Irwan marcha autour de lui et reprit sa théorie, destinée, en fait, à épuiser les nerfs de celui qui l'écoutait à présent l'air mauvais.

— Seconde solution, la plus plausible à mon sens. C'est l'inverse qui se produit. Julie refuse de rentrer chez elle, vous supplie de l'emmener, car c'est vous, oui, vous qui refusez, après avoir bien profité de sa naïveté. Vous la ramenez jusqu'à Bouteville, elle ne veut pas céder et, là, on revient à une violente altercation, peut-être dans le château, où vous perdez la tête, excédé. Le puits n'est pas loin, vous la poussez, la tête la première, et vous filez en évitant l'autoroute. Julie est morte à 1 h 30, et, comme l'a dit l'inspecteur Delage, vous êtes le dernier à l'avoir vue vivante. Avouez qu'un solide alibi serait le bienvenu dans votre cas.

Curieusement, François Pélégri ne répondit pas tout de suite. Il baissa la tête, songeur, avant de déclarer d'une voix posée :

— Je n'ai pas d'alibi, seulement ma bonne foi. Je reste donc à votre disposition et je refuse de dire quoi que ce soit d'autre. Mais je voudrais contacter un de mes amis qui est avocat. C'est possible ?

— Tout à fait, ce serait même une bonne chose ! Vous voulez relire votre déposition ?

— Non.

— Bien, nous vous plaçons pour l'instant en garde à vue, trancha Irwan. Xavier, tu fais le nécessaire.

Une heure plus tard, Irwan et Maud, une tasse de café à la main, discutaient encore de ce singulier interrogatoire. Xavier n'allait pas tarder.

— C'est étrange, dit Maud. Quand il a crié qu'il n'avait jamais tué personne, c'est la seule fois où je l'ai jugé sincère. Nous faisons peut-être fausse route.

— Ouais, je n'en sais rien. Il y a tuer et tuer... Je ne dis pas qu'il a froidement assassiné Julie, mais c'est un personnage violent, un coléreux. Un homme qui ne se contrôle pas est capable du pire, quitte à le regretter ensuite, lorsqu'il retrouve son calme. Un peu tard, soit! Le mal est fait. J'ai vu des dizaines de cas depuis le début de ma carrière. L'homicide non prémédité, si tu veux, une pulsion de rage qui provoque des gestes inconsidérés. À un degré moindre, beaucoup de gens l'éprouvent.

— Oui, tu as raison, et Pélégri présente toutes les caractéristiques du genre. Pourtant, il me semble qu'il y a un élément qui nous manque et fausse les données. Quelque chose qui ne colle pas. Tu sais, Pierre-Marc n'a aucun alibi, lui non plus. Réfléchis: si François dit vrai, Julie, une fois seule, a pu téléphoner de la cabine à son fiancé, lui demander de la rejoindre près du château. Là, ils ont parlé, ont pu eux aussi se quereller, et ce jeune homme, malgré ses allures débonnaires, a très bien pu perdre également la tête, se venger. Il faut tenir compte du choc qu'il a subi, l'humiliation, les réflexions, sans oublier le facteur-clé, la jalousie, en apprenant que sa compagne avait fait l'amour avec son cousin.

— Elle n'était pas obligée de le lui dire! Si l'on adopte ta thèse, n'aurait-elle pas menti sur ce point? Remarque, ton raisonnement vaut la peine d'être retenu, et je crois que nous n'avons pas assez attaché d'importance au témoignage du fiancé bafoué. Il faut retourner le voir, le cuisiner et guetter ses réactions.

Maud soupira, le regarda intensément et conclut d'une voix tendue:

— Pierre-Marc, en tout cas, craquera plus facilement que Pélégri. Mais il y a également la bande de jeunes qui est montée au château. Ils avaient peut-être pris autre chose que de l'alcool. Une fille leur apparaît, choquée, donc fragile, en position de faiblesse. Ils ont pu la prendre pour cible, pousser le jeu trop loin.

— Oui, c'est encore une variante, mais là, les rapports sont formels: elle n'a pas été violée, et n'a fait l'amour qu'avec une seule personne: François Pélégri. Ce sera facile à démontrer à l'aide d'analyses plus détaillées. Tiens, voilà Xavier. Alors?

— Il n'a pas bronché, digne et muet, en victime d'une grande erreur judiciaire, ironisa l'inspecteur Boisseau qui se servit un café.

— J'en parlais avec Maud, lui dit Irwan et, vois-tu, nous avons de légers doutes... au sujet de Pierre-Marc.

Maud résuma brièvement ses conclusions et réussit à ébranler les certitudes de Xavier.

— C'est incroyable, dit-il, nous avons deux suspects, avec mobile ou presque, et ni l'un ni l'autre n'ont d'alibi. Il faut les départager.

— Xavier, protesta Irwan, amusé par la

mine réjouie de son collègue, tu as toujours le mot pour rire. Vieux grigou. Tu avais envie de le cogner, ce beau Marseillais. Je l'ai vu à ton expression hargneuse. Je la connais maintenant. Un vrai lutteur, ce Boisseau.

— Bien sûr, tu l'as entendu, ce macho des dimanches! Il parlait de cette malheureuse Julie comme d'une marchandise. Et nous traitait de stupides. Ma patience a des limites. Ce type, il me hérisse avec ses manières et ses tirades douteuses.

Seule Maud resta sérieuse. Occupée à relire la déposition attentivement, elle hocha la tête et laissa échapper tristement:

— C'est vrai que j'ai eu honte pour lui. Il n'a pas de scrupules ou les dissimule bien. Et j'ai l'impression que l'on aura du mal à lui faire dire ce qui s'est vraiment passé samedi soir. Bon, qu'est-ce qu'on fait maintenant?

— Il est presque 1 heure. Si on allait déjeuner, tous les trois? proposa Xavier.

— Bonne idée, répondit Irwan. J'ai faim. Tu es d'accord, Maud?

— Bien sûr, mais on mange en vitesse, car je voudrais partir pour Bouteville dès 2 heures. Avec l'un de vous deux, ou tous les deux, au choix. Et surtout, ne vous battez pas…

*

Après le repas, ils décidèrent de rester ensemble et prirent la route du pays des vignes.

Le ciel s'était couvert, l'air avait un léger parfum de pluie. Se découpant sur un fond de nuages gris, le château semblait plus triste, quand ils l'aperçurent au loin, avec ses tours décapitées, ses façades délabrées. Maud, avec un petit frisson, déclara:

— J'avais un peu oublié l'apparition, mais, à revoir le lieu du crime, j'éprouve une angoisse rétrospective.

— Allons, ce ne sont que les ruines, et ta dame en noir a rempli sa mission. Elle ne va pas s'éterniser ici.

— Qui peut le dire? fit Xavier d'un ton lugubre. Tiens, à ce sujet, j'ai quelque chose à vous montrer. J'avais complètement oublié…

L'inspecteur Boisseau extirpa fièrement un bout de papier d'une liasse de feuillets divers et le tendit à sa collègue, qui, intriguée, s'en empara aussitôt. C'était la photocopie d'une gravure très ancienne, représentant une jolie jeune fille, les cheveux relevés en une savante coiffure de conception médiévale.

— Qui est-ce? demanda Maud.

— Isabelle Taillefer, la fiancée d'Hugues de Lusignan. La jeune épouse de Jean sans Terre. C'est un de mes amis historiens qui me l'a procurée. Au cas où. Je me demandais si tu pouvais reconnaître en elle la femme du puits.

Maud regarda plus attentivement encore le dessin, étudia les traits, l'attitude.

— Alors? s'enquit Irwan. Ton opinion? Nous arrivons à Bouteville, mais je ne sais pas où demeure la famille Labrousse.

— En dehors du bourg. Je vais t'indiquer la route dans une minute, marmonna Xavier, qui observait le visage de Maud face au portrait d'Isabelle.

La jeune femme se décida à parler :

— Je ne peux rien affirmer. Pourtant, il y a un petit air, le nez aussi, une vague ressemblance, à mon avis. Xavier, tu crois que ce pourrait être elle, la dame qui nous est apparue? Ce serait fou, inouï, invraisemblable!

— Pourquoi? commenta Irwan. Elle adorait le château, d'après la petite histoire. Cela me paraît logique. Xavier, à droite ou à gauche?

— Gauche, puis à droite, cinq cents mètres plus loin. Une grande ferme rénovée, aux volets blancs à ferrures noires. C'est Ronald qui m'a fait un plan, par téléphone.

Songeuse, Maud ne dit rien. Elle n'avait pas rendu la gravure à Xavier et continuait à la contempler. Un coup de frein la fit sursauter. Ils s'étaient garés devant un portail de belles proportions.

— C'est bien là, indiqua Xavier. Nous débarquons par surprise.

— C'est une technique qui en vaut une autre, mon vieux, réplique Irwan. Les gens n'ont pas la possibilité de se composer une attitude.

Il n'eut pas le temps de terminer sa phrase. Une voiture surgit, s'arrêta brutalement. Un homme en descendit, une sacoche à la main, ouvrit la petite porte jouxtant le porche et remonta une allée de gravillons blancs au pas de course.

— C'est sans doute un médecin, constata Maud en désignant le caducée apposé sur le pare-brise.

— Suivons-le. Il se passe quelque chose.

Sur ces mots, Xavier les entraîna vers les bâtiments situés un peu en hauteur, à flanc de colline. Là, dès le perron, régnait une atmosphère de drame. Pierre-Marc était allongé sur les dalles de la terrasse. Ses parents, en larmes, étaient penchés sur lui, tandis que le médecin examinait son cou. Monsieur Labrousse, alerté par des bruits de pas, se redressa, découvrit les trois inspecteurs. Il reconnut Maud.

— Qu'est-ce que vous voulez? Le gamin a essayé de se pendre. Ce n'est pas le moment de venir nous chercher des ennuis.

— Du calme, monsieur, nous ne pouvions pas prévoir un tel incident, déclara Irwan d'un ton ferme. Nous venions interroger votre fils. Que s'est-il passé exactement?

— Pierre-Marc était à bout! Il a voulu mourir! sanglota madame Labrousse, livide, le visage défait.

Puis elle se tourna vers le docteur Mesnier, qui prit le pouls du jeune homme.

— Ça va aller, affirma le médecin avec un sourire rassurant. Il n'a aucune lésion, la respiration est redevenue normale, le cœur est bon, le pouls aussi. Vous avez eu de la chance de le trouver aussitôt. Il est un peu choqué. Je vais lui administrer un calmant. Il faudra le surveiller, prévoir une cure de repos.

— Une minute! l'interrompit Irwan. Vous dites qu'il va reprendre ses esprits. J'aimerais que vous lui laissiez le temps de nous parler. C'est grave. Si ce garçon n'a rien de sérieux, il est impératif que je m'entretienne avec lui. Après, je le laisse tranquille.

Des protestations fusèrent, une vive discussion s'ensuivit, mais les inspecteurs obtinrent gain de cause en précisant que Pierre-Marc était suspect et qu'il était préférable d'éclaircir dès à présent la situation. Un quart d'heure plus tard, dans le salon, Maud et Irwan discutaient posément avec le candidat au suicide. Le fiancé de Julie se confia par bribes :

— Je n'en pouvais plus. Elle me manque trop. Ma vie est fichue. Je me disais que je devais la rejoindre.

— Vous en êtes sûr? interrogea Irwan. Vous n'avez pas été poussé par le remords? Vous pouvez avouer, vous aurez des circonstances atténuantes.

— Moi? Tuer ma Julie! Déjà, gamins, on jouait tous les deux. Je vous l'ai dit, on allait au château, même la nuit, en cachette, pour se faire peur. Elle inventait des histoires terribles et je la croyais. Tenez, j'ai entendu une rumeur, au bourg, comme quoi votre collègue aurait vu une femme près du puits. Ça m'a fait froid dans le dos, parce que Julie m'avait raconté un soir qu'elle avait vu une belle dame dans une robe claire, dans la cour d'honneur, une dame qui lui souriait, qui lui aurait dit je ne sais plus quoi. J'avais oublié, mais hier, en écoutant les bavardages d'une voisine, la mémoire m'est revenue. Je me suis demandé si ces ragots avaient un sens et j'ai perdu courage. La mort m'a paru la seule solution. Je l'aimais, Julie. Tout est fini maintenant. Je ne supporte pas cette idée.

Le médecin entra dans la pièce, mécontent, accompagné des parents de Pierre-Marc.

— Il faut le laisser à présent. Je dois faire la piqûre et le surveiller.

— O. K. On s'en va. Au revoir, Pierre-Marc, et du cran! lança Irwan, la mine apitoyée.

Dans la voiture, Maud poussa un profond soupir. Elle était bouleversée par ce qu'elle venait d'apprendre. Irwan démarra, puis demanda enfin:

— Que pensez-vous de tout ça?

— Un peu trop bizarre à mon goût, répondit Xavier. Pourtant, Pierre-Marc serait un coupable intéressant. Il vient de prouver qu'il a les nerfs fragiles. Remarque, je le comprends, le pauvre gars. Si on lui a rapporté les paroles de notre apparition, il y avait de quoi perdre les pédales, surtout si sa fiancée, dans son enfance, avait déjà eu affaire à la belle Isabelle.

— On se croirait dans un roman anglais, murmura Maud alors qu'ils traversaient le bourg de Bouteville. Tout y est, le destin triomphant, la tragédie, les fantômes, le château en ruine. Il manque le brouillard, plaisanta-t-elle sans joie.

— Ne sois pas morose, dit Irwan. C'est vrai, nous voici plongés dans une affaire où le surnaturel pointe le bout de son nez, mais ça ne me déplaît pas. Au contraire.

— Moi, je n'apprécie pas, fit Maud, car vraiment je ne peux pas oublier les moments étranges que j'ai vécus au château. Ces chuchotements, cette main qui a effleuré mon épaule, cette femme et ses sinistres paroles! J'ai eu très peur.

— Ah! les femmes! claironna Xavier. Toujours trop sensibles. Moi, je n'ai pas éprouvé le moindre frisson. Mais je me demande pourquoi ce pauvre Pierre-Marc a voulu se pendre.

— Il nous l'a très bien expliqué et je le crois sincère, rétorqua Maud. Et toi, Irwan?

— Moi, j'hésite. Cependant, d'instinct, je le décréterais innocent. Il aimait sincèrement sa fiancée. C'étaient des amis avant tout, et, vois-tu, je peux imaginer beaucoup de choses sur leur éventuelle rencontre: des cris, des larmes, une gifle à la rigueur, mais un meurtre aussi atroce, non. Quant à François, je suis sûr que ce don Juan de pacotille n'aimait pas Julie. Il l'a séduite, soit, mais sous le coup d'une pulsion sexuelle, ce qui peut engendrer n'importe quelle violence. Son dossier est révélateur: ce n'est pas un tendre! Le problème reste entier à son sujet, car, s'il n'a pas d'alibi, nous n'avons aucune preuve tangible pour le faire inculper, rien que des présomptions, c'est léger, léger!

Maud et Xavier l'approuvèrent. Ils rentrèrent à Angoulême, silencieux, pensifs. À l'hôtel de police régnait un calme relatif. Le patron était absent, chacun vaquait tranquillement à ses occupations.

— La routine, dit Xavier en parcourant un

couloir, suivi de ses collègues. Nos concitoyens sont bien sages en ce moment, ajouta-t-il. Ce doit être l'imminence de la rentrée scolaire.

Maud daigna sourire. Elle écouta un moment les bavardages de l'inspecteur Boisseau, puis s'installa à son bureau après avoir serré la main de Dimitri. Irwan la dévisagea d'un œil attendri, avant de décrocher le téléphone.

— J'appelle Antoine. Je lui ai demandé un petit travail avant de partir, tout à l'heure. J'espère qu'il est à son poste.

— C'est relatif à l'enquête? demanda Maud, qui se ranimait déjà.

— Ouais. Et ça peut changer beaucoup de choses. Enfin, d'après moi.

Deux minutes plus tard, Antoine fit son apparition, une feuille à la main.

— Salut, Maud, salut tout le monde. Voilà, Irwan, j'ai tout noté.

— Merci.

Le jeune homme ressortit, tandis que Xavier, curieux, scrutait les traits tendus de l'inspecteur Vernier, qui venait de lire rapidement les quelques lignes écrites sur le papier.

— Bien, c'est du bon boulot!

Irwan s'apprêta à quitter la pièce sans leur donner d'explications. Maud, vexée, s'écria :

— Dis donc, tu pourrais nous dire de quoi il s'agit? On travaille ensemble.

— J'en ai pour un moment. Des coups de fil. À plus tard, et soyez sages.

Maud, Xavier et Dimitri en demeurèrent

sidérés. Ils se lancèrent un regard complice, haussèrent les épaules, fatalistes.

— Ce cher Irwan se prend pour le patron : il joue les commissaires! Laissons-le faire, conclut l'inspecteur Boisseau sur un ton comique. Si on revoyait la déposition de Pélégri, pour patienter? On va peut-être trouver la faille.

— Oui, si tu veux, répondit Maud. Au fait, Xavier, tu vas aux obsèques de Julie demain matin?

— Évidemment, et mes parents aussi. Tu peux m'accompagner. Je te présenterai à mon père et à ma mère. Je leur ai tant parlé de toi.

— J'imagine très bien ce que tu as pu leur raconter. Ils vont être déçus. Allez, au travail. Moi, ce soir, je rentre à la maison et je vais au lit avec mon chat et un bon livre. Je suis épuisée.

Il était plus de 19 heures quand Irwan réapparut, l'air soucieux.

— Alors, grand chef. Pouvons-nous connaître le résultat de tes recherches? interrogea Xavier avec une pointe d'ironie.

Maud n'ajouta rien, mais leva la tête, impatiente elle aussi.

— Eh bien, voilà: je crois que François Pélégri est innocent! J'ai dit «je crois», je n'ai pas dit «j'en suis sûr». En fait, je viens de contacter les personnes qui étaient de service de nuit au péage de l'autoroute Bordeaux-Toulouse, samedi soir. Après tout, il y a moins de circulation passé minuit, et un coupé Alfa Romeo rouge, ça peut attirer l'attention. Ça valait le coup d'essayer. La preuve: un des caissiers se souvient vaguement d'avoir vu une «chouette bagnole» rouge vers 3 heures du matin. Il pense effectivement à une Alfa Romeo. Mais je ne sais pas quoi faire de ce témoignage-là. Trop incertain! Si encore mon caissier avait bien vu l'homme au volant, mais il a été incapable de le décrire. J'ai posé le même genre de question à ses collègues. Ils n'étaient que trois cette nuit-là. L'un n'a rien vu; quant à l'autre, il croit avoir remarqué une voiture rouge.

— Dommage qu'il n'y ait pas eu de radars. On aurait au moins une certitude si Pélégri s'était fait flasher à cent quarante kilomètres-heure, ronchonna Xavier.

— Pas bête. Il faudrait gratter de ce côté-là. Si on élimine Pélégri, les données sont simplifiées.

Maud se leva et prit son blouson.

— Si vous êtes d'accord, je déclare forfait pour aujourd'hui. Irwan, tu n'as plus besoin de moi? Je rentre à la maison.

— Vas-y. Ne t'inquiète pas. S'il y a du nouveau, on te téléphone.

## 10

Le lendemain, vers midi, dès son retour de Bouteville, Maud se rendit au Central. Xavier était parti déjeuner chez ses parents. Les obsèques de Julie Vallentin avaient eu lieu sous une pluie fine, dans une atmosphère tragique.

La jeune femme revit Pierre-Marc, soutenu par ses parents. Il tremblait, sanglotait. On avait dû le conduire, à l'heure qu'il était, dans une maison de repos. Défigurés par le chagrin, Fabienne et Nicolas Vallentin faisaient peine à voir, et la jeune sœur de Julie jetait à tous des regards incrédules, comme si elle cherchait du secours. Les pensées de Maud revinrent à François Pélégri. Ils ne pourraient pas le garder longtemps, et il allait sans doute s'arranger avec son avocat pour être libéré d'une façon ou d'une autre, vu qu'aucune charge solide ne pesait sur lui. Elle frappa à la porte d'Irwan, mais il n'était pas là. Un peu désemparée, elle regagna son bureau, désert lui aussi.

Elle s'assit, découvrit une feuille pliée en quatre près d'un classeur. C'était un message de l'inspecteur Vernier : *Salut, très estimée collègue! As-tu bien dormi, toute seule avec Albert? Il a de la chance, celui-là, de t'avoir chaque nuit près de*

*lui. Je t'embrasse, je serai de retour à 14 heures :*
*une nouvelle enquête me tombe sur les bras. Je*
*t'en dirai plus en temps voulu.* Elle n'eut pas le loisir de s'attendrir, car le téléphone sonna. C'était
Antoine. Il l'informa qu'une femme demandait à
la voir de toute urgence.

Bientôt, Maud vit entrer une charmante
jeune femme aux cheveux noirs, bouclés. L'inconnue semblait mal à l'aise, mais elle lui sourit.
Elle avait de très beaux yeux verts, un visage de
poupée :

— Vous êtes l'inspecteur Delage?

— Oui, c'est moi, madame…?

— Françoise Montillon. Je suis une amie
de Julie Vallentin et j'habite à Angeac-Charente.
C'est bien vous qui êtes chargée de l'affaire?

Saisie d'un étrange pressentiment, Maud
attendit la suite. Elle dit poliment :

— Oui, mais que se passe-t-il? Vous étiez
peut-être à ses obsèques ce matin?

— Non, justement. Je viens de rentrer de
Paris et j'ai appris la nouvelle aussitôt, par mon
mari, mais il était trop tard. Je suis venue pour une
autre raison. Excusez-moi, je suis bouleversée.

Françoise Montillon essuya une larme, soupira avant de poursuivre :

— Voilà, inspecteur, j'avais reçu une lettre.
Mais comme je vous l'ai dit, je n'étais pas à mon
domicile. Je l'ai donc ouverte tout à l'heure. C'est
une lettre de Julie. C'est affreux. Je ne sais pas
pourquoi elle me l'a envoyée à moi, et non à ses
parents. Tenez, lisez-la; vous allez comprendre

tout de suite. Si j'avais pu imaginer! Mon mari m'a dit que la police avait arrêté quelqu'un.

Maud prit le document, adressa à la jeune femme un sourire chaleureux pour tenter de la réconforter et commença à lire:

> *Chère Françoise,*
>
> *Tu sauras sans doute, quand tu recevras cette lettre, ce qui s'est passé le jour de mon mariage. Je vais mourir, je ne vois pas d'autre solution pour effacer ce que j'ai fait, pour ne plus souffrir. Je veux que tu dises à mes parents et à Pierre-Marc que je les aime de tout mon cœur, que je leur demande pardon. Si je mets fin à mes jours cette nuit, c'est parce que j'ai honte, tellement honte que je ne peux pas faire autrement. Personne n'est responsable de ma mort. Je la décide bien consciente et désespérée. J'ai fait du mal à ma famille, à mon fiancé, mais je l'ai payé cher, car tout ce que j'ai fait, c'était pour rien, c'était une folie. Je suis désolée de te confier cette pénible mission. Au revoir et merci.*
> *Julie*

Maud avait les larmes aux yeux et n'osait pas relever la tête. Françoise, d'un ton navré, ajouta:

— C'est difficile à déchiffrer. Comme si cette pauvre Julie avait écrit dans de mauvaises conditions.

— Madame Montillon, depuis quand êtes-vous l'amie de Julie?

— Oh! Depuis quelques mois. Nous avions sympathisé à Châteauneuf. On suivait le même cours de danse, du jazz. Elle est venue plusieurs fois à la maison boire un café. Je ne peux pas croire qu'elle est morte, qu'elle s'est jetée dans le puits. La lettre n'est partie que lundi, mais elle a pu être postée de Bouteville. En semaine, il y a une levée à 16 h 30.

— On peut penser qu'elle l'a mise dans la boîte la nuit de samedi à dimanche, sachant que le message ne vous parviendrait pas avant mardi.

— Bien sûr, j'étais invitée au mariage, mais je ne pouvais pas venir à cause de mon déplacement à Paris. Julie était au courant.

— Je vous remercie sincèrement d'être venue si vite. C'est un élément capital, s'il est véridique.

— Je suis à votre disposition, s'il le faut. Je vous laisse mes coordonnées. Au revoir, inspecteur.

— Au revoir, et encore merci, fit Maud.

Ainsi, Julie s'était suicidée. De son plein gré, elle avait choisi le renoncement, la mort. Quand Maud apprit la nouvelle à Xavier, par téléphone également, il laissa échapper un juron et lui indiqua qu'il arrivait immédiatement. Une heure plus tard, Irwan eut droit au même récit.

La lettre, écrite au dos d'un dépliant publicitaire, avec un stylo à bille, fut étudiée par un expert, comparée avec d'autres écrits de la jeune fille. Les parents de Julie furent prévenus, la famille Labrousse également. Ce fut la consternation, l'incrédulité et un chagrin encore plus vif. La fiancée volage fut pardonnée au centuple de sa faute. De coupable, elle devint victime de ses propres erreurs, victime de quelques heures d'illusions.

En fait, la déposition de François Pélégri correspondait en tous points, et il serait relâché sous peu. Irwan et Maud attendaient un appel de la police des autoroutes du Sud-Ouest, car, après tout – se disaient-ils – pourquoi le Marseillais, pour être totalement innocenté, ne l'aurait-il pas contrainte à rédiger ce message avant de la tuer? Cette dernière hypothèse s'écroula à 5 heures du soir: par le plus fou des hasards, un examen des contrôles radar dans la nuit de samedi à dimanche révéla, juste à l'entrée de l'autoroute, le passage, vers 1 h 30 du matin, à cent quatre-vingts kilomètres-heure, d'un coupé Alfa Romeo, et l'immatriculation était bien celle de Pélégri.

— Pélégri est libre, déclara Irwan sur un ton dur. Julie s'est bel et bien suicidée. Mais je vais vous dire mon avis. D'accord, on libère ce type, qui est officiellement innocent. Pourtant, moi, je reste persuadé que c'est à cause de lui et de lui seul que cette jeune fille est morte. Il est le fauteur de trouble, celui «par qui le scandale arrive», comme on dit. Il était déjà à Bordeaux, quand elle était prête à mourir, mais c'est lui le coupable.

L'inspecteur Irwan Vernier ne se trompait guère. S'il y avait un coupable dans cette triste affaire, c'était bien François Pélégri. Jusqu'à quel point, nul ne le saurait jamais, car Julie, trop crédule, trop romantique, était l'unique personne à détenir la vérité, et elle l'avait emportée dans la mort.

Personne ne saurait qu'en quittant l'hôtel où ils avaient connu des heures de folle passion pour l'une, de plaisir pour l'autre, François Pélégri, déjà beaucoup moins tendre, puisque rassasié de chair fraîche, avait annoncé à la jeune fille qu'il la ramenait chez elle. Frappée de stupeur, Julie avait demandé en vain des explications, un démenti, et en retour elle avait reçu des insultes humiliantes.

En moins de vingt minutes, le temps de regagner Châteauneuf, de traverser la ville pour atteindre Bouteville, son beau rêve était en miettes. Son amant d'un jour avait même refusé catégoriquement de la conduire à Angoulême, où elle voulait se réfugier dans son studio pour pleurer à son aise. Il ne cédait en rien, cet homme qui l'enivrait, l'abêtissait de mots d'amour deux heures plus tôt, et lui présentait, les mains rivées au volant, un masque dur, sans pitié.

Julie avait cru perdre la raison en évoquant son mariage brisé, la honte de Pierre-Marc, sa douleur. François, un cigare aux lèvres, avait osé dire qu'elle devait s'estimer contente de ce qu'il lui avait donné, ajoutant que son benêt de cousin lui pardonnerait sans doute, qu'il la reprendrait. Effarée, prise de panique, la jeune fille l'avait supplié, en sanglots, de l'emmener quand même à Marseille, qu'elle ne chercherait pas à le revoir, qu'elle trouverait du travail. Tout lui paraissait supportable, sauf ce retour au pays natal, dans ce bourg qui la montrerait du doigt. Ils étaient parvenus à l'entrée du village, au pied du château. Elle avait eu un geste de trop, avait cherché à l'attendrir par un baiser, des caresses, et lui, soudain violent, l'avait repoussée, tout en ouvrant la portière de sa passagère, afin de la faire descendre d'un coup de poing d'une brutalité inouïe, en plein ventre. Julie s'était effondrée sur la chaussée, et il lui avait jeté son sac à main avant de disparaître à toute vitesse. Une fois seule, la malheureuse avait enfin compris à quelle race d'homme elle avait offert tout son cœur et son corps.

Elle était montée au château, d'instinct, avec l'idée de réfléchir, de trouver une solution. Depuis son enfance, Julie connaissait le moindre recoin de ces ruines, et le silence des lieux l'avait apaisée. Assise sur le perron de l'aile nord, non loin du puits, elle avait pris conscience de l'absurdité de ses actes. Les minutes s'écoulaient sans lui apporter de répit, et sa famille, son fiancé et ses parents lui semblaient des ennemis qui lui reprocheraient sa vie durant sa faute, sa conduite sans excuse.

La jeune fille, au souvenir des extravagances amoureuses auxquelles François Pélégri l'avait soumise, rougissait dans l'obscurité, fermait les yeux tant une honte atroce la consumait. Son corps lui répugnait; elle se jugeait souillée, marquée dans sa chair, comme si on l'avait violée.

Le plus dur était d'éprouver encore de l'amour pour celui qui l'avait séduite et abandonnée. Oui, elle se languissait de lui, rêvait de le revoir, qu'il lui dise que tout cela n'était qu'un jeu sadique, qu'il la gardait. Brûlée de remords et de chagrin, Julie souffrait surtout d'une vive blessure amoureuse, car pas un instant elle n'avait triché au cours de la journée. Elle adorait François et l'avait perdu. Peu lui importait pourquoi, il n'était plus dans ses bras et ne l'aimait pas. Elle avait alors pensé à mourir.

Le château l'entourait, avec ses tours sombres, ses fenêtres aveugles, ses crénelures familières. Julie eut l'impression fugitive de n'être pas seule en ces lieux déserts, mais n'y prêta guère attention. Fillette, déjà, elle ressentait ce genre de choses, comme si des présences invisibles l'accompagnaient, la surveillaient. Un soir, elle avait vu une belle dame vêtue de bleu, qui lui avait souri. Un an plus tard, elle l'avait encore aperçue et avait cru entendre sa voix, qui lui chuchotait quelque gentillesse. Pierre-Marc ne la croyait pas quand elle lui en parlait. Son pauvre Pierre-Marc. Lui demander pardon, lui dire qu'elle l'aimait, malgré tout.

Julie était redescendue vers le bourg, et, dans la cabine téléphonique, avait écrit un mot d'adieu et d'explication. Par crainte que son père ne déchire sa lettre sans même la lire, elle l'avait envoyée à une de ses amies, capable de prévenir qui de droit. Dans son sac à main, elle avait trouvé un timbre, vestige d'une joyeuse journée passée à préparer les faire-part, et une enveloppe un peu froissée.

Ensuite, elle était remontée au château et, sans hésiter, s'était penchée sur le gouffre, avait basculé, telle une masse inerte, bientôt corps brisé, dolent, tandis que son esprit, heureusement inconscient, sombrait peu à peu, dans l'oubli de tout.

*

— Allo, Rosanna? C'est Maud. Je n'ai pas pu t'appeler plus tôt. Tout va bien?

— Oui… Et toi? Avez-vous résolu le mystère de Bouteville?

— Tu n'as pas lu la presse? Julie s'est suicidée… et il n'y a pas de vrai coupable. Pour ma part, je pense comme Irwan : sans cet ignoble séducteur de Marseille, rien ne serait arrivé. Enfin, le temps va passer, tout le monde va peu à peu oublier cette tragédie, sauf les parents, bien sûr.

— Un suicide? Quelle horreur! Et l'apparition? Tu as une idée sur son rôle dans l'histoire?

— Il paraît que Julie l'avait déjà vue enfant. Nous sommes tentés de croire qu'il s'agirait d'Isabelle Taillefer.

— Incroyable! Et Irwan, rien de nouveau?

— Hum! Top secret! Enfin, nous en reparlerons de vive voix, dit Maud d'un ton énigmatique.

Les deux jeunes femmes bavardèrent encore quelques minutes, firent des projets, rirent et plaisantèrent. Avant de raccrocher, Rosanna demanda dans un soupir :

— Après ce qui s'est passé là-bas, je suppose que tu n'as plus envie de m'emmener au château de Bouteville?

— Mais si! répondit Maud gentiment. Laisse-moi un peu de temps. Nous irons l'été prochain, toutes les deux. C'est le pays des vignes. Tu verras, sous le soleil, tout sera plus gai, les vieilles pierres blanches, les rosiers, et même les ruines grandioses du château. Bouteville aura retrouvé son vrai visage, celui d'un charmant petit village…

DE LA MÊME AUTEURE :

*Dans la collection* **Couche-tard**

> **Les Enquêtes de Maud Delage**, vol. 1, romans,
> Chicoutimi, Éditions JCL, 2012, 344 p.
> **Les Enquêtes de Maud Delage**, vol. 2, romans,
> Chicoutimi, Éditions JCL, 2013, 376 p.

## *Grandes séries*

Série **Val-Jalbert**

> **L'Enfant des neiges**, tome I, roman, Chicoutimi,
> Éditions JCL, 2008, 656 p.
> **Le Rossignol de Val-Jalbert**, tome II, roman,
> Chicoutimi, Éditions JCL, 2009, 792 p.
> **Les Soupirs du vent**, tome III, roman, Chicoutimi,
> Éditions JCL, 2010, 752 p.
> **Les Marionnettes du destin**, tome IV, roman,
> Chicoutimi, Éditions JCL, 2011, 728 p.
> **Les Portes du passé**, tome V, roman,
> Chicoutimi, Éditions JCL, 2012, 672 p.

Série **Moulin du loup**

> **Le Moulin du loup**, tome I, roman, Chicoutimi,
> Éditions JCL, 2007, 564 p.
> **Le Chemin des falaises**, tome II, roman,
> Chicoutimi, Éditions JCL, 2007, 634 p.
> **Les Tristes Noces**, tome III, roman, Chicoutimi,
> Éditions JCL, 2008, 646 p.
> **La Grotte aux fées**, tome IV, roman, Chicoutimi,
> Éditions JCL, 2009, 650 p.
> **Les Ravages de la passion**, tome V, roman,
> Chicoutimi, Éditions JCL, 2010, 638 p.
> **Les Occupants du domaine**, tome VI, roman,
> Chicoutimi, Éditions JCL, 2012, 640 p.

**Série Bories**

*L'Orpheline du Bois des Loups*, tome I, roman, Chicoutimi, Éditions JCL, 2002, 379 p.
*La Demoiselle des Bories*, tome II, roman, Chicoutimi, Éditions JCL, 2005, 606 p.

**Série Angélina**

*Angélina: Les Mains de la vie*, tome I, roman, Chicoutimi, Éditions JCL, 2011, 656 p.
*Angélina: Le Temps des délivrances*, tome II, roman, Chicoutimi, Éditions JCL, 2013, 672 p.

## Grands romans

**Hors série**

*L'Amour écorché*, roman, Chicoutimi, Éditions JCL, 2003, 284 p.

*Les Enfants du Pas du Loup*, roman, Chicoutimi, Éditions JCL, 2004, 250 p.

*Le Chant de l'Océan*, roman, Chicoutimi, Éditions JCL, 2004, 434 p.

*Le Refuge aux roses*, roman, Chicoutimi, Éditions JCL, 2005, 200 p.

*Le Cachot de Hautefaille*, roman, Chicoutimi, Éditions JCL, 2006, 320 p.

*Le Val de l'espoir*, roman, Chicoutimi, Éditions JCL, 2007, 416 p.

*Les Fiancés du Rhin*, roman, Chicoutimi, Éditions JCL, 2010, 790 p.

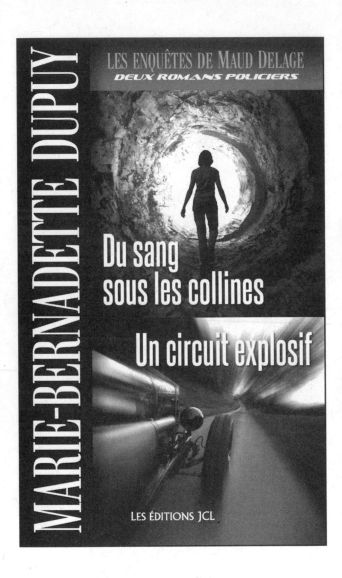

LES ENQUÊTES DE MAUD DELAGE
*DEUX ROMANS POLICIERS*

MARIE-BERNADETTE DUPUY

Du sang
sous les collines

Un circuit explosif

LES ÉDITIONS JCL

*344 pages; 15,95 $*

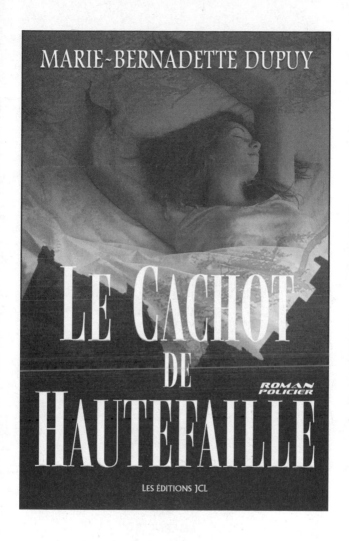

MARIE-BERNADETTE DUPUY

LE CACHOT
DE
HAUTEFAILLE

ROMAN
POLICIER

LES ÉDITIONS JCL

*320 pages; 19,95 $*

# DISTRIBUTEURS EXCLUSIFS

Distributeur pour le Canada et les États-Unis
LES MESSAGERIES ADP
MONTRÉAL (Canada)
Téléphone : (450) 640-1234 ou 1 800 771-3022
Télécopieur : (450) 640-1251 ou 1 800 603-0433
**www.messageries-adp.com**

Distributeur pour la France et autres pays européens
DISTRIBUTION DU NOUVEAU MONDE (DNM)
PARIS (France)
Téléphone : 01 43 54 49 02
Télécopieur : 01 43 54 39 15
**Courriel : libraires@librairieduquebec.fr**

Distributeur pour la Suisse
(À l'usage exclusif des libraires)
SERVIDIS / TRANSAT
GENÈVE (Suisse)
Téléphone : 022/342 77 40
Télécopieur : 022/343 46 46
**Courriel : transat-diff@slatkine.com**

◆◆◆

Dépôts légaux
Bibliothèque nationale du Canada
Bibliothèque et Archives nationales du Québec, 2013
*Imprimé au Canada*

**MARQUIS**

Québec, Canada

Imprimé sur Rolland Enviro100, contenant
100 % de fibres recyclées postconsommation,
certifié Éco-Logo, Procédé sans chlore, FSC
Recyclé et fabriqué à partir d'énergie biogaz.